A-Z MIDD

CO

C000004335

Key to Map Pages	
Map Pages	4-

REFERENCE

Motorway	A1(M)	**Car Park**	P
A Road	A19	**Church or Chapel**	†
Proposed		**Fire Station**	■
B Road	B1365	**Hospital**	Ⓗ
Dual Carriageway		**Information Centre**	🄸
One-way Street Traffic flow on A Roads is indicated by a heavy line on the driver's left.	→	**National Grid Reference**	⁴45
		Police Station	▲
Restricted Access		**Post Office**	★
Pedestrianized Road		**Toilet**	▽
Track & Footpath	====----	with facilities for the Disabled	♿
Residential Walkway	....	**Viewpoint**	🔆 ☀
Railway	Level Crossing / Station / Tunnel	**Educational Establishment**	
Built-up Area	STONE ST	**Hospital or Hospice**	
		Industrial Building	
Local Authority Boundary	–·–·–	**Leisure or Recreational Facility**	
National Park Boundary		**Place of Interest**	
Posttown Boundary			
Postcode Boundary Within Posttowns	– – –	**Public Building**	
		Shopping Centre or Market	
Map Continuation	18	**Other Selected Buildings**	

SCALE 1:15,840

```
0           ¼              ½                    ¾ Mile
0     250      500      750 Metres     1 Km
4 inches (10.16 cm) to 1 mile      6.31 cm to 1km
```

Copyright of Geographers' A-Z Map Company Limited

Head Office :
Fairfield Road, Borough Green, Sevenoaks, Kent TN15 8PP
Tel: 01732 781000 (General Enquiries & Trade Sales)
Showrooms :
44 Gray's Inn Road, London WC1X 8HX
Tel: 020 7440 9500 (Retail Sales)
www.a-zmaps.co.uk

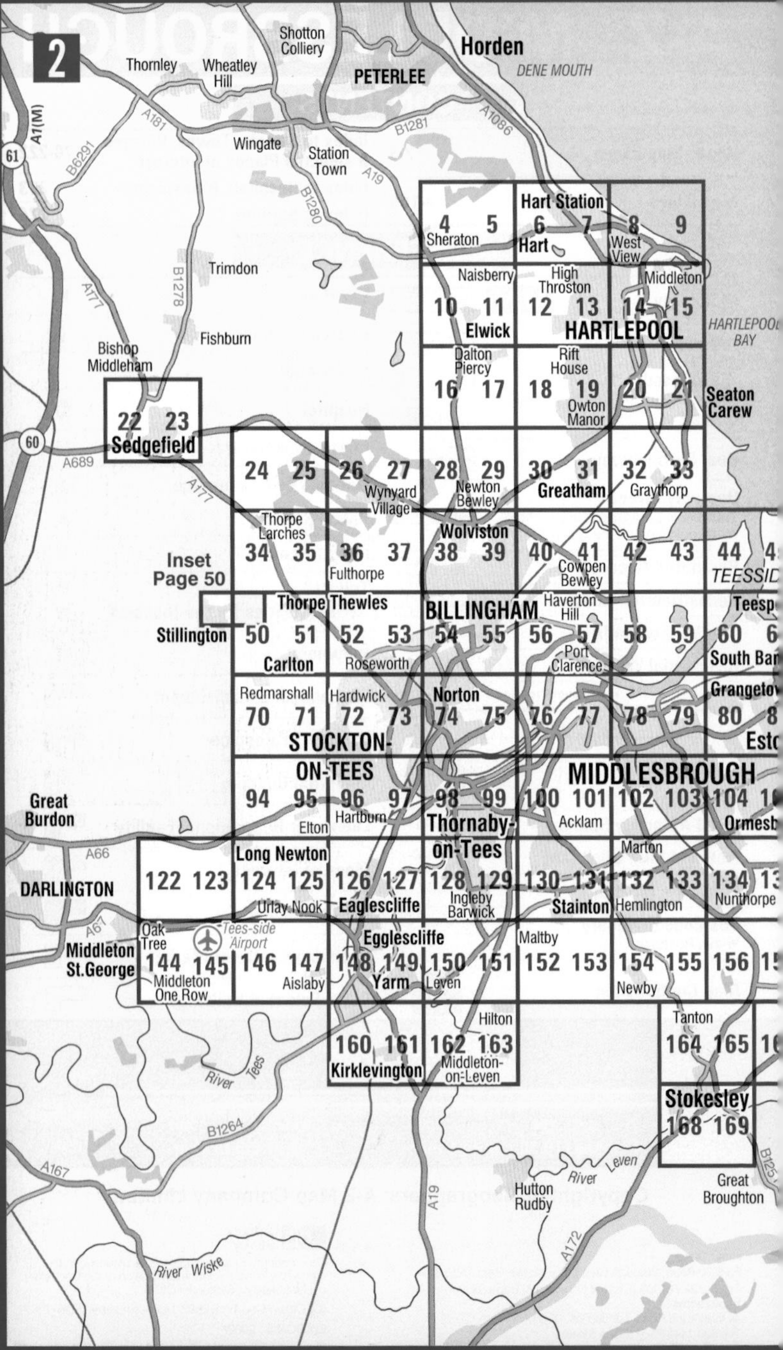

A1(M)

61

60

Thornley
Wheatley Hill
Shotton Colliery
Horden
DENE MOUTH
PETERLEE

Wingate
Station Town

Trimdon

Fishburn

Bishop Middleham

Sedgefield
22 23

Great Burdon

DARLINGTON

Middleton St.George

Sheraton
4 5
6 7
Hart Station
Hart
8 9
West View
Middleton

Naisberry
High Throston
10 11
Elwick
12 13
14 15
HARTLEPOOL

HARTLEPOOL BAY

Dalton Piercy
16 17
Rift House
18 19
Owton Manor
20 21
Seaton Carew

24 25
Wynyard Village
26 27
Newton Bewley
28 29
Greatham
30 31
Graythorp
32 33

Thorpe Larches
34 35
Fulthorpe
36 37
Wolviston
38 39
40
Cowpen Bewley
41
42 43
44

Inset Page 50

TEESSIDE

Stillington

Thorpe Thewles
50 51
Carlton
52 53
Roseworthy
BILLINGHAM
54 55
56 57
Port Clarence
Haverton Hill
Teesp
58 59
60
South Bar

Redmarshall
70 71
Hardwick
72 73
Norton
74 75
76 77
78 79
Grangetow
80
Esto

STOCKTON-ON-TEES

94 95
Elton
Hartburn
96 97
Thornaby-on-Tees
98 99
100 101
Acklam
102 103 104
MIDDLESBROUGH
Ormesb

Long Newton
122 123
124 125
Urlay Nook
126 127
Eaglescliffe
128 129
Ingleby Barwick
130 131
132 133
Stainton Hemlington
134 135
Nunthorpe
Marton

Oak Tree
Tees-side Airport
144 145
Middleton One Row
146 147
Aislaby
Egglescliffe
148 149
Yarm
150 151
Leven
Maltby
152 153
154 155
Newby
156 15

Hilton
160 161
Kirklevington
162 163
Middleton-on-Leven
Tanton
164 165
16

Stokesley
168 169

River Tees

River *Leven*

Hutton Rudby

Great Broughton

River Wiske

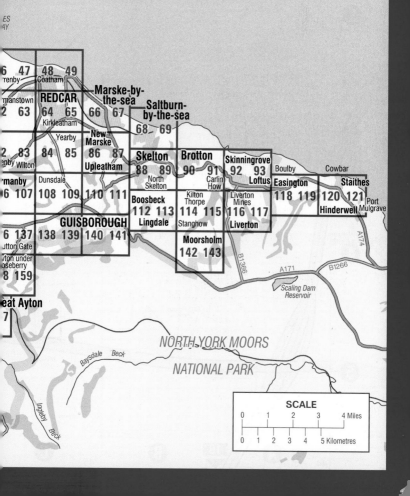

NORTH SEA

ES
4Y

| | 6 47 renby | 48 49 Coatham | | | | | | |

6 47 renby | 48 49 Coatham

Marske-by-the-sea

manstown | **REDCAR**
2 63 | 64 65 Kirkleatham | 66 67

Saltburn-by-the-sea
68 69

2 83 enby Wilton | 84 85 Yearby | New Marske 86 87 Upleatham | **Skelton** 88 89 North Skelton | **Brotton** 90 91 Carlin How | **Skinningrove** 92 93 Loftus | Boulby | Cowbar

manby 6 107 | Dunsdale 108 109 | 110 111 | **Boosbeck** 112 113 Lingdale | Kilton Thorpe 114 115 Stanghow | Liverton Mines 116 117 **Liverton** | Easington 118 119 | **Staithes** 120 121 Port Mulgrave Hinderwell

6 137 utton Gate ton under oseberry 8 159 | 138 139 | 140 141 **GUISBOROUGH** | **Moorsholm** 142 143 |

eat Ayton
7

NORTH YORK MOORS
NATIONAL PARK

Baysdale Beck

Ingleby Beck

A174

B1366

A171   B1266

Scaling Dam
Reservoir

SCALE

0   1   2   3   4 Miles

0   1   2   3   4   5 Kilometres

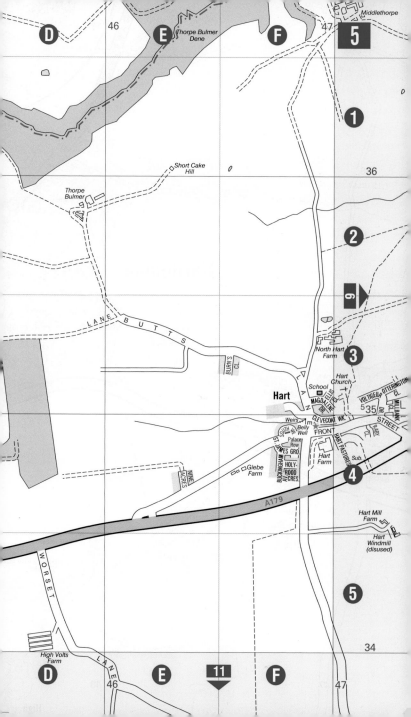

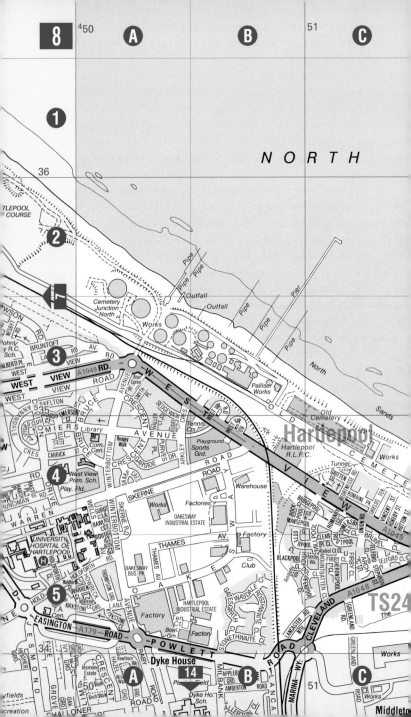

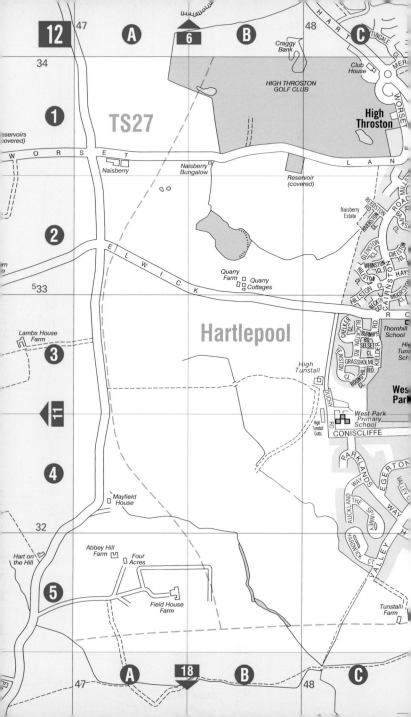

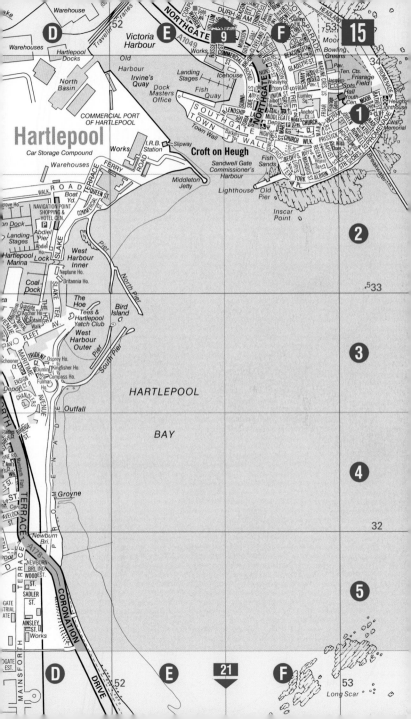

Hartlepool

D Warehouse

Warehouses

E Victoria Harbour
NORTHGATE A1049
9

F

53

Moor
Bowling
Greens

Pav.
Ten. Cts.
Friarage
Spts. Field

Hartlepool
Docks

North
Basin

Old
Harbour
Irvine's
Quay

Dock
Masters
Office

Landing
Stages
Icehouse

Fish
Quay

COMMERCIAL PORT
OF HARTLEPOOL

SOUTHGATE
TOWN

Car Storage Compound

Works

I.R.B.
Station
Slipway

Town Wall

Croft on Heugh

Sandwell Gate
Commissioner's
Harbour

Fish
Sands

1

Warehouses

ROAD

FERRY
TERRACE
WALK

Boat
Yd.

ROAD

Middleton
Jetty

QUEEN ST.
COMMERCIAL ST.

NAVIGATION POINT
SHOPPING &
HOTEL CEN.

Abdiel
Pier

Abdiel
Ho.

Hartlepool
Marina

Lock

SLAKE

Landing
Stages

Lighthouse
Old
Pier

Inscar
Point

2

Coal
Dock

SLAKE TER.

West
Harbour
Inner

Neptune Ho.
Britannia Ho.

Pier

North Pier

.533

THE HOE

Quayside
Anchor
Walk
Captains
Walk

The
Hoe
Tees &
Hartlepool
Yatch Club

Bird
Island

West
Harbour
Outer

Pier

South Pier

3

FLEET AV.
MARITIME
AVENUE

Osprey Ho.
Kingfisher Ho.
Compass Ho.
Fulmar
Ho.

Schooner
Ct.
Dunlin
Cl.
Trident
Cl.
Ensign Ct.

Depot Ct.

CHANDLERS

HARTLEPOOL

Outfall

BAY

4

Staithes
St.
RINE RO.
WK.
St.

BRIDGE ST.

TERRACE

Groyne

5

Newburn
Bri.

A178

TERRACE

NEWBURN
BRI. IND.
WOOD ST.
SADLER
ST.

AINSLEY
ST.

Works

CORONATION

DRIVE

32

D
52

E

21

F

53
Long Scar

MAINSFORTH TERRACE

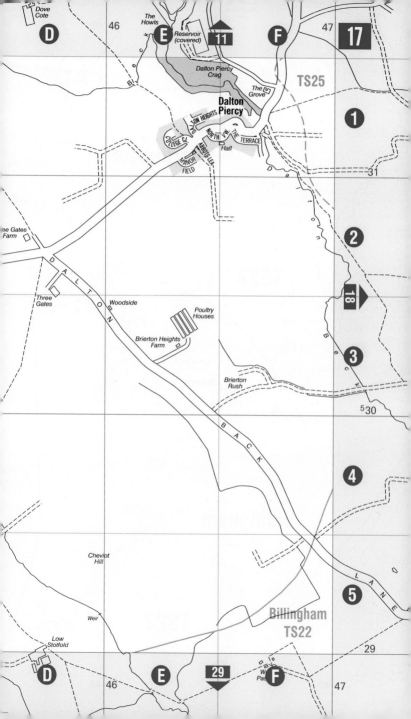

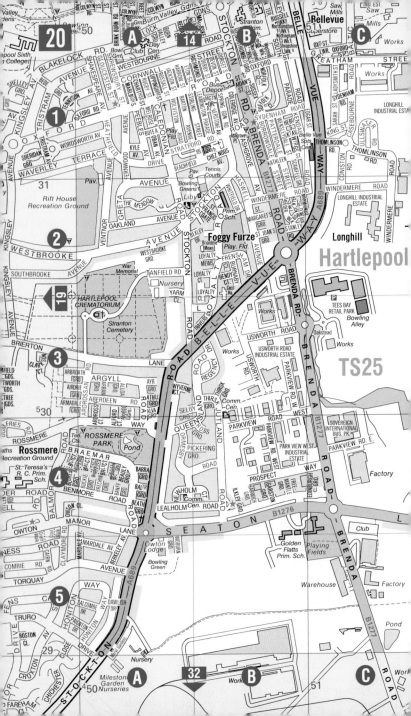

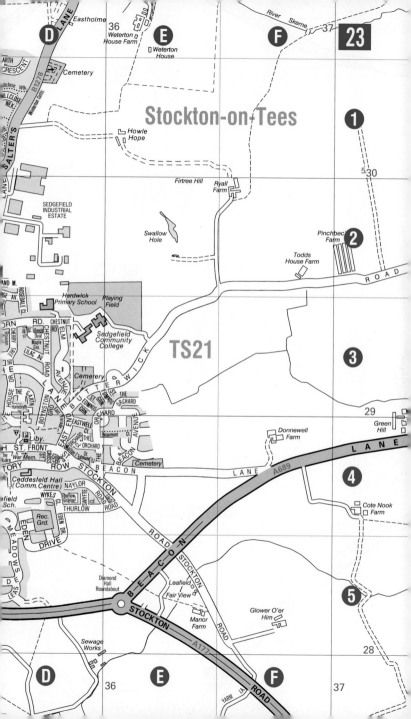

Stockton-on-Tees

TS21

23

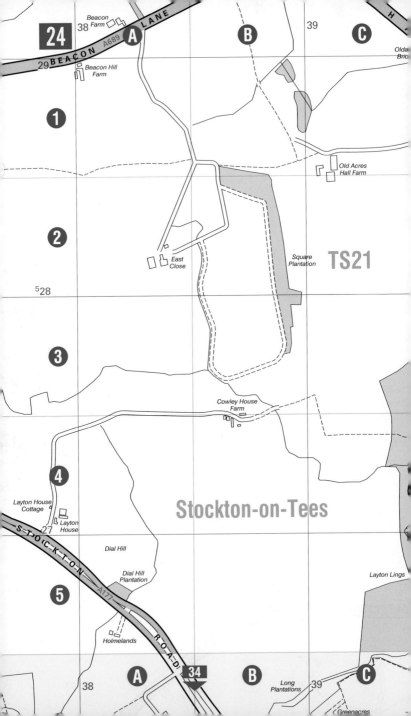

A **B** 39 **C**

BEACON **LANE**

29 A689

38 Beacon Farm

Beacon Hill Farm

1

Old Acres Hall Farm

2

East Close

Square Plantation

TS21

⁵28

3

Cowley House Farm

4

Layton House Cottage

27 Layton House

Stockton-on-Tees

Dial Hill

Layton Lings

Dial Hill Plantation

5

A177

Holmelands

R O A D

A **34** **B** **C**

38 Long Plantations 39

Greenacres

Olda Brid

H

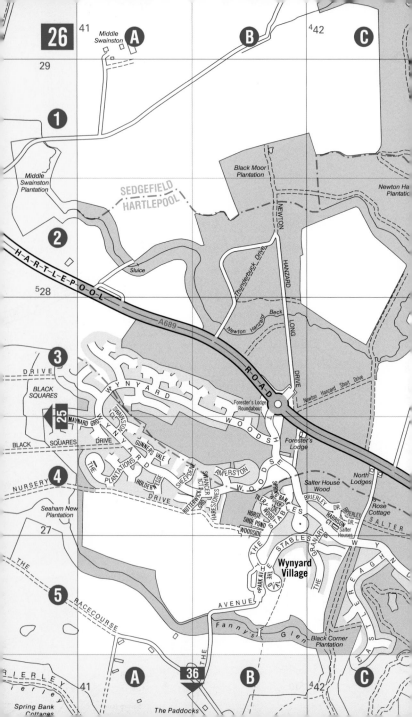

34 38

A

24

B

39

C

STOCKTON

Holmelands

1

New Homer Carr
Plantation

South
Layton

26

Long
Plantations

Greenacres

Greensides

The
Larches

ROAD

Thorpe
Larches

A177

2

Old Homer Carr
Plantation

Newlands

Golden
Elders

The
Gables

Woodside

DURHAM

3

Toft Hill
Farm

Fir Tree
Holdings

SEDGEFIELD

STOCKTON-ON-TEES

SHOTTON   MOOR

⁵25

4

Thorpe Leazes
Cottages

Thorpe
Leazes

Whitton Moor
Farm

Whitton
Moor
Lodge

Whitton
Three Gates

5

24

The
Rush

A

38

B

39

50

C

Hell
Hole

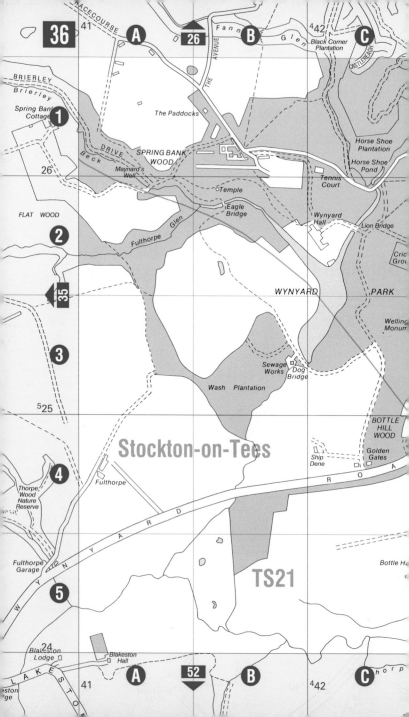

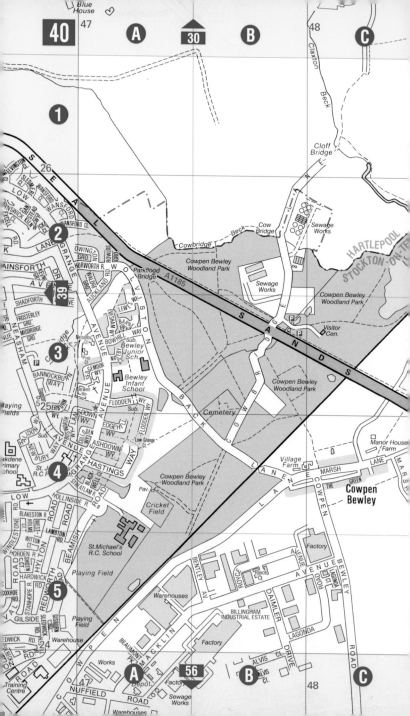

Seaton Snook
Wharf Light

53   **A**   **B**   54   **C**

S E A T O N   O N   T E E S   C H A N N E L   HARTLEPOOL

1

26

Seal   Sands   Nature   Reserve

2

Jetties

*Oil
Teminals*

◀ **43**

Jet

3

*Oil
Refinery*

Middlesbrough

5 25

4

Works

Seal Sands European

Chemical Plant

TS2

5

Jetty

S E A L

24

Jetties

53   **A**   **60**   **B**   54   *Je...*   **C**

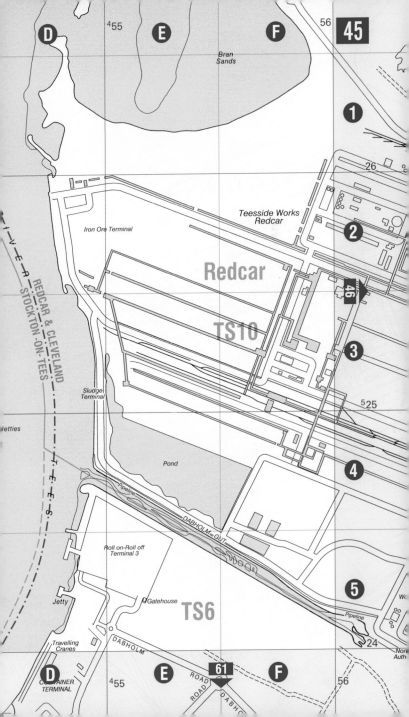

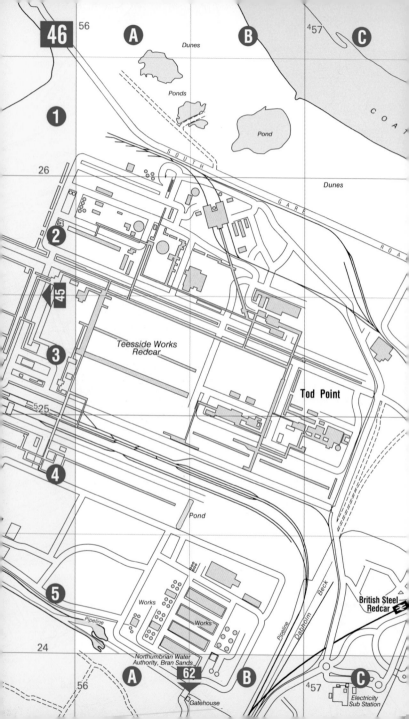

46
56
457

A **B** **C**

Dunes

1

Ponds

Pond

COA T

SOUTH

26

GARE

Dunes

2

ROA

◀**45**

Teesside Works
Redcar

3

Tod Point

5·25

4

Pond

5

Pipeline

Works

Works

British Steel
Redcar

Pipeline

Dabholm Beck

24

A **B** **C**

56

62

Northumbrian Water
Authority, Bran Sands

457

Gatehouse

Electricity
Sub Station

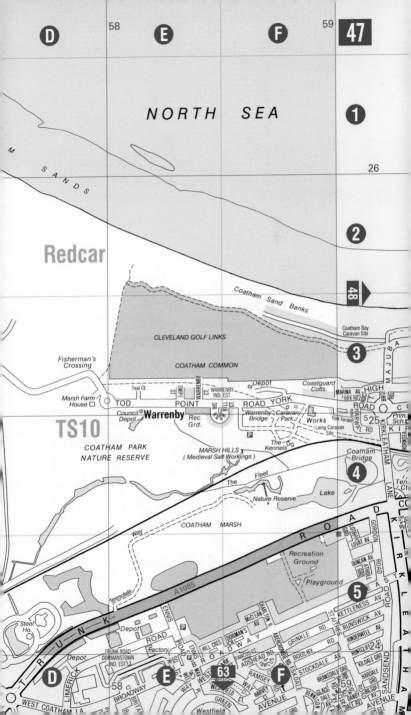

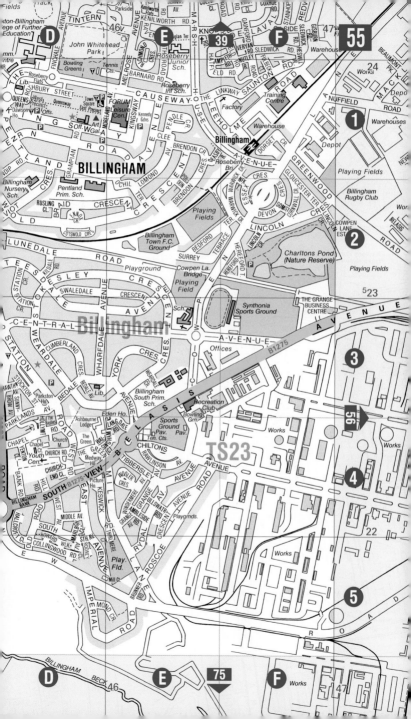

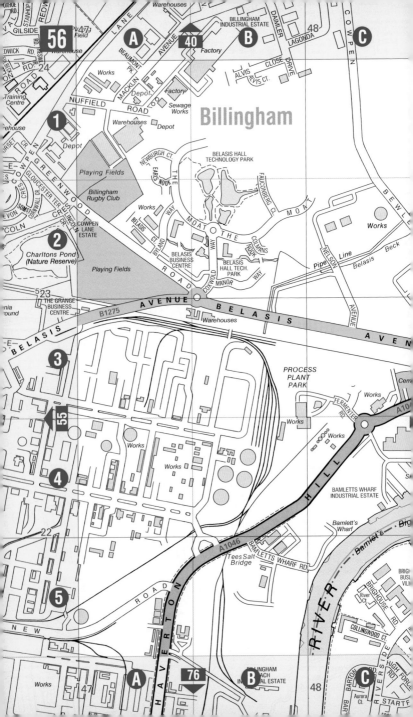

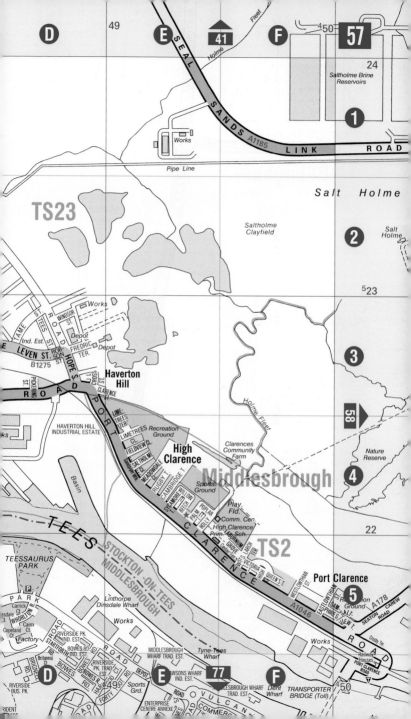

62
63
A
B
C
1
2
3
4
5
TS10
Redcar
Mill Howle
Millclose Howle
Red Howles
Pipe Line
A1085
COAST ROAD
Playing Field
Mackinlay Park (Redcar R.U.F.C.)
Bydale Howle
Scanbeck Howle
Bydale Howle Fox Covert
Playing Fields
Bydales School
Long Beck
Sewage Treatment Works
Ryehills Farm
GREEN LANE
Black's Bridge
REDCAR ROAD
The Ings
WINCHESTER ROAD
BEVERLEY
DURHAM RD.
LINCOLN
NORWICH RD.
WHITBY CR.
RIPON ROAD
CANTERBURY ROAD
OAK RD.
Comm. Cen.
HYTHE CL.
DRIVE
NEWLYN WY.
ST. IVES
PORTHLEVAN WY.
ELDER GRO.
HORNBURY
BEADNALL WY.
HAUXLEY CL.
CAT FLATT LANE
Cat Flat Crossing
CLEVELAND VW.
ROSE AV.
PASTURE CL.
WESTFLD. RD.
NORTHFLD. RI.
MIDDLEFIELD RD.
EASTFIELD ROAD
HIGHFIELD R.
RYANS ROW
REDCAR AV.
LONGBECK TRADING ESTATE
THE GREEN
THE DRIVE
Longbeck
Longbeck Crossing
Training Centre
LONGBECK
BARNES
WALLIS WAY
DE HAVILLAND DR.
VICKERS CL.
BEARDMORE AV.
FOLLAND DR.
LANCASTER DR.
BRABAZON DR.
BLACKBURNE GRO.
WELLINGTON CL.
LYSANDER CL.
SPITFIRE CL.
AVRO CL.
HALIFAX CL.
WOODFORD CLOSE
CHARTWELL CL.
CHURCHILL DR.
MARLBOROUGH AVENUE
SPENCER CL.
BLENHEIM
BLADON DR.
WANSD CL.
THE GARTH
WEST GARTH
West Garth Prim. Sch.
Marske Hall
St. Bede's R.C. Prim. Sch.
DOVECOTE CL.
FIR RIGG DRIVE
FALKLANDS CL.
RIFTSWOOD DR.
DENE WK.
RIFTS DR.
WHEATLANDS
GRUNDALES DR.
MICKLEDALES DR.
EPPING CL.
INGLEWOOD AV.
ROSSENDALE CL.
CHARNWD. CL.
DELAMERE DR.
SHERWOOD DRIVE
ALMOND GRO.
CHAPEL CL.
FELL BRIGGS DR.
RAISBECK CL.
Community Cen.
HALL CL.
Black Path
MARSKE BY-PASS
A174
STREET
GURNEY
PEARTREE CT.
Club
Sports Grd.
22
23
24
86
65

D 64 **E** **F** ⁴65 **67**

24

1

NORTH SEA

2

Marske Sands

⁵23

MARSKE-BY-THE-SEA

Church Howle

Tidal Ponds

3

68

Hunnies Howle

Stone Gap

Oldway ln

4

TS11

22

Windy Hill Farm

5

Spout Beck

A1085

Tofts Farm

D 64 **E** **87** **F** ⁴65

Tofts Bungalow

Quarry Lane

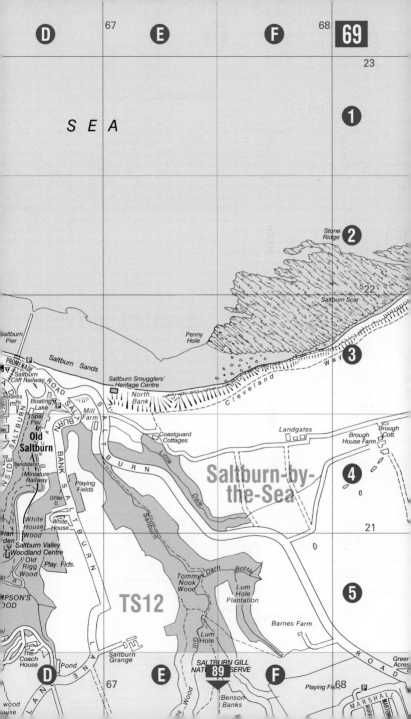

1

S E A

Stone Ridge **2**

522

Saltburn Scar

Penny Hole

Cleveland Way **3**

Saltburn Pier

P PROMENADE

Saltburn Sands

Saltburn Cliff Railway

ROAD

Alexandra Ho.

Boating Lake

Spa Pav.

Old Saltburn

North Bank

Saltburn Smugglers' Heritage Centre

Coastguard Cottages

Little Dale

Landgates

Brough House Farm

Brough Cott.

Saltburn-by-the-Sea

4

Bandstand

Miniature Railway

Cliftden

Playing Fields

SALTBURN BANK

Mill Farm

SALTBURN

Saltburn

White House Wood

White House

21

Saltburn Valley Woodland Centre

Old Rigg Wood

Play. Flds.

SIMPSON'S WOOD

TS12

Tommy Nook Wood

Darn

Bottle

Lum Hole Plantation

5

Barnes Farm

ROAD

Greer

The Coach House

Pond

LANE

Saltburn Grange

Lum Gill

SALTBURN GILL NATURE RESERVE

Benson Banks

Playing Fie

P

MARSHALL

Greer Acres

MAN

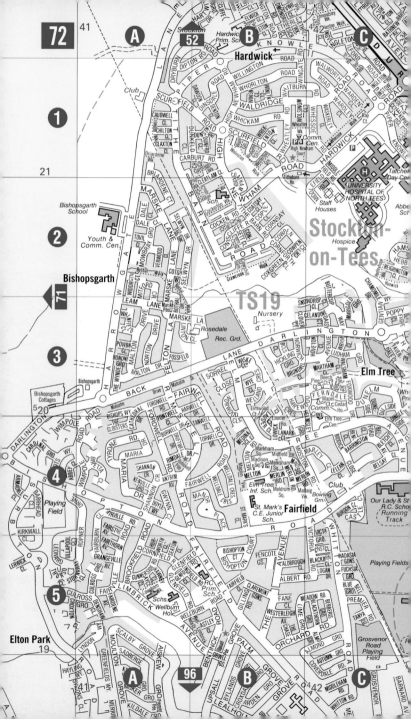

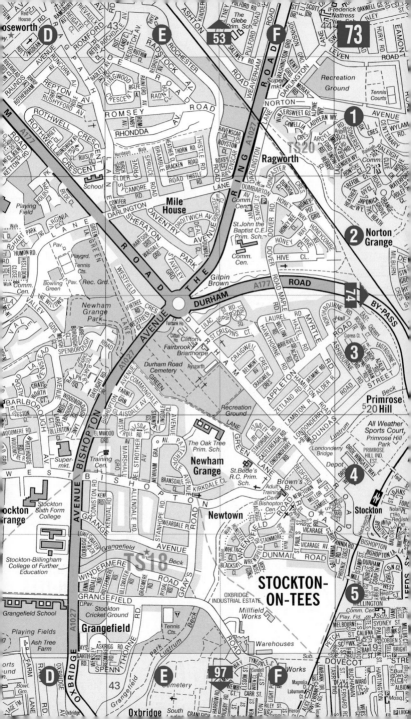

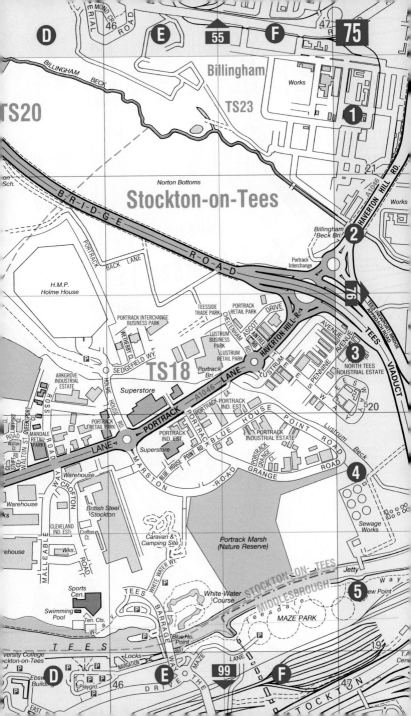

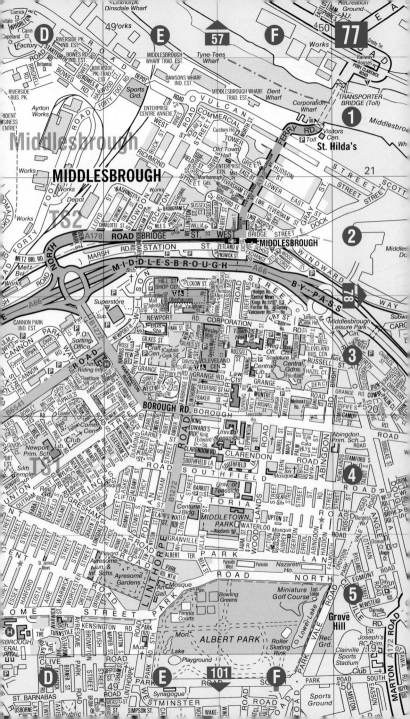

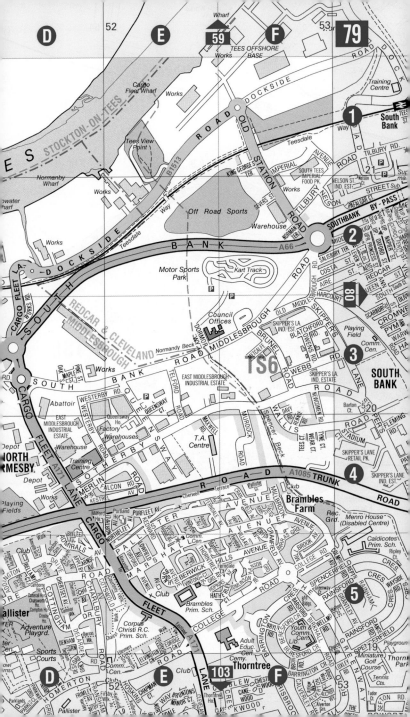

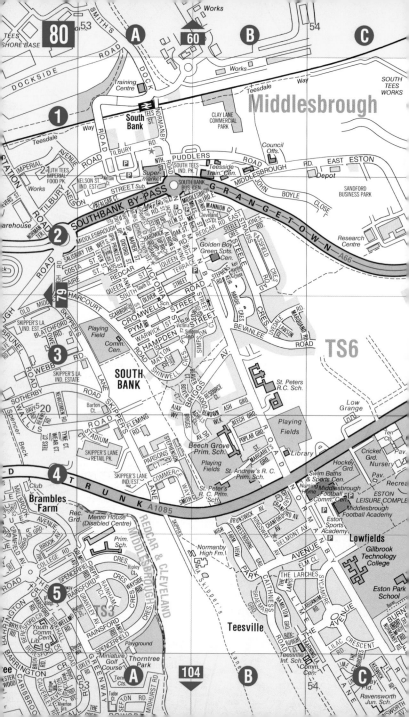

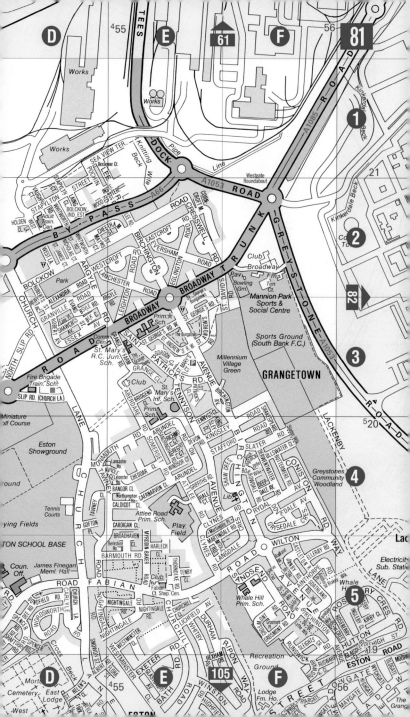

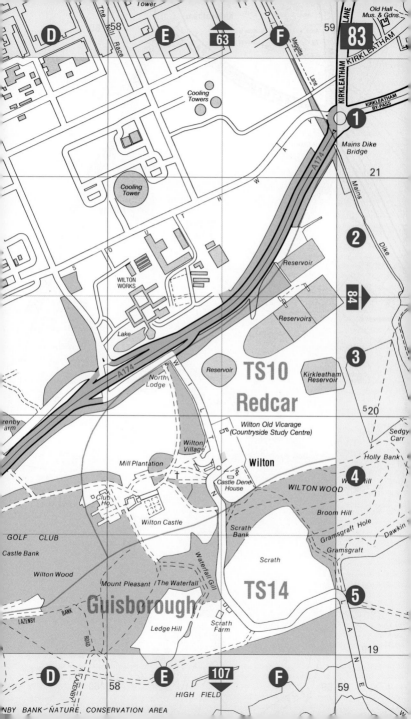

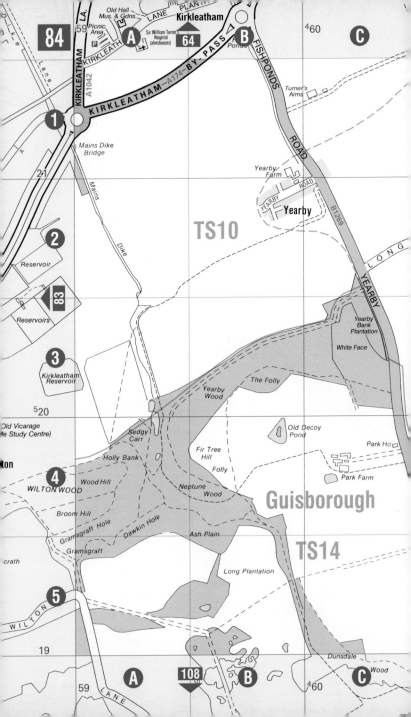

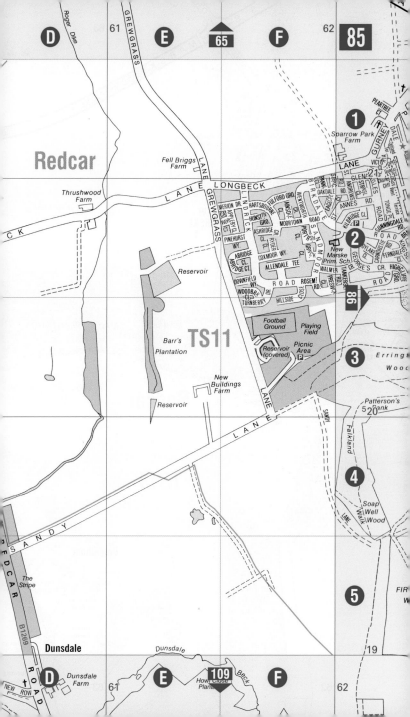

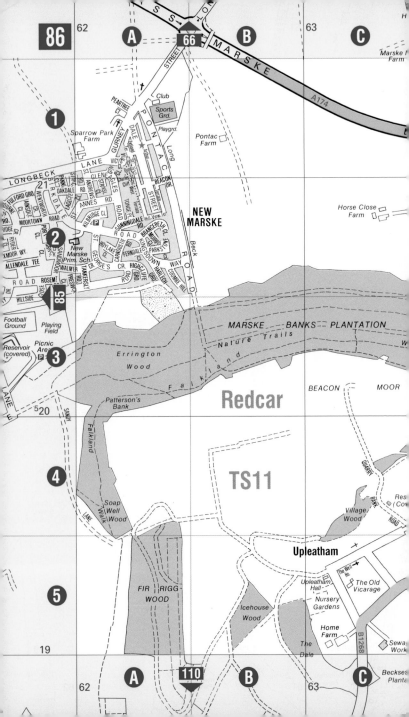

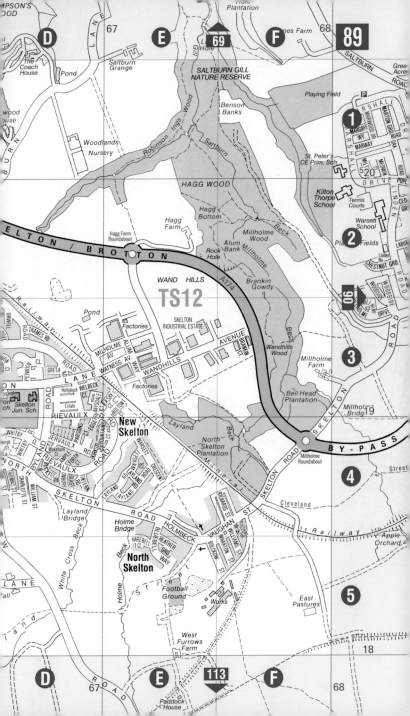

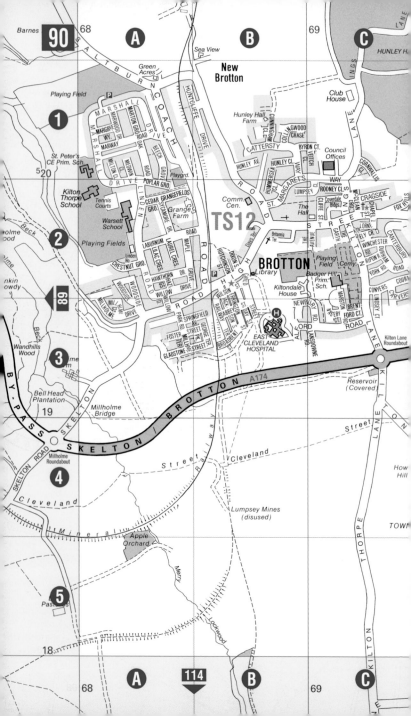

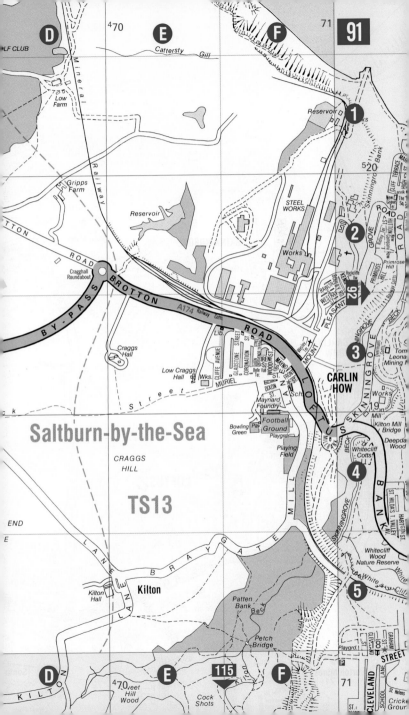

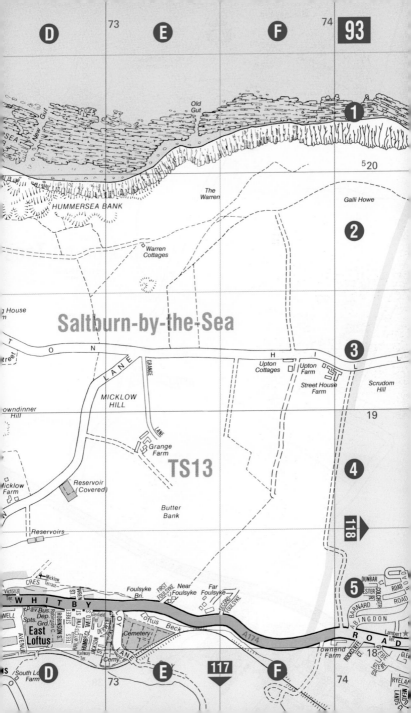

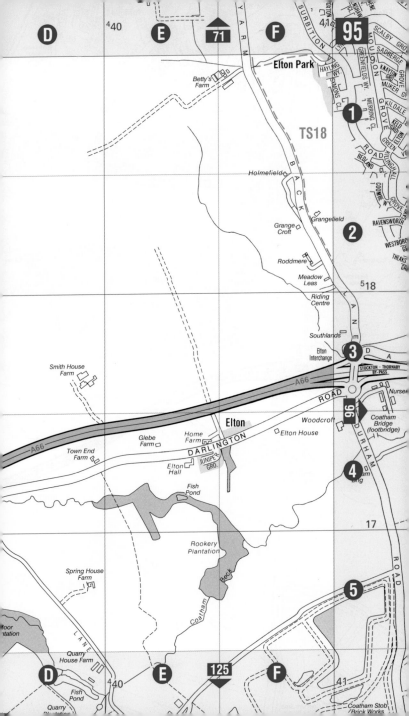

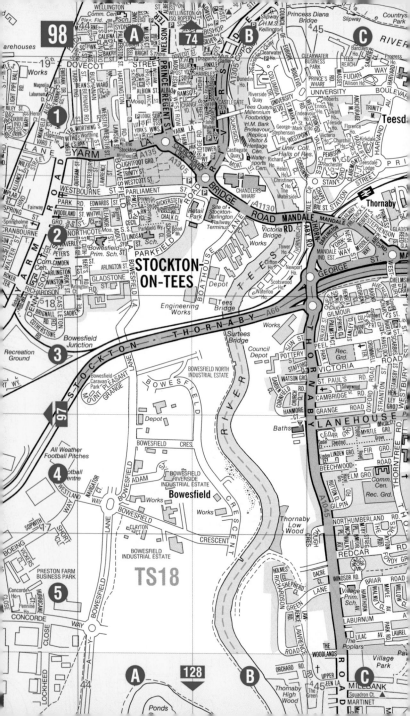

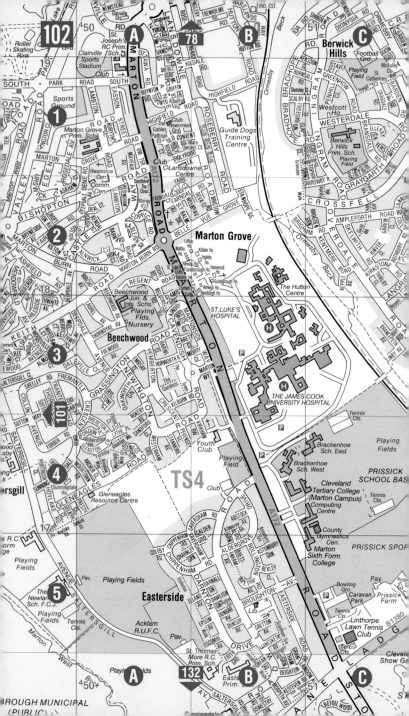

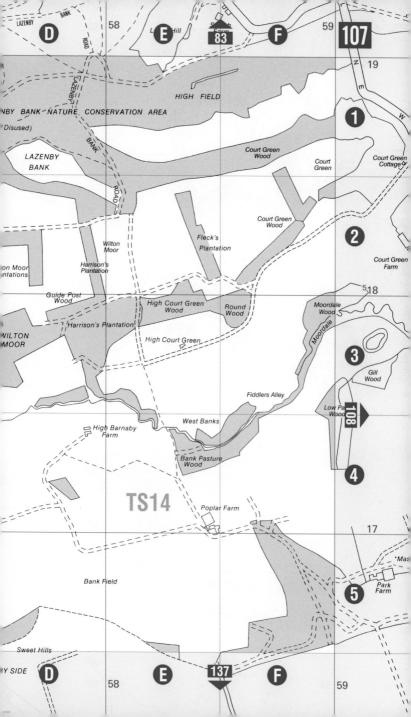

LAZENBY BANK

58

LAZENBY BANK

D

E Hill

83

F

59

107

N

19

HIGH FIELD

NBY BANK NATURE CONSERVATION AREA

1

W

(Disused)

LAZENBY BANK

Court Green Wood

Court Green

Court Green Cottage

LAZENBY BANK ROAD

Wilton Moor

Fleck's Plantation

Court Green Wood

2

Court Green Farm

n Moor ntations

Harrison's Plantation

Guide Post Wood

High Court Green Wood

Round Wood

5 18

Moordale Wood

WILTON MOOR

Harrison's Plantation

High Court Green

Moordale

3

Gill Wood

Fiddlers Alley

Low Pa Wood

108

High Barnaby Farm

West Banks

4

Bank Pasture Wood

TS14

Poplar Farm

17

Mas

Bank Field

Park Farm

5

Sweet Hills

Y SIDE

D

58

E

137

F

59

59

A

84

B

460

C

19

Dunsdale
Wood

1

Green
ood

Court
Green

Court Green
Cottage

Dunsdale
Farm

Moordale

Court Green
Wood

Molly
Bank

2

ourt Green
Wood

Court Green
Farm

Moordale
Bridge

518

Wilton Gill
Wood

Moordale
Wood

Beck

Moordale

3

Gill
Wood

ers Alley

Low Park
Wood

107

4

Mill Hill

North Cote
Farm

17

*Mast

5

Park
Farm

PARK WOOD

A

Scugdale

138

B

Howl Beck

460

C

59

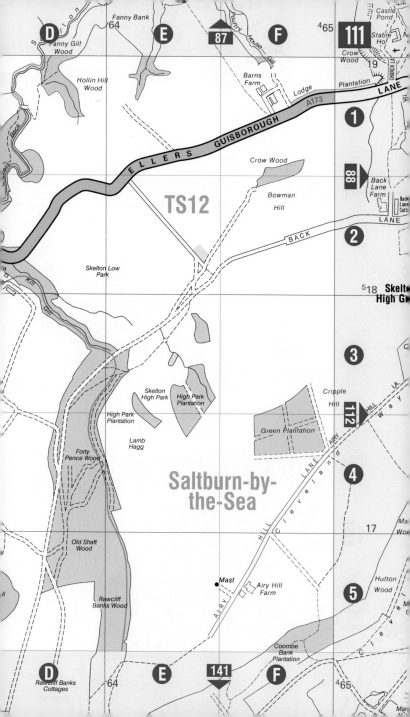

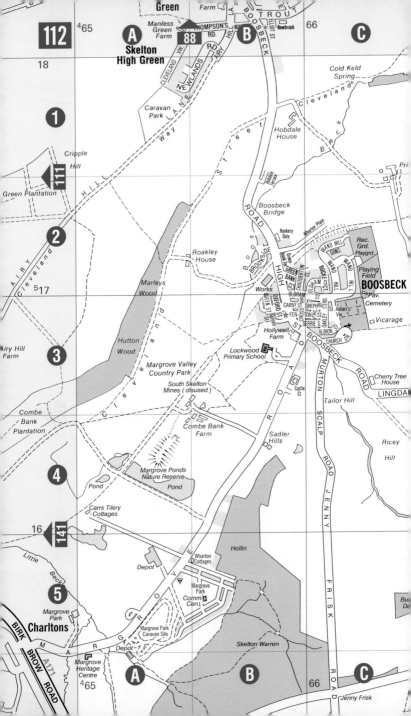

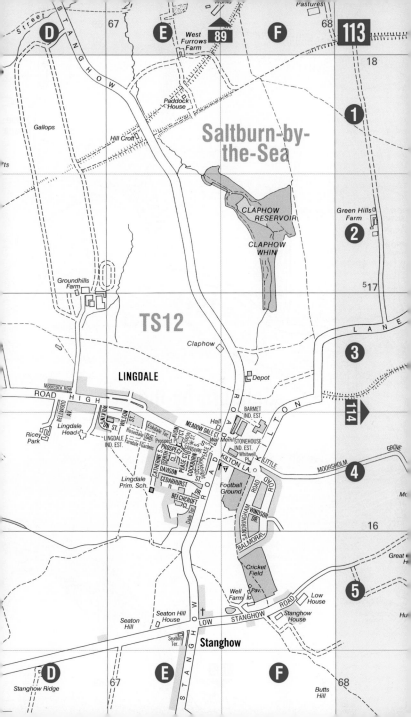

Street

D

STANGHOW

67

18

E

West
Furrows
Farm

89

F

68

Pastures

113

1

Paddock
House

Saltburn-by-the-Sea

Gallops

Hill Croft

ts

CLAPHOW
RESERVOIR

Green Hills
Farm

2

CLAPHOW
WHIN

5
17

Groundhills
Farm

TS12

Claphow

3

Depot

LANE

KILTON

114

LINGDALE

Moorcock Row

ROAD   HIGH

BARMET
IND. EST.

FELLWOOD
AV.

Lingdale
Head

WILSON
ST.

WILSON
ST.

MEADOW
DALE CL.

Hall

War Mem'l

Stonehouse
IND. EST.

GROVE

Ricey
Park

Rosedale
Ter.

Esdale Ter.

Gds.

Prospect Pl.

MEADOW
DALE CL.

TOWN
END CL.

Whitwell
Pl.

Little

MOORSHOLM

4

LINGDALE
IND. EST.

Farndale Gardens

CATHERINE ST.

PROSPECT
CL.

PEASE CT.

COPELAND
ST.

CROWN ST.

PRIESTCROFT CL.

LONDON ST.

HANDHOUSE ST.

KILTON LA.

Lingdale
Prim. Sch.

DAVISON
ST.

CEDARHURST

Football
Ground

WINDSOR
DR.

16

BEECHCROFT
CL.

Dale Ter.

ROAD

SANDRINGHAM

BALMORAL

Great

Mc

Cricket
Field

5

Well
Farm

Pav.

Low
House

Hu

Seaton
Hill

Seaton Hill
House

ROAD

LOW

STANGHOW

Stanghow
House

D

Stanghow Ridge

67

STANGHOW

Seaton
Ter.

E

Stanghow

F

68

Butts
Hill

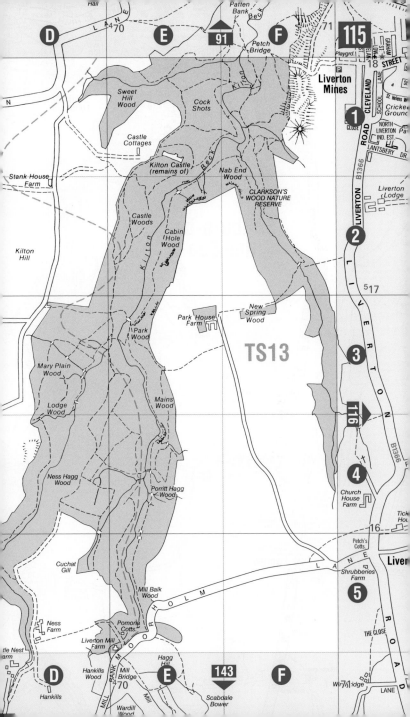

LANE

Hall

Patten Bank

Petch Bridge

71 71

Playgrd.

Liverton Mines

18 STREET

N

Sweet Hill Wood

Cock Shots

Kilton Beck

CLEVELAND ROAD

GRAHAM

LOW LANE

SCHOOL LANE

ELAN

St Helens W

Cricket Ground

1

CLOSE

NORTH LIVERTON IND. EST.

Pa

LANTSBERY DR.

Castle Cottages

Kilton Castle (remains of)

Nab End Wood

CLARKSON'S WOOD NATURE RESERVE

LIVERTON

B1366

Liverton Lodge

Stank House Farm

Kilton Beck

2

Kilton Hill

Castle Woods

Cabin Hole Wood

5 17

Kilton Beck

New Spring Wood

Park House Farm

TS13

LIVERTON

3

Park Wood

Mary Plain Wood

116

B1366

Lodge Wood

Mains Wood

4

Church House Farm

Ness Hagg Wood

Porritt Hagg Wood

16

Tick Hou

Petch's Cotts.

Liver

Cuchat Gill

HOLM

LANE

Shrubberies Farm

5

Mill Balk Wood

MOOR

THE CLOSE

Ness Farm

Pomoria Cotts.

Liverton Mill Farm

tle Nest arm

Hankills Wood

MILL BANK

Mill Bridge

Hagg Hill

Mill

ROAD

Hankills

70

Wardill Wood

Scabdale Bower

Wir7 ridge

LANE

East Loftus

WHITBY

ROAD

93 A174

118

NORTH YORK MOORS
NATIONAL PARK

TS13

South Loftus Farm

Holywell Farm

Highfields Farm

Handale Wood

Handale Abbey

Handale

Cemetery

Cemy.

Townend Farm

Easington

Tunnel

Ryelands Pk. Fm.

Reservoir (Covered)

Lane Farm

Gother Hill

Three Neuks

Square Plantation

Grinkle Park Cottages

Grinkle Park Farm

North Plantation

South Plantation

The Lodge

Fishpond Wood

Fish Pond

Warren House

The Warren

1

2

3

4

5

D

E

F

74

18

17

16

73

74

118

Saltburn-by-the-Sea

EASINGTON

TS13

A Scrudom Hill

B Rockcliff Hill

UPTON

C Boulby Barns Farm

Easington Heights

Upton Cottages

Upton Farm

19

1

93

Ings Farm

DUNBAR CL

THE CLOSE

COLCHESTER CL

COLCHESTER ROAD

BARNARD

ROAD

ABINGDON

2

Easington Hall Farm

Twizzie Gill

W 518 H

Lambert Ter.

MINNS FIELD

GS

A174

Arglam Farm

Twizziegill Farm

Townend Farm

ROCKCLIFFE CL

GLEBE CT

GLEBE GS

GLEBE GARDENS

INC-WOOD GRO

LANE

PARK

RYELANDS MEADOW

WHEATLANDS DR

DN

PK

TWIZZIE

CURRIER WY TYR

3

117

Ryelands Pk. Fm.

LANDS CL

CURRIER CL.

Easington

4

17

Tunnel

Reservoir (Covered)

Nan Bank

Black Gill

Lane Farm

5

Three Neuks

Gother Hill

74

Square Plantation

GRINKLE LANE

A Square Plantation

B Black Gill Cottages

475

Blackgill Wood

Angel Cottage

C Haghill Wood

Easin

Fo

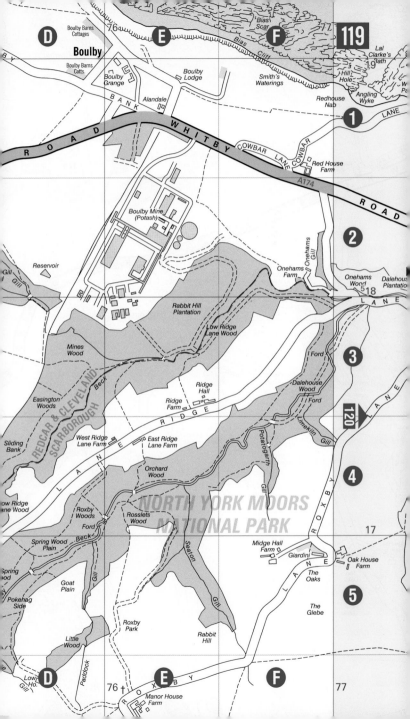

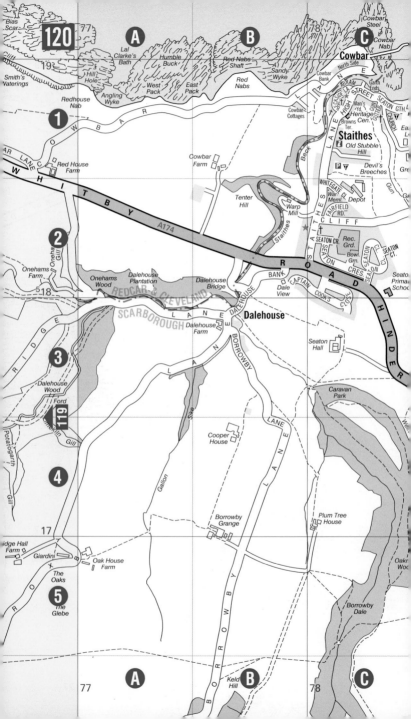

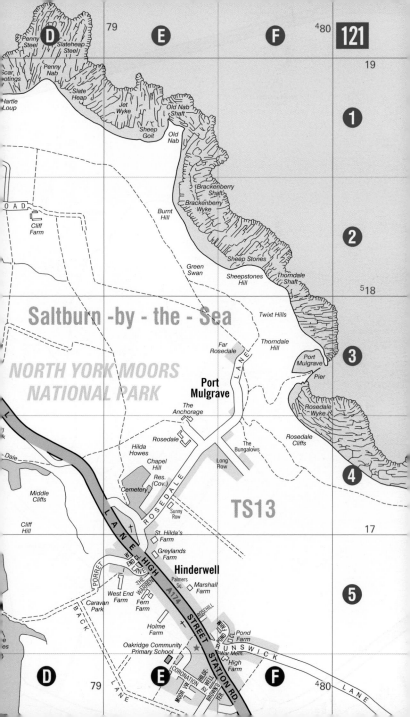

122

435

Ⓐ A66 Ⓑ 36 Ⓒ

Longnewton Reservoir

Rectory Farm

Eddlethorpe Farm

Res. (Covered)

Newton South Grange

Ivanhoe

Bumper Hall

1

16

Hardstones Farm

2

Spring House Farm

STOCKTON-ON-TEES

DARLINGTON

3

White House Farm

⁵15

4

Goosepool Beck

High Goosepool Farm

5

West Hartburn Farm

West Hartburn Farm Cottage

Foster House

A67 14

Ⓐ 435 M I L L Ⓑ 36 Ⓒ

144

RINGWAY GRO. 7
YEADON WAY

PRESTWICK CT.

SHANNON LEA

D 37 **E** **F** 38 **123** Long Newton House

Hang Thorn Farm

Fairfields Bungalow

Sub. ROAD

St. Mary's C.E. Prim. Sch.

Stockton -on-Tees

A66

STOCKTON

A66

DARLINGTON

THE WILLOW CHASE

THE VINE

THE YEW WK

WOODLAND

Parkside

THE STRAY

THE GREEN

RECTORY LANE

Manor Gate

1

Longnewton

West End Farm

FAIRFIELDS CL.

Middle Town Farm

16

Darlington

Londonderry Cottage

L A N

L

TS21

2

DL2

124

Mill Hill Farm

3

L

L

Lyndale

515

West Moor

Beck

M

4

West Gate Fox Covert

Burnwood

Westgate Farm

5

Long Plantation

Goosepool Beck

Sewage Works

14

A67

D **E** Tees-side Airport **145** **F** 38

Low Goosepool Farm

37

7

Sycamore Lodge Poplar Lodge *Leisure*

Stockton-on-Tees

COATHAM LANE

Quarry House Farm

Fish Pond

Quarry Plantation

Moor Plantation

Beck

Coatham Stob

95

Coatham Stob Works

16

Red Roofs

Ponds

2

126

Admiralty Ecology Park (Carter Moor Nature Reserve)

3

Carter Moor

Re Ga
Pav

WHITEHO ROAD

Urlay Nook Bridge

Works

Works

LANCASTER LANE

GIBRALTAR RD

HONG KONG RD

MALTA RD

PORTSMOUTH

SINGAPORE

SQUARE

KEYLOW SQUARE

Wks

75

ROAD

ROAD

ROAD

4

Eaglescliffe Logistics Centre

Low Crook Farm

CHATHAM

Works

Playing Field

Police Training Centre

South Urlay Nook Farm

URLAY NOOK

Coathamville

Scargill

Kenreen

COTHERSTONE CL

MIDDLN CL

GRASSHOLME

LANGDON

Allens

Sports Ground

Orchard Estate

EMSWORTH

MAYFIELD

MAYFIELD CL

MAYFI

CL

Urlay Nook

TS16

ROAD

KETTERG

CL

HY

DN

5

A67

A67

URLAY NOOK RD

14

The Grange

Hunter's Rest

VALLEY GDNS

COAT VALE

41

D 440 E 147 F

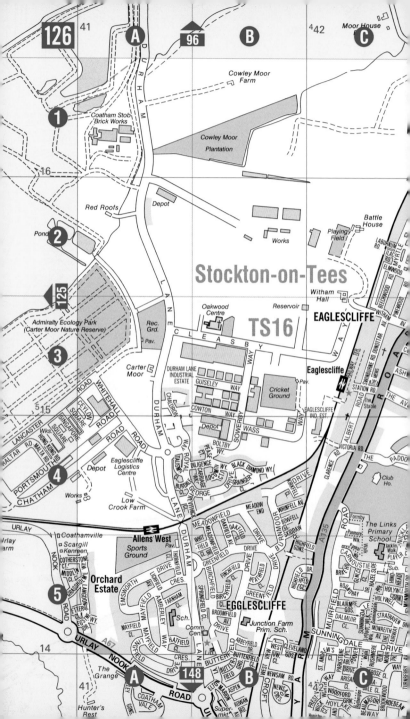

A 41

B 96 42

C Moor House

1

Coatham Stob Brick Works

Cowley Moor Farm

Cowley Moor Plantation

16

Red Roofs

Depot

Battle House

Playing Field

Works

2 Pond

Stockton-on-Tees

125

Admiralty Ecology Park (Carter Moor Nature Reserve)

Rec. Grd.

Pav.

Oakwood Centre

Reservoir

Witham Hall

TS16

EAGLESCLIFFE

LABURNUM RD.

MYRTLE RD.

ELMWOOD

BEECHWOOD

PINEWOOD

3

Carter Moor

CLEASBY

WAY

DURHAM LANE INDUSTRIAL ESTATE

GUISELEY WAY

Eaglescliffe

Eaglescliffe IND. EST.

STATION RD.

The Stable

RAILWAY TERR.

SWINBURNE RD

DUNHITAT

THE WYND

ASH

ROAD

THE AV

WHITEHALL ROAD

CEYLON SQUARE

SINGAPORE CL.

COWTON

WAY

SOWERBY

WASS

ROAD

ALBERT

CLARENCE RD.

Club Ho.

THE PADDO

LANCASTER RD.

HONG KONG RD.

MALTA RD.

GIBRALTAR RD.

Wks

Depot

ROAD

BOLTBY WY.

PEASE

ROYAL

TALBOT

BURDEN

GEORGE

DILIGENCE

CARRIAGE

LOCK

BLACK DIAMOND WY.

GRAINGER

WASS

Pav.

VICTORIA RD.

4 PORTSMOUTH

CHATHAM

Works

Eaglescliffe Logistics Centre

Low Crook Farm

DURHAM

LANE

DRIVE

WHINFELL AV.

MEADOW END

BOWFELL

SKIDDAW

HIGHFIELD GDNS.

BUNMOOR DRIVE

ROAD

A135

Formby

Panmure

The Links Primary School

CARNOUSTIE SIDE

DR. HAZEL SLDE.

PLAYER

Sub.

Jacklin Walk

URLAY

Coathamville

Scargill

Kenreen

COTHERSTONE

MIDDLM. CL.

GRASSHOLME WY.

ETTERSGILL

ROAD

Allens West Sports Ground

Pav.

MEADOWFIELD

OMARFIELD

WHIT FIELD

GREENFIELD

OAKFIELD

THORNFIELD

DURHAM

LANE

EMSWORTH

MAYFIELD

LINFIELD

AMBERLEY

FARNHAM

CRES.

Sch.

FINCHFIELD CL.

BIRCHFIELD DR.

SPRINGFIELD CL.

BROOMFIELD

GREENFIELD

HIGHFIELD

MUIRFIELD

MURFIELD

ROWAN

DALMUIR

SUNNINGDALE

HOLYWELL

HOLYWELL GRN.

STRATHAVEN DR.

MONREITH

5

Orchard Estate

MAYFIELD CL.

HATFIELD CRES.

MAYFIELD WAY

BUTTERFIELD DRIVE

Comm. Cen.

EGGLESCLIFFE

Junction Farm Prim. Sch.

ABBEYFIELD DR.

WEST

CLEVELAND GDNS.

SUNNINGDALE DRIVE

ST. ANDW'S W'K

PARKSTINE

ROSSMERE WY.

ROSE CL.

DALE CL.

WOODFORD

HOYLAKE

TURNBERRY

ARISAIG

A 41

URLAY NOOK A67

ROAD

The Grange

COATHAM VALE

Hunter's Rest

B 148

BUTTERFIELD

ELTON

ASPEN

ROWAN

Super-mkt.

NEWSAM RD.

WEST CROFT

YARM

NEWSAM

C 42

PRESTON WAY

BRECON

HYLSOME

BROOKWOOD

BEAMSB'H

WAY

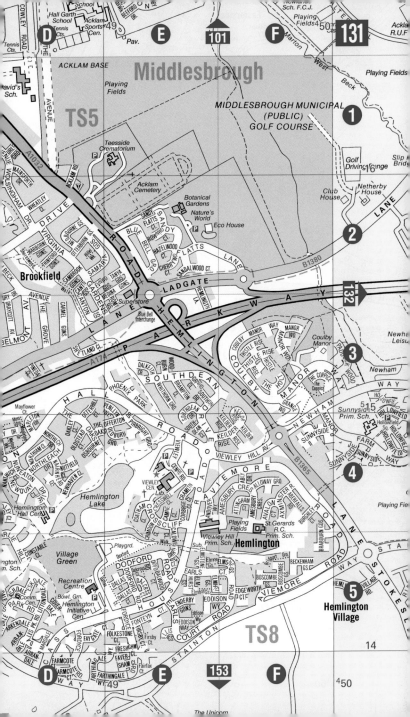

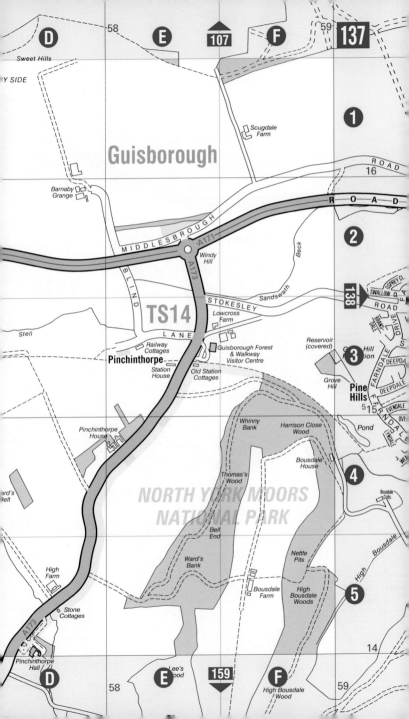

Sweet Hills

Y SIDE

1

Scugdale Farm

Guisborough

R O A D

16

Barnaby Grange

R O A D

2

MIDDLESBROUGH

A171

Windy Hill

Beck

A173

BLIND

Sandswath

STOKESLEY

138

OSPREY CL

SWALLOW CL

R O A D

TS14

Stell

LANE

Lowcross Farm

Reservoir (covered)

BRANS

DALE

DRIVE

FARNDALE

DEEPDA

Railway Cottages

Guisborough Forest & Walkway Visitor Centre

Hill

on

DEEPDALE

Pinchinthorpe

Station House

Old Station Cottages

3

Grove Hill

Pine Hills

5

15

FARNDALE

EVENDALE

OVE

HINDLE

Pinchinthorpe House

Whinny Bank

Harrison Close Wood

Pond

WE

Bousdale House

4

Bousdale its

ard's elt

Thomas's Wood

NORTH YORK MOORS
NATIONAL PARK

Bell End

Ward's Bank

Nettle Pits

High Bousdale Woods

High Bousdale

High Farm

Bousdale Farm

5

14

A173

Stone Cottages

Pinchinthorpe Hall

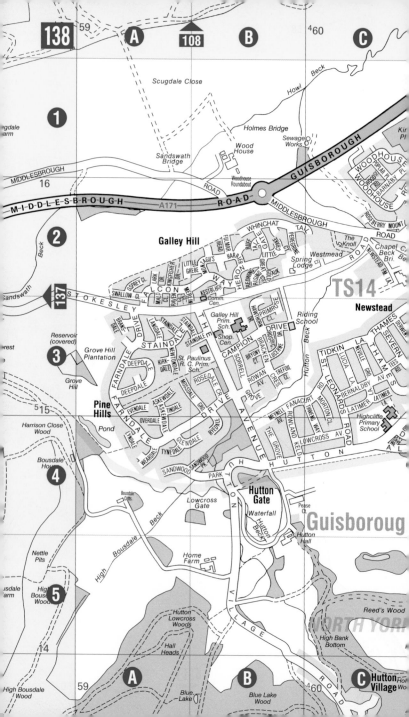

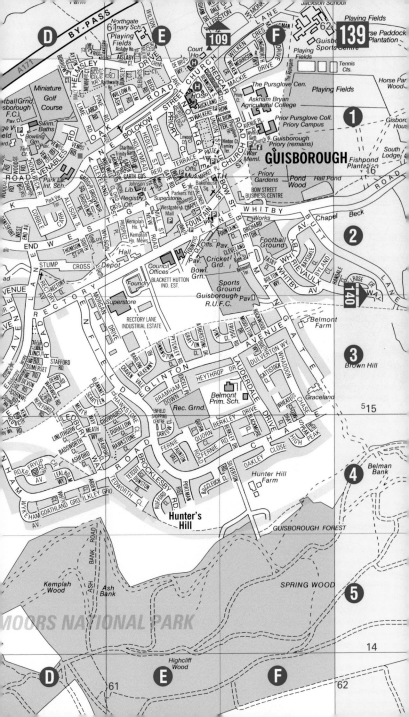

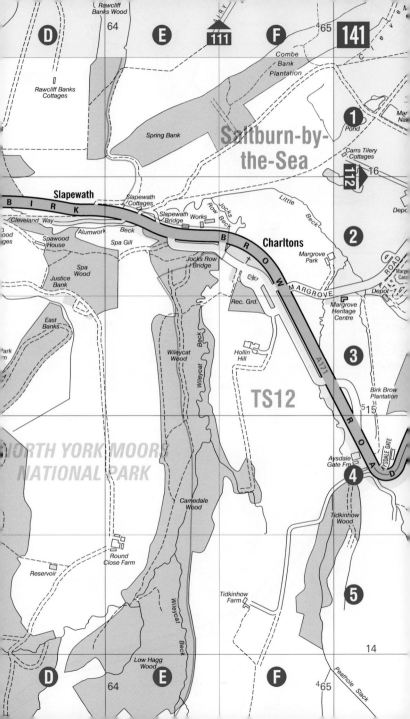

D
64
E
▲111
F
465
141

Rawcliff
Banks Wood

Combe
Bank
Plantation

Rawcliff Banks
Cottages

1
Pond

Mar
Na

Spring Bank

**Saltburn-by-
the-Sea**

Carrs Tilery
Cottages

112

16

Depo

B I R K

Slapewath

Slapewath
Cottages

Little
Beck

Slapewath
Bridge

Works

Jocks Beck

Row

Cleveland Way

Beck

Alumwork

B
R
O
W

Charltons

Margrove
Park

ROAD

Spawood
House

Spa Gill

Jocks Row
Bridge

MARGROVE

Depot

Marg
Cara

Justice
Bank

Spa
Wood

Rec. Grd.

Margrove
Heritage
Centre

East
Banks

Wileycat
Wood

Hollin
Hill

3

ark
m

Beck

Wileycat

TS12

A171

Birk Brow
Plantation

515

**NORTH YORK MOORS
NATIONAL PARK**

Camedale
Wood

Aysdale
Gate Fm

AYSDALE GATE

Tidkinhow
Wood

Round
Close Farm

4

Reservoir

Wileycat

Tidkinhow
Farm

5

Beck

Low Hagg
Wood

D
64
E

F
Peethole Slack
465

14

2

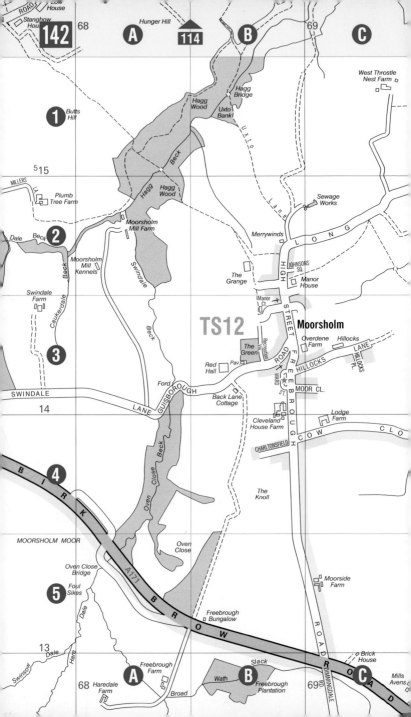

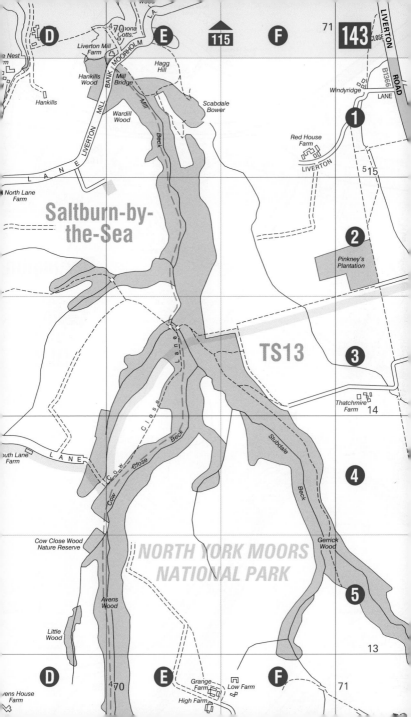

D 37 *Plantation* **E** *vage Works* **123** **F** 38 **145**

Goosepool Beck

14

Low Goosepool Farm

A67

Tees-side Airport

1

Sycamore Lodge *Poplar Lodge* *Leisure Centre*

Maple Lodge *Chestnut Lodge* *Pine Lodge*

Oak Lodge *Cedar Lodge*

Beech Lodge *Willow Lodge*

Training en.

TREES PARK VILLAGE

ing ld

2

George rt Hotel

13

Terminal

STOCKTON-ON-TEES
DARLINGTON

TEES-SIDE INTERNATIONAL AIRPORT

3

146

Featherstone House

4

12

Stockton-on-Tees

TS16

5

Church House

D 37 **E** **F** 38

Newsham Hall

38

A

124

CARTERS

B

East Brocks
39arm

C

14

West Brocks
Farm

LANE

Aislaby
Grange

1

Darlington

White House
Farm

2

DL2

5 13

3

145

West
Moor

Featherstone
House

4

12

Sloshmire
Gate

5

Portknowle
Cottage

A

38

Rose
Cote Fm.

B

Portknowle

39

Portknowle

C

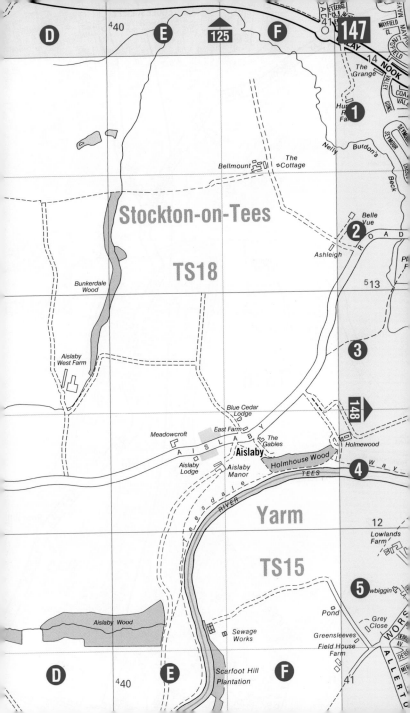

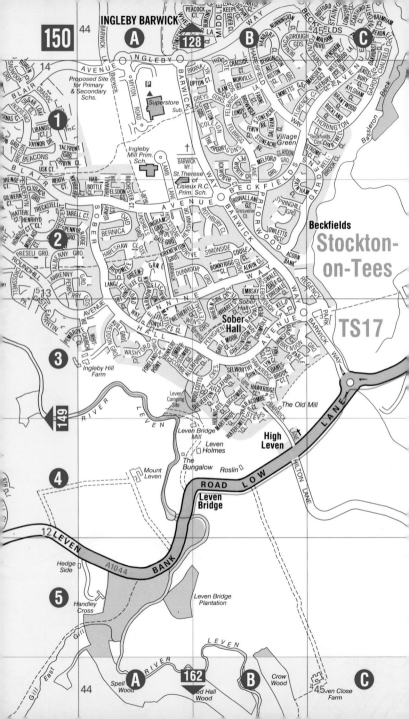

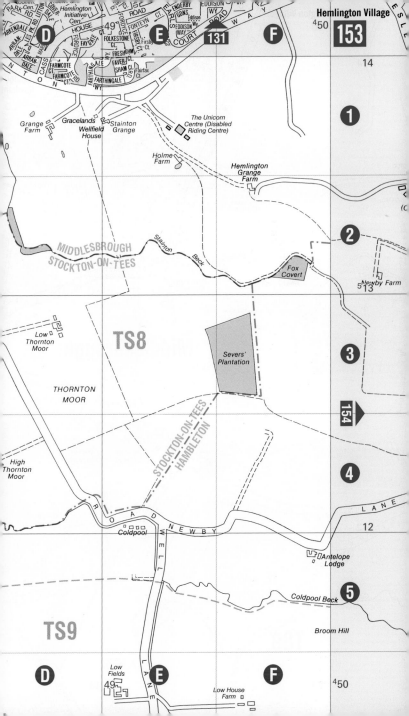

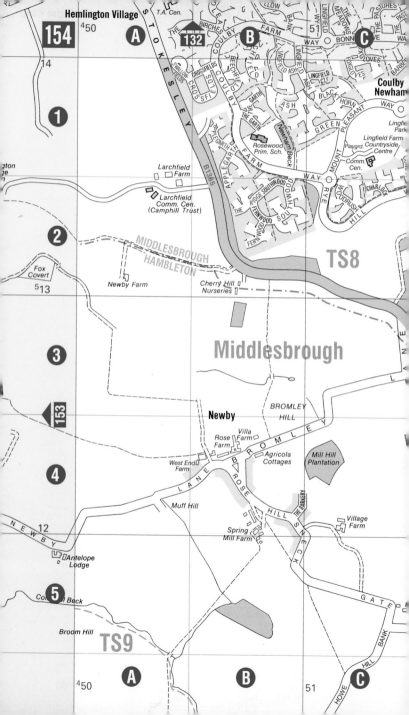

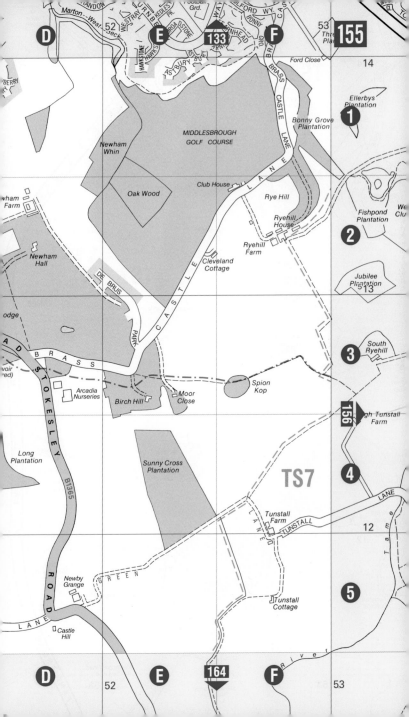

MIDDLESBROUGH
GOLF COURSE

STOKESLEY

TS7

Marton – West – Beck

Ford Close

Ellerbys
Plantation

Bonny Grove
Plantation

1

Newham
Whin

Oak Wood

Club House

Rye Hill

Fishpond
Plantation

We
Clu

2

Ryehill
House

Ryehill
Farm

Jubilee
Plantation

13

Newham
Farm

Newham
Hall

DE BRUS

Cleveland
Cottage

CASTLE

LANE

BRASS CASTLE LANE

South
Ryehill

3

PARK

BRASS

odge

voir
red)

Arcadia
Nurseries

Birch Hill

Moor
Close

Spion
Kop

gh Tunstall
Farm

156

4

Long
Plantation

B1365

Sunny Cross
Plantation

Tunstall
Farm

TUNSTALL

LANE

Tame

LANE

12

ROAD

Newby
Grange

GREEN

Tunstall
Cottage

5

LANE

Castle
Hill

River

D 52   **E**   **164**   **F** 53

D   **E**   **133**   **F** 53   Thro Pla   14

52

14

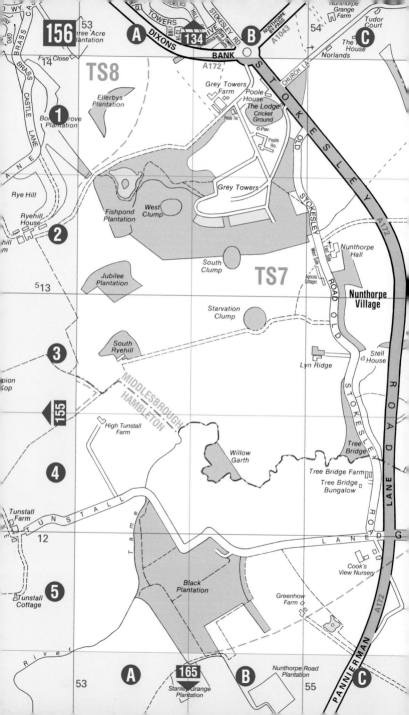

Willow Plantation

▲ **135**

14

1

Morton Carr Belt

Stell

2

Nunthorpe

Eastfield Farm

⁵13

Stell

Middlesbrough

Main MIDDLESBROUGH REDCAR & CLEVELAND Stell

3

Quarry Hill

▶ **158**

Round Hill

Langbaurgh Quarry (disused)

4

Tame

Langbaurgh Ridge

12

A T

AYTON

Whinstone View Camping & Caravan Site

Langbaurgh Castle (site of)

B1292

TS9

Langbaurgh

5

Langbaurgh Cottage

Langbaurgh Hall

Langbaurgh Grange

Langbaurgh Farm

Langbaurgh Ridge

ROAD

158

56

14

A

136

B

⁴57

C

1

Stell

TS7

Green Hills

Snow Hall
Farm

Hall Hill

Middlesbrough

2

Main

⁵13

CHURCH

Old
Hall

**Newton under
Roseberry**

Newton
Grange

Newton
Hall

The Grn.

BACK

LANE

Sewage
Works

Whitegate
Hill

Danespark

ROSEBERRY

3

Whitegate
Farm

P

157

ROAD

LANE

4

Depot

TS9

ngbaurgh Quarry
(disused)

Langbaurgh Ridge

View
&
Site

12

Langbaurgh
Castle
(site of)

Quarry
House

Chapel Well
Plantation

Cliff Ri
(Wh

5

Langbaurgh
Cottage

Langbaurgh
Hall

Cliffe
House

Patsholme

Cliff Ridge
Wood

Langbaurgh

Langbaurgh
Farm

Langbaurgh Ridge

A173

ROSEBERRY

California

Cliff Rigg
Cottage

AYTON

ROAD

GU

B

O

R

O

U

G

H

STAMBAURGH CL

SOUTH
FIELD
TER

CHILL BRADLEY'S

NEWTC

SWAN DR

CA

TORNIA

GRO

ORCHARD

WHEATLANDS

CRESCENT

ROSEBERRY

ROSEBERRY AV.

CRESCENT

A

167

B

⁴57

C

56

OTTOWE
DR

Central Wall

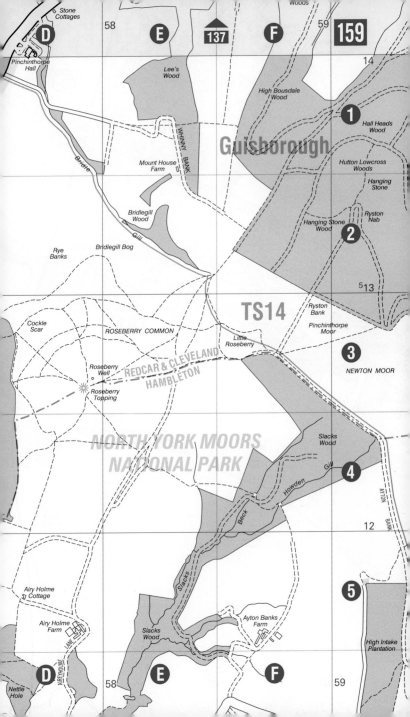

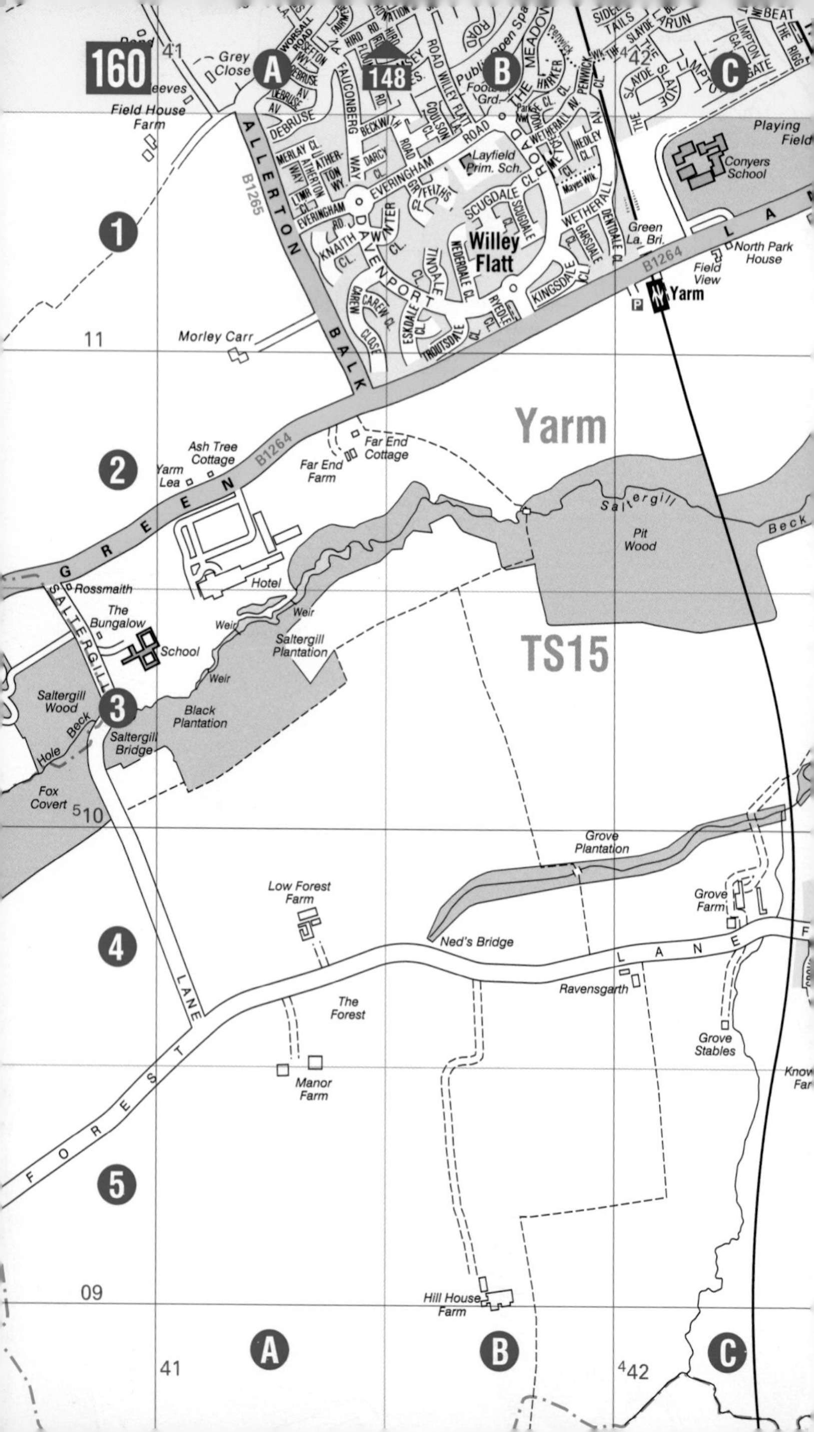

41

Grey Close

eeves

Field House Farm

A

WORSALL

ROAD

HIGH

FAUCONBERG

DEBRUSE

AV

MERLAY CL

ATHER
TON
WY

LYNA
RD

EVERINGHAM
RD

WATER

KNAITH
CL

DAVENPORT

CAREW

CL

ALLERTON BALK

B1265

ASHTON

DARCY

EVERINGHAM

FITZ

TINDALE

INQUISDALE

ESKDALE

CL

CL

148

Public
Open Spa

Footb
Grd

THE MEADOW

ROAD

WILLEY FALT

COULSON

WETHERALL

WETHERALL

B

SCUGDALE

SCUGDALE

ROAD

KINGSDALE

Layfield
Prim. Sch.

**Willey
Flatt**

AV

WETHERALL

GARESDALE

Green
La. Bri.

B1264

Moyes Wk

SLADE

LIMPTON
GATE

THE

GATE

Conyers
School

LA

Playing
Field

North Park
House

Field
View

P ⃰ Yarm

C

BEAT

The RIG

ARUN

1

11

Morley Carr

Yarm

2

Ash Tree
Cottage

Yarm
Lea

GREEN

B1264

Far End
Farm

Far End
Cottage

Saltergill

Beck

Pit
Wood

G

SALTERGILL

Rossmaith

The
Bungalow

School

Weir

Hotel

Weir

Weir

Saltergill
Plantation

TS15

Saltergill
Wood

3

Hole

Beck

Saltergill
Bridge

Black
Plantation

Fox
Covert

5 10

Grove
Plantation

Grove
Farm

F

4

Low Forest
Farm

FOREST

LANE

Ned's Bridge

LANE

Ravensgarth

Grove
Stables

Know
Far

The
Forest

5

Manor
Farm

09

41

A

Hill House
Farm

B

⁴42

C

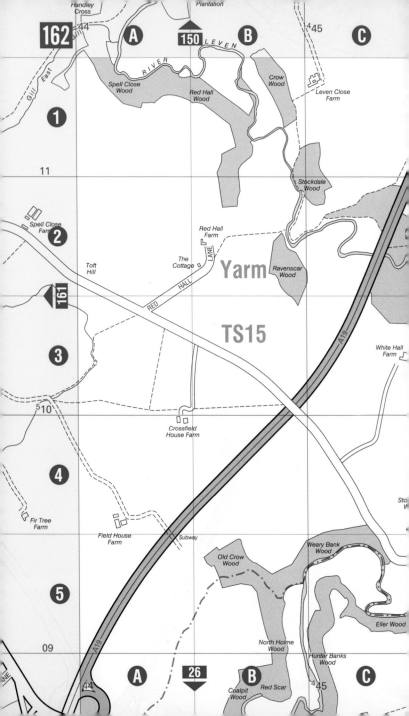

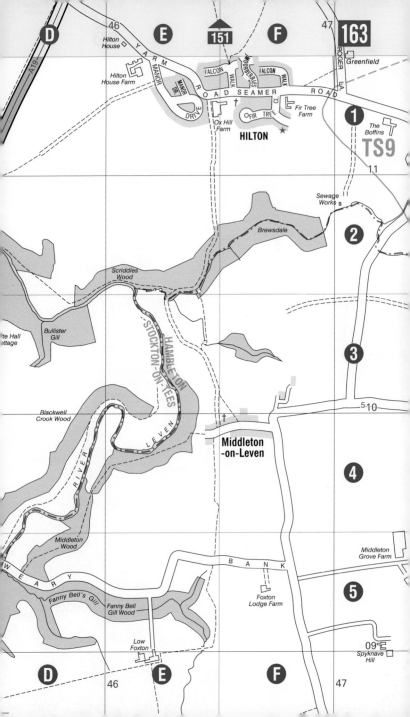

D 46 E 151 F 47

Hilton House

YARM

Greenfield

Hilton House Farm

MANOR DRIVE

ROAD

FALCON WALK

MOORBERRIES

FALCON WALK

ROAD SEAMER

ROGER LA

ROAD

Ox Hill Farm

Fir Tree Farm

FIR TREE CL

1

The Boffins

HILTON

Fir Tree Farm

TS9

11

Sewage Works

Brewsdale

2

Scriddles Wood

STOCKTON-ON-TEES

HAMBLETON

3

te Hall ottage

Bullister Gill

5·10

Blackwell Crook Wood

LEVEN

RIVER

Middleton -on-Leven

4

Middleton Grove Farm

Middleton Wood

BANK

5

WEARY

Fanny Bell's Gill

Fanny Bell Gill Wood

Foxton Lodge Farm

Low Foxton

09

Spyknave Hill

D 46 E F 47

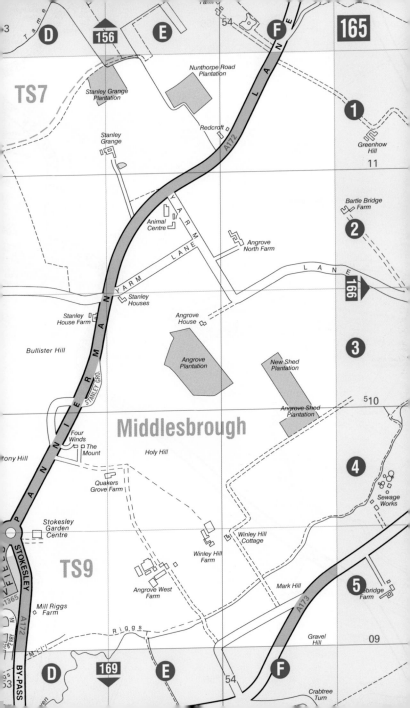

A ⁴55 **B** **C**

Langbaurgh Grange

Langbaurgh Cottage

GT. AYTON

B1292

1

11

Greenhow Hill

Manor Grange

SKOTTOWE

SKOTTOWE CRES

GUISBOROUGH

Cemete

CHURCH RD

CHURCH DR

Linden C

LINDEN GRO

LINDEN

NEW

LINDEN

DR

BEECH

Ayton Hall Farm

Ayton Hall

Marwood C. of E. Inf. Sch.

LINDEN

HIGH

HOLLYGA

HOLLY-

GARTH

Ayton House

Lim Clos

2

Bartle Bridge Farm

ove Farm

All Saints Church

Manor House

LOW

GREEN

LEVENSIDE

BRIDGE

Quakers

RACE

EASBY

BRIDGE

Y A R M

L A N E

R. Leven

STOKESLEY RD.

MILL TER.

WEST MARWOOD

GRENACRE CL.

SUNNYFIELD

MARWOOD

DRIVE

WINST

ANGROVE CLOSE

ANGROVE DR

ANGROVE CL.

3

New Shed Plantation

The Grange House

Grange Mill House

⁵10.

Angrove Shed Plantation

Scotta House

ANGROVE

4

A173

STOKESLEY RD.

Ayton Firs

Sewage Works

Mark Hill

5

Applebridge Farm

Harland Hill

GR

⁰9 Gravel Hill

Crabtree Turn

A ⁴55 **B** **C**

D **E** **F**

A173

Langbaurgh Hall

Langbaurgh Ridge

House

ROSEBERRY ROAD

158

ORCHARD

California

Patsholme 57

Cliff Rigg Cottage

Cliff Ridge Wood

NORTH YORK MOORS NATIONAL PARK

Airy Holme Farm

Nettle Hole

1

NEWTON
CHUR
BRADLEY'S
SOUTH
FIELD
TER.
CALIFORNIA
CL.

CHILL
ROWAN DR.

WHEATLANDS

ROSEBERRY
CRES.

ROSEBERRY DR.

3RD

Lineside Cottage

CLOSE
ANGROUGHB
CENTRAL
Central Way
bungalows
ARTHUR
ST.
SIBINE
CL.
GRO.
ROSEBERRY
RD.
FARM GARTH

Roseberry Primary School

Rye Hill Farm

Undercliffe

WHINSTONE
WITHORNS
ROMANB
CLEVEL'D
ST.
CLIFFE TER.

JOHN
ST.

Beck

1.1

AIREYHOLME LA.

AIN
COOK'S
WAY
FRANKE
CL.
PEARSYV'LE
PL.

Cleveland Lodge

Weir

Tennis Courts

DIKES
LANE

Cherry Hill

ROSEHILL
ROSEHILL
ROAD

GREAT AYTON

Dikes

ROAD

2

Fir Brook

Mus
Theatre
Park Rise
PARK
ST.

STATION
RD.

Station Cottages

Great Ayton

The Station House

LIDSTREET
HIGH

School Farm

Meadowcroft

River Leven
GN.
SCHOOL

Cricket Field
Pav.

THE MILL
OLD MILL

LITTLE

The Bungalow

Neatstead Farm

Woodhouse Farm

Tennis Court

Pav.

Playing Fields

Bowl. Grn.
The Waltons

AYTON

Grange Farm

Brookside Farm

3

BYEMOOR
BYEMOOR
AV.
CLOSE
DR.

Holme's Bridge

Little Ayton

LANE

Little Ayton Hall

5 10

Middlesbrough

Halfpenny Hill

TS9

LANE
CROSS

LANE

4

Woodhouse Farm

5

Alder Bank Covert

09

High House Farm

D **E**

Holly Farm 57

F

Easby

56

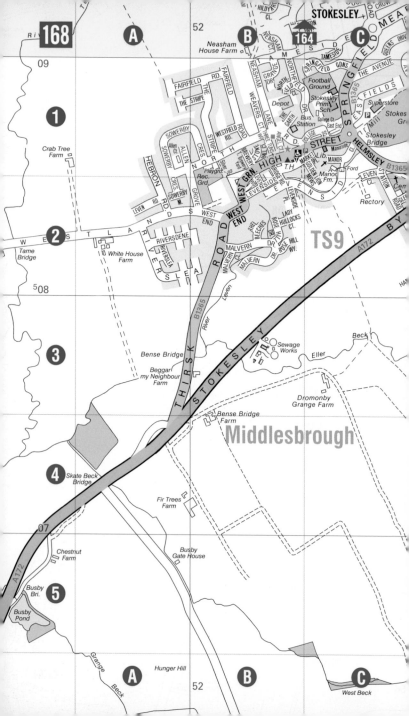

INDEX

Including Streets, Places & Areas, Industrial Estates,
Selected Subsidiary Addresses and Selected Places of Interest.

HOW TO USE THIS INDEX

1. Each street name is followed by its Posttown or Postal Locality then by its map reference;
   e.g. Abbey Ct. *Norm* —1D **105** is in the Normanby Postal Locality and is to be found in square 1D on
   page **105**. The page number being shown in bold type.
   A strict alphabetical order is followed in which Av., Rd., St., etc. (though abbreviated) are read in full
   and as part of the street name; e.g. Abbeyfield Dri. appears after Abbey Ct. but before Abbey St.

2. Streets and a selection of Subsidiary names not shown on the Maps, appear in the index in *Italics* with
   the thoroughfare to which it is connected shown in brackets;
   e.g. *Admiral Ho.* H'pl —3D **15** (off Admiral Way)

3. Places and areas are shown in the index in **bold type**, the map refrence to the actual map square in
   which the town or area is located and not to the place name; e.g. **Acklam. —4C 100**

4. An example of a selected place of interest is Acklam Pk. —4C 100

GENERAL ABBREVIATIONS

All : Alley
App : Approach
Arc : Arcade
Av : Avenue
Bk : Back
Boulevd : Boulevard
Bri : Bridge
B'way : Broadway
Bldgs : Buildings
Bus : Business
Cvn : Caravan
Cen : Centre
Chu : Church
Chyd : Churchyard
Circ : Circle
Cir : Circus
Clo : Close
Comn : Common
Cotts : Cottages
Ct : Court
Cres : Crescent
Cft : Croft
Dri : Drive
E : East
Embkmt : Embankment

Est : Estate
Fld : Field
Gdns : Gardens
Gth : Garth
Ga : Gate
Gt : Great
Grn : Green
Gro : Grove
Ho : House
Ind : Industrial
Info : Information
Junct : Junction
La : Lane
Lit : Little
Lwr : Lower
Mc : Mac
Mnr : Manor
Mans : Mansions
Mkt : Market
Mdw : Meadow
M : Mews
Mt : Mount
Mus : Museum
N : North
Pal : Palace

Pde : Parade
Pk : Park
Pas : Passage
Pl : Place
Quad : Quadrant
Res : Residential
Ri : Rise
Rd : Road
Shop : Shopping
S : South
Sq : Square
Sta : Station
St : Street
Ter : Terrace
Trad : Trading
Up : Upper
Va : Vale
Vw : View
Vs : Villas
Vis : Visitors
Wlk : Walk
W : West
Yd : Yard

POSTTOWN AND POSTAL LOCALITY ABBREVIATIONS

Ack : Acklam
Bel P : Belasis Hall
       Technology Pk.
Bill : Billingham
B Col : Blackhall Colliery
B'bck : Boosbeck
Brier : Brierton
Brot : Brotton
Car F : Cargo Fleet
C How : Carlin How
Carl : Carlton
Cas E : Castle Eden
Char : Charltons
Cou N : Coulby Newham
Cow I : Cowpen Lane Ind. Est.

Dal P : Dalton Piercy
Dorm : Dormanstown
Duns : Dunsdale
Eagle : Eaglescliffe
E'tn : Easington
Egg : Egglescliffe
Elt : Elton
Elw : Elwick
Est : Eston
Face : Faceby
F'fld : Fairfield
Fish : Fishburn
G'twn : Grangetown
Gt Ay : Great Ayton
Gt Br : Great Broughton

Great : Greatham (Billingham)
G'ham : Greatham (Hartlepool)
Guis : Guisborough
Hart : Hart
H'pl : Hartlepool
Hart V : Hart Village
H'Ind : Headland, The
Hem : Hemlington
H Lev : High Leven
Hilt : Hilton
Hind : Hinderwell
Ing B : Ingleby Barwick
Kirk B : Kirkleatham Bus. Pk.
K'ton : Kirklevington
Laz : Lazenby

Posttown and Postal Locality Abbreviations

INDEX

Alfred St.—Ashbourne Lodge

Alfred St. *Red* —3D **49**
Alfriston Clo. *Ing B* —1B **150**
Alice Row. *Sto T* —1F **97**
Alice St. *Sto T* —5B **54**
Allen Ct. *Stok* —1A **168**
Allendale Cen. *Orm* —4A **104**
Allendale Ho. *Orm* —3B **104**
Allendale Rd. *Bill* —2C **54**
Allendale Rd. *Orm* —3A **104**
Allendale Rd. *Sto T* —4E **73**
Allendale St. *H'pl* —4E **21**
Allendale Tee. *New M* —2F **85**
Allen Gro. *Stok* —1A **168**
Allensway. *Thor* —1E **129**
Allerford Clo. *Ing B* —3A **150**
Allerston Way. *Guis* —5E **109**
Allerton Balk. *Yarm* —1A **160**
Allerton Clo. *H'pl* —1B **14**
Allerton Pk. *Nun* —4A **134**
Alliance St. *H'pl* —5F **9**
Alliance St. *Sto T* —2F **97**
Allington Dri. *Bill* —4D **39**
Allington Wlk. *Bill* —4D **39**
Allinson St. *M'brgh* —4C **78**
Allison Av. *Tees* —1D **151**
Allison Ho. *Thor* —1C **98**
Allison Pl. *H'pl* —5F **9**
Allison St. *Guis* —2D **139**
Allison St. *Sto T* —5A **74**
Alloa Gro. *H'pl* —3A **20**
Alloway Gro. *Hem* —4F **131**
Alma Cen. *Sto T* —4A **74**
Alma Pde. *Red* —3C **48**
Alma St. *H'pl* —3F **13**
 (Mulgrave Rd., in three parts)
Alma St. H'pl —3B **14**
 (off York Rd.)
Alma St. *Sto T* —4A **74**
Almond Ct. *M'brgh* —3F **101**
Almond Gro. *Mar S* —5C **66**
Almond Gro. *Sto T* —5C **72**
Alness Gro. *H'pl* —3A **20**
Alnmouth Dri. *Red* —3D **65**
Alnport Rd. *Sto T* —4C **74**
Alnwick Clo. *H'pl* —3C **6**
Alnwick Clo. *Red* —1F **65**
Alnwick Ct. *M'brgh* —2A **102**
Alnwick Gro. *Sto T* —4A **54**
Alnwick Ho. *M'brgh* —2B **102**
Alpha Gro. *Sto T* —2B **74**
Alphonsus St. *M'brgh* —4B **78**
Alpine Way. *Nort* —1F **73**
Alston Grn. *M'brgh* —5D **79**
Alston St. *H'pl* —5B **14**
Althorpe Clo. *M'brgh* —2F **103**
Althorp Rd. *Red* —4C **48**
Alton Rd. *M'brgh* —1B **100**
Alum Way. *Skel C* —3E **89**
Alva Gro. *H'pl* —3A **20**
Alverstone Av. *H'pl* —1B **20**
Alverton Clo. *M'brgh* —1F **103**
Alverton Grn. *M'brgh* —1F **103**
Alvingham Ter. *M'brgh* —2F **103**
Alvis Clo. *Bill* —1B **56**
Alvis Ct. *Bill* —1B **56**
Alwent Rd. *M'brgh* —3E **77**
Alwin Clo. *Ing B* —2B **150**
Alwinton Ct. *Orm* —4A **104**
Amberley Gro. *Sto T* —2C **96**

Amberley Grn. *M'brgh* —5D **79**
Amberley Way. *Eagle* —5A **126**
Amber St. *M'brgh* —4E **77**
Amber St. *Salt S* —3D **69**
Amberton Rd. *H'pl* —1B **14**
Amberwood Clo. *H'pl* —2C **6**
Amberwood Wlk. H'pl —2C **6**
 (off Amberwood Clo.)
Amble Clo. *H'pl* —3D **13**
Amble Ct. *H'pl* —5F **13**
Ambleside Av. *Red* —1C **64**
Ambleside Gro. *M'brgh* —4C **100**
Ambleside Rd. *Bill* —4E **55**
Ambleside Rd. *M'brgh* —2C **104**
Amble Vw. *Sto T* —1C **74**
Ambrose Rd. *M'brgh* —2E **105**
Amersham Rd. *M'brgh* —3D **103**
Amerston. *Wyn* —4B **26**
Amesbury Cres. *Hem* —4F **131**
Ammerston Rd. *M'brgh* —3D **77**
Ampleforth Av. *M'brgh* —1D **105**
Ampleforth Ct. *Skel C* —4D **89**
Ampleforth Rd. *Bill* —1E **55**
Ampleforth Rd. *M'brgh* —2C **102**
Amroth Grn. *M'brgh* —5D **79**
Anchorage M. *Thor* —1C **98**
Anchor Ct. *H'pl* —1F **15**
Anchor Ho. *H'pl* —3D **15**
Anchor Retail Pk. *H'pl* —2B **14**
Ancroft Dri. *Orm* —4A **104**
Ancroft Gdns. *Sto T* —1B **74**
Anderson Rd. *Thor* —2D **99**
Anderson St. *Thor* —3D **99**
Andover Way. *Hem* —4E **131**
Andrew Pl. *H'pl* —4C **14**
Andrew St. *H'pl* —4C **14**
Angel Ct. *Stok* —1B **168**
Angle Ct. *M'brgh* —5A **78**
Anglesey Av. *M'brgh* —3E **103**
Anglesey Gro. *H'pl* —5E **7**
Anglesey Wlk. Guis —3D **139**
 (off Hutton La.)
Angle St. *M'brgh* —4A **78**
Angling Grn. *Skin* —2A **92**
Angrove Clo. *Gt Ay* —3C **166**
Angrove Clo. *Yarm* —4E **149**
Angrove Dri. *Gt Ay* —3C **166**
Angus St. *H'pl* —3A **14**
Anlaby Clo. *Bill* —2E **39**
Annandale Cres. *H'pl* —3F **7**
Annan Rd. *Bill* —3E **39**
Ann Crooks Way. *H'pl* —5F **9**
Anne St. *M'brgh* —4C **76**
Annfield Clo. *Bill* —4D **39**
Annigate Clo. *Wyn* —2E **37**
Annigate (Samsung)
 Roundabout. *Wyn* —1F **37**
Ann St. *S Bnk* —2A **80**
Ansdale Rd. *M'brgh* —5A **80**
Anson Ho. *Thor* —1D **129**
Anstey Ho. *Sto T* —5A **54**
Antrim Av. *Sto T* —4A **72**
Appleby Av. *M'brgh* —5D **79**
Appleby Clo. *New M* —2F **85**
Appleby Gro. *H'pl* —1B **14**
Appleby Ho. *Thor* —1D **129**
Appleby Rd. *Bill* —5E **39**
Applegarth. *Cou N* —1B **154**
Applegarth, The. *Guis* —1F **139**

Apple Orchard Bank. *Mar S &
 Skel C* —4E **87**
Appleton Rd. *M'brgh* —3B **100**
Appleton Rd. *Sto T* —3F **73**
Appletree Gdns. *Orm* —4B **104**
Applewood Clo. *H'pl* —2B **6**
Appley Clo. *Eagle* —1D **127**
Apsley St. *M'brgh* —5F **77**
Arabella Clo. *H'pl* —5E **9**
Arabella St. *H'pl* —5E **9**
Arbroath Gro. *H'pl* —3F **19**
Arcade, The. *Gt Ay* —2D **167**
Arch Ct. *H'pl* —5C **8**
Archer Clo. *M'brgh* —4A **102**
Archer Rd. *M Row* —4A **144**
Archer St. *H'pl* —3C **14**
Archer St. *Thor* —2C **98**
Archibald St. *M'brgh* —5C **76**
Arden Clo. *Guis* —4D **139**
Arden Ct. *Red* —2B **64**
Arden Gro. *Sto T* —1B **96**
Ardrossan Ct. *H'pl* —3A **20**
Ardrossan Rd. *H'pl* —3A **20**
Arening Ct. *Ing B* —5F **127**
Argory, The. *Ing B* —1B **150**
Argyle Rd. *G'twn* —2D **81**
Argyll Ct. *Nort* —1A **74**
Argyll Rd. *H'pl* —3A **20**
Argyll Rd. *Mar C* —3C **132**
Argyll Rd. *Nort* —1F **73**
Arisaig Clo. *Eagle* —1C **148**
Arkendale. *Hem* —5D **131**
Arken Ter. *Sto T* —2B **74**
Arkgrove Ho. *H'pl* —2D **15**
Arkgrove Ind. Est. *Sto T* —3D **75**
Arkley Cres. *H'pl* —4A **8**
Ark Royal Clo. *H'pl* —3D **21**
Arlington Ct. *Sto T* —2F **97**
Arlington Rd. *M'brgh* —3E **101**
Arlington St. *Loft* —5C **92**
Arlington St. *Sto T* —2F **97**
 (in two parts)
Armadale. *Red* —3E **65**
Armadale Clo. *Sto T* —4F **71**
Armadale Gro. *H'pl* —3F **19**
Armitage Rd. *Red* —2E **63**
Arncliffe Av. *Sto T* —3F **97**
Arncliffe Gdns. *H'pl* —5A **14**
Arncliffe Rd. *M'brgh* —5B **76**
Arnold Gro. *H'pl* —2E **19**
Arnside Av. *M'brgh* —5D **79**
Arran Clo. *Thor* —2C **128**
Arrandale. *Hem* —1D **153**
Arran Gro. *H'pl* —3A **20**
Arran Wlk. *Guis* —3D **139**
Arrathorne Rd. *Sto T* —3A **96**
Arthur St. *Gt Ay* —1D **167**
Arthur St. *Red* —3B **48**
Arthur Ter. *New M* —1A **86**
Arundel Grn. *M'brgh* —5D **79**
Arundel Rd. *Bill* —5D **39**
Arundel Rd. *G'twn* —4E **81**
Arundel St. *Red* —3B **48**
Ascot Av. *M'brgh* —2B **100**
Ascot Dri. *Sto T* —3F **75**
Ascot Rd. *Red* —1D **65**
Ash Bank Rd. *Guis* —5D **139**
Ashbourne Clo. *M'brgh* —1F **105**
Ashbourne Lodge. *Bill* —4D **55**

Ashbourne Rd. *Sto T* —3A **74**
Ashbrooke Way. *M'brgh* —1B **100**
Ashburn St. *Sea C* —4E **21**
Ashburton Clo. *M'brgh* —2B **132**
Ashby Gro. *H'pl* —1E **31**
Ashby Rd. *Bill* —5D **39**
Ashcombe Clo. *Bill* —4A **38**
Ashdale. *Hem* —5D **131**
Ashdale Clo. *M Geo* —2C **144**
Ashdown Clo. *Thor* —2C **128**
Ashdown Way. *Bill* —4A **40**
Ashes, The. *Sea C* —5E **21**
Ashfield Av. *M'brgh* —2F **101**
Ashfield Clo. *G'ham* —3E **31**
Ashford Av. *M'brgh* —3A **100**
Ashford Clo. *Guis* —4D **139**
Ash Grn. *Cou N* —1B **154**
Ash Gro. *K'ton* —4C **160**
Ash Gro. *Loft* —5B **92**
Ash Gro. *M'brgh* —3B **80**
Ashgrove Av. *H'pl* —1B **20**
Ashgrove Pl. *H'pl* —1B **20**
Ash Hill. *Cou N* —5C **132**
Ashkirk Rd. *M'brgh* —1C **104**
Ashley Gdns. *H'pl* —1F **13**
Ashling Way. *M'brgh* —1C **100**
Ashridge Clo. *Ing B* —5C **128**
Ashridge Clo. *New M* —2F **85**
Ash Rd. *Guis* —1E **139**
Ashton Rd. *Sto T* —5E **53**
Ashvale Homes & Holiday Pk.
　　H'pl —1B **6**
Ashville Av. *Eagle* —3C **126**
Ashville Av. *Sto T* —4F **53**
Ashwood Clo. *H'pl* —2C **6**
Ashwood Clo. *Orm* —4B **104**
Ashwood Dri. *Stok* —4C **164**
Askern Dri. *M'brgh* —5E **101**
Aske Rd. *M'brgh* —4E **77**
Aske Rd. *Red* —4D **49**
Askewdale. *Guis* —3A **138**
Askgrigg Wlk. *M'brgh* —2C **102**
Askham Clo. *M'brgh* —2F **101**
Askrigg Rd. *Sto T* —5D **73**
Askwith Rd. *M'brgh* —2D **101**
Aspen Dri. *M'brgh* —2F **101**
Aspen Rd. *Eagle* —1B **148**
Astbury. *Mar C* —1E **155**
Aster Clo. *Mar C* —2B **132**
Asterley Dri. *M'brgh* —4A **100**
Astley Clo. *Sto T* —5B **72**
Aston Av. *M'brgh* —4E **79**
Astonbury Grn. *M'brgh* —4B **102**
Aston Dri. *Thor* —2B **128**
Aston Rd. *Bill* —5B **38**
Atherstone Dri. *Guis* —3E **139**
Atherton Way. *Yarm* —1A **160**
Atholl Gro. *H'pl* —3A **20**
Atholl Gro. *Red* —5A **48**
Athol St. *M'brgh* —5E **77**
Atkinson Ind. Est. *H'pl* —5C **14**
Atlas Wynd. *Yarm* —3B **148**
Attingham Clo. *Hem* —4F **131**
Attlee Rd. *M'brgh* —4E **81**
Attlow Wlk. *M'brgh* —1F **103**
Atwater Clo. *Yarm* —5D **149**
Atwick Clo. *Bill* —2E **39**
Aubrey Ct. *Sto T* —1B **74**
Aubrey St. *M'brgh* —5F **77**

Auckland Av. *Mar C* —3E **133**
Auckland Rd. *Bill* —3A **40**
Auckland St. *Guis* —1E **139**
Auckland Way. *H'pl* —4C **12**
Auckland Way. *Sto T* —2B **96**
Audrey Gro. *Sto T* —2C **96**
Aurora Ct. *M'brgh* —1C **76**
Austen Clo. *Bill* —2D **39**
Austin Av. *Sto T* —2F **97**
Autumn Gro. *Sto T* —1C **96**
Avalon Ct. *Hem* —4F **131**
Avebury Clo. *Ing B* —1C **150**
Avens Way. *Ing B* —4B **128**
Avenue Pl. *Guis* —1F **139**
Avenue Rd. *H'pl* —3B **14**
　(in two parts)
Avenue, The. *Brot* —2C **90**
Avenue, The. *Eagle* —3C **126**
Avenue, The. *Guis* —3B **138**
Avenue, The. *M'brgh* —5D **101**
　(Cowley Rd.)
Avenue, The. *M'brgh* —2E **101**
　(Cumberland Rd.)
Avenue, The. *M'brgh* —5C **80**
　(Learning La.)
Avenue, The. *Nun* —3F **133**
Avenue, The. *Red* —4D **49**
Avenue, The. *Sto T* —5B **72**
　(in two parts)
Avenue, The. *Stok* —1C **168**
Avenue, The. *Thor* —3D **99**
Avenue, The. *Wyn* —1B **36**
Aviemore Rd. *Hem* —4E **131**
Avill Gro. *Ing B* —3A **150**
Avoca Ct. *Red* —3B **48**
Avon Clo. *Salt S* —5C **68**
Avon Clo. *Skel* —3D **89**
Avon Clo. *Thor* —5D **99**
Avon Ct. *Ling* —4E **113**
Avondale Clo. *M'brgh* —4E **81**
Avondale Gdns. *H'pl* —1A **14**
Avon Dri. *Guis* —3C **138**
Avon Gro. *Bill* —4A **38**
Avon Rd. *Nort* —1C **74**
Avon Rd. *Red* —1A **64**
Avon St. *Salt S* —4C **68**
Avro Clo. *Mar S* —4B **66**
Avro Clo. *Sto T* —5E **97**
Axbridge Ct. *Bill* —4D **39**
Axminster Rd. *Hem* —4F **131**
Axton Clo. *Thor* —3B **128**
Aycliffe Clo. *Sto T* —5A **72**
Aycliffe Rd. *Mar C* —3C **132**
Aylsham Clo. *Ing B* —1C **150**
Aylton Dri. *M'brgh* —3C **130**
Ayresome Ct. *Yarm* —5D **149**
Ayresome Grange Rd. *M'brgh*
　　　　—5C **76**
Ayresome Grn. La. *M'brgh*
　(Heywood St.)　　—5C **76**
Ayresome Grn. La. M'brgh
　(off West La.)　　—5C **76**
Ayresome Pk. Rd. *M'brgh*
　　　　—5D **77**
Ayresome Rd. *M'brgh* —4B **76**
Ayresome St. *M'brgh* —5C **76**
Ayr Gro. *H'pl* —3A **20**
Aysdale Ga. *Char* —4F **141**
Aysgarth. *Sto T* —3E **73**

Aysgarth Rd. *M'brgh* —2C **100**
Aysgarth Rd. *Sto T* —5D **73**
Ayton Bank. *Gt Ay* —4F **159**
Ayton Ct. *Guis* —1D **139**
Ayton Cres. *M'brgh* —2E **105**
Ayton Dri. *Red* —2B **64**
Ayton Pl. *Sto T* —3B **74**
Ayton Rd. *Stok* —1D **169**
Ayton Rd. *Thor* —5C **98**
Azalia Rd. *Sto T* —3A **74**

Bk. Amber St. *Salt S* —3D **69**
Bk. Garnet St. *Salt S* —3C **68**
Back La. *Egg* —2C **148**
Back La. *Gt Br* —2B **158**
　(Church La.)
Back La. *Gt Br* —5F **169**
　(Ings La.)
Back La. *Hind* —5D **121**
Back La. *Long N* —3A **94**
　(in two parts)
Back La. *Skel C* —2F **111**
Bk. Throston St. H'pl —1F **15**
　(off Throston St.)
Bk. Turner St. Red —3C **48**
　(off Turner St.)
Bacon Wlk. *H'pl* —2D **19**
Baden St. *H'pl* —5A **14**
Bader Av. *Thor* —2B **128**
Badger La. *Ing B* —4C **128**
Badsworth Gro. *Guis* —4D **139**
Baffin Ct. *Thor* —1D **129**
Bailey Gro. *M'brgh* —5C **78**
Bailey St. *H'pl* —4B **14**
Bainton Clo. *Bill* —2E **39**
Bakehouse Sq. *Guis* —2E **139**
Baker Clo. *H'pl* —3D **7**
Baker St. *M'brgh* —3E **77**
Bakery Dri. *Sto T* —3D **73**
Bakery Ho. Sto T —3D **73**
　(off Daylight Rd.)
Bakery St. *Sto T* —5A **74**
Balaclava St. *Sto T* —5A **74**
Bala Clo. *Ing B* —1E **149**
Balcary Ct. *H'pl* —4F **19**
Balcary Gro. *H'pl* —4F **19**
Balder Rd. *Nort* —5A **54**
Baldoon Sands. *M'brgh* —2B **130**
Balfour Ter. *M'brgh* —3B **100**
Ballater Gro. *H'pl* —4A **20**
Balmoral Av. *Bill* —5E **39**
Balmoral Av. *Thor* —3D **99**
Balmoral Ct. *H'pl* —4A **20**
Balmoral Dri. *M'brgh* —2A **102**
Balmoral Rd. *H'pl* —4F **19**
Balmoral Rd. *M'brgh* —3E **103**
Balmoral Ter. Salt S —4D **69**
　(off Windsor Rd.)
Balmoral Ter. *Sto T* —2E **97**
Balmor Rd. *M'brgh* —2C **104**
Baltic Clo. *Sto T* —4B **74**
Baltic Rd. *Sto T* —4B **74**
Baltic St. *H'pl* —5C **14**
Bamburgh Clo. *Red* —1E **65**
Bamburgh Ct. *H'pl* —3D **7**
Bamburgh Dri. *Orm* —4A **104**
Bamburgh Ho. *M'brgh* —2B **102**
Bamburgh Rd. *H'pl* —3D **7**

Bamford Rd. *Thor* —5C **98**
Bamletts Wharf Ind. Est. *Bill*
   —4C **56**
Bamletts Wharf Rd. *Bill* —5B **56**
Banbury Gro. *M'brgh* —5B **100**
Banff Gro. *H'pl* —4A **20**
Bangor Clo. *M'brgh* —4E **81**
Bangor St. *H'pl* —5A **14**
Bankfields Ct. *M'brgh* —3D **105**
Bankfields Rd. *M'brgh* —3D **105**
Bank La. *M'brgh* —2F **105**
Bank Rd. *Bill* —4D **55**
Bank Sands. *M'brgh* —3B **130**
Bankside. *Yarm* —3E **149**
Bankside Ct. *M'brgh* —2F **105**
Bankston Clo. *H'pl* —2C **12**
Bank St. *Guis* —2F **139**
Bank St. *Red* —3C **48**
Bank Ter. *Thor T* —2E **51**
Bannockburn Way. *Bill* —3F **39**
Baptist St. *H'pl* —1F **15**
Barbara Mann Ct. *H'pl* —3A **14**
Barberry. *Cou N* —1C **154**
  (in two parts)
Barberry Clo. *Ing B* —4C **128**
Barclays Ho. *Thor* —5C **74**
Barden Rd. *M'brgh* —1C **102**
Bardsey Wlk. *Guis* —4D **139**
Bardsley Clo. *Eagle* —1D **127**
Barford Clo. *H'pl* —2E **31**
Barford Clo. *Nort* —4E **53**
Barford Clo. *Red* —3B **64**
Bargate. *M'brgh* —4B **78**
Barholm Clo. *M'brgh* —2F **103**
Barker Rd. *M'brgh* —2C **100**
Barker Rd. *Thor* —3D **99**
Barkers Pl. *H'pl* —1F **15**
Barkery, The. *Newby* —4B **154**
Barkston Av. *Thor* —3B **128**
Barkston Clo. *Bill* —4B **38**
Barlborough Av. *Sto T* —3D **73**
Barle Clo. *Ing B* —3B **150**
Barley Hill Clo. *Est* —3E **105**
Barlow Clo. *Guis* —3E **139**
Barlow Ct. *Guis* —3E **39**
Barmet Ind. Est. *Ling* —3F **113**
Barmoor Gro. *Sto T* —3A **54**
Barmouth Rd. *M'brgh* —5E **81**
Barmpton Rd. *Bill* —3E **39**
Barnaby Av. *M'brgh* —5C **76**
Barnaby Clo. *Mar S* —5E **67**
Barnaby Cres. *M'brgh* —2E **105**
Barnaby Pl. *Guis* —2C **138**
Barnaby Rd. *Nun* —3B **134**
Barnack Av. *Mar C* —2E **133**
Barnard Av. *Sto T* —1C **96**
Barnard Clo. *Thor* —2C **98**
Barnard Ct. *M'brgh* —2A **102**
Barnard Gro. *H'pl* —2D **7**
Barnard Gro. *Red* —5E **49**
Barnard Rd. *Bill* —1E **55**
Barnard Rd. *E'tn* —2A **118**
Barnes Ct. *H'pl* —3E **7**
Barnes Wallis Way. *Mar S* —4B **66**
Barnet Way. *Bill* —3A **40**
Barnfond Wlk. *M'brgh* —3D **103**
Barnstaple Clo. *M'brgh* —1B **132**
Baronport Grn. *Sto T* —4C **74**
Barra Gro. *H'pl* —4A **20**

Barras Gro. *M'brgh* —5F **79**
Barrass Sq. *Stait* —1C **120**
  (off Gun Gutter)
Barras Way. *Sto T* —2A **72**
Barrhead Clo. *Sto T* —4F **71**
Barrington Av. *Sto T* —4C **72**
Barrington Cres. *M'brgh* —5F **79**
Barritt St. *M'brgh* —4E **77**
Barrowburn Grn. *Ing B* —3A **150**
Barsby Grn. *M'brgh* —2C **102**
Barsford Rd. *M'brgh* —5F **79**
Bartol Ct. *M'brgh* —2F **105**
Barton Av. *H'pl* —1A **20**
Barton Clo. *Thor* —3B **128**
Barton Clo. *Skip I* —3A **80**
Barton Cres. *Bill* —5B **38**
Barton Rd. *M'brgh* —1C **76**
Barwick Clo. *Ing B* —4A **128**
Barwick Fields. *Ing B* —5A **128**
Barwick La. *Ing B* —5F **127**
  (in six parts)
Barwick Vw. *Ing B* —4B **128**
Barwick Way. *Ing B* —1A **150**
Basildon Grn. *M'brgh* —5D **79**
Basil St. *M'brgh* —4B **78**
Bassenthwaite. *M'brgh* —2B **130**
Bassleton Ct. (Shop. Cen.) *Thor*
  (off Bader Av.) —2B **128**
Bassleton La. *Thor* —3A **128**
  (in three parts)
Bassleton Wood. —2A **128**
Bathgate Ter. *H'pl* —5B **14**
Bath La. *Sto T* —5B **74**
Bath Pl. *Sto T* —5B **74**
Bath Rd. *M'brgh* —1E **105**
Bath St. *Red* —3C **48**
Bath St. *Salt S* —4C **68**
Bath Ter. *H'pl* —1F **15**
Battersby Clo. *Yarm* —3F **149**
Battersby Grn. *Carl* —5C **50**
Baysdale Clo. *Guis* —2F **139**
Baysdale Ct. *Skel C* —3D **89**
Baysdale Gro. *Red* —1F **63**
Baysdale Rd. *Thor* —5D **99**
Baysdale Wlk. *Est* —5F **81**
Baysdale Wlk. *M'brgh* —5E **101**
Bay St. *Sto T* —5B **74**
Beachfield Dri. *H'pl* —1A **20**
Beach Rd. *Skin* —2A **92**
Beacon Av. *S'fld* —4E **23**
Beacon Dri. *New M* —2A **86**
Beacon La. *S'fld* —4E **23** & 1A **24**
Beaconsfield Rd. *Sto T* —4B **54**
Beaconsfield Sq. *H'pl* —5F **9**
Beaconsfield St. *H'pl* —5F **9**
Beacons La. *Ing B* —1F **149**
Beacon St. *H'pl* —5F **9**
Beadlam Av. *Nun* —3B **134**
Beadnall Way. *Red* —2F **65**
Beadnell Clo. *Ing B* —5C **128**
Beadon Gro. *M'brgh* —1B **100**
Beale Clo. *Ing B* —5C **128**
Beamish Rd. *Bill* —5F **39**
Beardmore Av. *Mar S* —3B **66**
Beath Gro. *H'pl* —4A **20**
Beaufort Clo. *Guis* —4D **139**
Beaufort St. *M'brgh* —3E **77**
Beauly Gro. *H'pl* —4A **20**
Beaumaris Dri. *Eagle* —1C **148**

Beaumont Ct. *S'fld* —4E **23**
Beaumont Pk. *Bill* —5A **40**
Beaumont Rd. *M'brgh* —4C **78**
Beaumont Vw. *Sto T* —1C **74**
Beaver Clo. *Ing B* —4C **128**
Beaver Ct. *M'brgh* —3B **80**
Beccles Clo. *Sto T* —3B **72**
Beckenham Gdns. *Hem* —5F **131**
Beckfields. —2B 150
Beckfields Av. *Ing B* —5C **128**
Beckfields Cen. *Ing B* —1C **150**
Beckside. *Stait* —1C **120**
Beckston Clo. *H'pl* —3C **12**
Beckwith Rd. *Yarm* —1A **160**
Bedale Av. *Bill* —3D **55**
Bedale Gro. *Sto T* —1A **96**
Bede Clo. *Sto T* —2D **73**
Bede Gro. *H'pl* —1F **19**
Bedford Rd. *Nun* —3A **134**
Bedford St. *H'pl* —1F **15**
Bedford St. *M'brgh* —3E **77**
Bedford St. *Sto T* —4F **73**
Bedford Ter. *Bill* —2E **55**
Bedlington Wlk. *Bill* —2D **39**
  (in two parts)
Beech Av. *Red* —4E **49**
Beech Clo. *Gt Ay* —2C **166**
Beech Ct. *Sto T* —3C **72**
Beechcroft Clo. *Ling* —4E **113**
Beeches Ri. *Mar C* —2E **133**
Beeches, The. *Stok* —2B **168**
Beechfield. *Cou N* —5B **132**
  (in two parts)
Beech Gro. *Brot* —1A **90**
Beech Gro. *Loft* —5B **92**
Beech Gro. *Malt* —1F **151**
Beech Gro. *S Bnk* —4B **80**
Beech Gro. Rd. *M'brgh* —3E **101**
Beech Lodge. *Tees A* —1D **145**
Beech Oval. *S'fld* —3D **23**
Beech Rd. *Guis* —1E **139**
Beech St. *M'brgh* —3F **77**
Beech Ter. *M'brgh* —4E **57**
Beechtree Ct. *Yarm* —2B **148**
Beechwood. —3A 102
Beechwood Av. *M'brgh* —2A **102**
Beechwood Av. *Salt S* —5C **68**
Beechwood Av. *Stok* —5C **164**
Beechwood Rd. *Eagle* —3C **126**
Beechwood Rd. *Thor* —4C **98**
Beeford Clo. *Bill* —1E **39**
Beeford Dri. *M'brgh* —5E **101**
Belasis Av. *Bill* —4E **55**
Belasis Bus. Cen. *Bel P* —2A **56**
Belasis Ct. *Bel P* —2A **56**
Belasis Hall Technology Pk.
  (Manor Way) *Bel P* —2B **56**
Belasis Hall Technology Pk.
  (Moat, The) *Bel P* —1B **56**
Belasis Ho. *Bill* —5E **39**
Belford Clo. *Sto T* —4C **72**
Belgrave Dri. *M'brgh* —4C **104**
Belk Clo. *M'brgh* —3D **81**
Belk St. *H'pl* —2B **14**
Belk St. *M'brgh* —5E **77**
Bellamy Ct. *M'brgh* —5D **79**
Bellasis Gro. *H'pl* —3D **7**
Bell Clo. *Sto T* —1F **97**
Bellerby Rd. *Sto T* —2B **96**

Bellevue. —5C **14**
Belle Vue Ct. *Sto T* —2B **74**
Belle Vue Gro. *M'brgh* —2A **102**
Belle Vue Rd. *M'brgh* —1D **101**
Belle Vue Ter. *C How* —3F **91**
Belle Vue Way. *H'pl* —5B **14**
Bellows Burn La. *Cas E* —1A **4**
Bell Sq. *Stil* —2A **50**
Bell St. *M'brgh* —5C **76**
Bell St. *Sto T* —3B **74**
Bell Vue Ho. *Sto T* —2B **74**
Bellwood Av. *Ling* —4D **113**
Belmangate. *Guis* —2F **139**
Belmont Av. *Bill* —5C **38**
Belmont Av. *M'brgh* —3D **131**
Belmont Av. *S Bnk* —5B **80**
Belmont Av. *Sto T* —3F **73**
Belmont Gdns. *H'pl* —4F **13**
Belmont St. *Est* —1F **105**
Belmont Ter. *Guis* —2F **139**
Belsay Clo. *Sto T* —4C **72**
Belsay Ct. *S'fld* —3C **22**
Belton Dri. *M'brgh* —5E **101**
Belvedere Rd. *M'brgh* —2A **102**
Belvedere Rd. *Thor* —3D **99**
Benedict St. *M'brgh* —4B **78**
Beningborough Gdns. *Ing B*
—5B **128**
Benmore Rd. *H'pl* —4F **19**
Bennett Rd. *H'pl* —1E **19**
Bennison Cres. *Red* —1F **63**
Bennison St. *Guis* —1E **139**
Benridge Clo. *M'brgh* —1B **130**
Benson St. *H'pl* —4A **14**
Benson St. *M'brgh* —1D **101**
Benson St. *Sto T* —5B **54**
Bentick St. *H'pl* —3A **14**
Bentinck Av. *M'brgh* —3E **101**
Bentinck Rd. *Sto T* —1B **96**
Bentley Av. *Cow I* —5B **40**
Bentley St. *H'pl* —4A **14**
Bentley Wynd. *Yarm* —3B **148**
Benton Clo. *Bill* —2D **39**
Benton Rd. *M'brgh* —4E **101**
Benwell Clo. *Sto T* —4C **72**
Berberis Gro. *Sto T* —5C **72**
Beresford Bldgs. *M'brgh*
—5F **79**
Beresford Cres. *M'brgh* —5F **79**
Berkeley Av. *H'pl* —5A **20**
Berkeley Clo. *Bill* —5D **39**
Berkley Dri. *Guis* —4F **139**
Berkley Dri. *Red* —2E **65**
Berkshire Ho. *M'brgh* —5E **81**
Berkshire Rd. *Sto T* —1C **74**
Berk Wlk. *Red* —1E **65**
Bernaldby Av. *Guis* —3C **138**
Bernica Gro. *Ing B* —2A **150**
Berrington Gdns. *Ing B*
—1B **150**
Bertha St. *H'pl* —5C **14**
Berwick Gro. *Sto T* —4A **54**
Berwick Hills. —1C **102**
Berwick Hills Av. *M'brgh*
—5E **79**
Berwick Hills Cen., The.
M'brgh —1D **103**
Berwick St. *H'pl* —4E **21**
Bessemer Ct. *M'brgh* —1D **81**

Bethune Rd. *M'brgh* —1B **100**
Betjeman Clo. *Bill* —2E **39**
Bevanlee Rd. *M'brgh* —3B **80**
Beverley Rd. *Bill* —2F **39**
Beverley Rd. *M'brgh* —4F **101**
Beverley Rd. *Nun* —3B **134**
Beverley Rd. *Red* —1F **65**
Bewholme Clo. *Bill* —1E **39**
Bewley Gro. *M'brgh* —5C **100**
Bexley Clo. *M'brgh* —5B **102**
Bexley Dri. *H'pl* —2B **20**
Bexley Dri. *Norm* —4C **104**
Bickersteth Clo. *Sto T* —2A **98**
Bickersteth Wlk. *Sto T* —2A **98**
Bickley Clo. *Bill* —5A **38**
Bickley Way. *Cou N* —4B **132**
Biddick Clo. *Sto T* —4C **72**
Bielby Av. *Bill* —1E **39**
Biggin Clo. *M'brgh* —5E **101**
Billingham. —1D **55**

Billingham Diversion. *Bill &*
Wolv —4A **38**
Billingham Ind. Est. *Bill* —4B **40**
Billingham Reach Ind. Est. *Bill*
—1B **76**
Billingham Rd. *Sto T* —5B **54**
(in two parts)
Billingham Rd. Bri. *Sto T & Bill*
—5C **54**
Bilsdale Av. *Red* —1A **64**
Bilsdale Rd. *H'pl* —5D **21**
Bilsdale Rd. *M'brgh* —5A **78**
Bilsdale Rd. *Sto T* —4E **73**
Bingfield Ct. *Bill* —2E **39**
Binks St. *M'brgh* —1E **101**
Birch Clo. *K'ton* —4D **161**
Birches, The. *Cou N* —5A **132**
Birches, The. *M'brgh* —1C **104**
Birchfield Clo. *Eagle* —5B **126**
Birchfield Dri. *Eagle* —5B **126**
Birchgate Rd. *M'brgh* —3D **101**
Birch Gro. *Sto T* —1E **73**
Birchill Gdns. *H'pl* —2E **13**
Birchington Av. *M'brgh* —2E **81**
Birch Tree Clo. *Orm* —4B **104**
Birch Wlk. *H'pl* —1A **14**
Birchwood Av. *M'brgh* —2A **102**
Birchwood Rd. *Mar C* —2E **133**
Birdsall Brow. *Nort* —4F **53**
Birdsall Row. *Red* —4C **48**
Biretta Clo. *Sto T* —4A **72**
Birk Brow Rd. *Guis & B'bck*
—2D **141**
Birk Brow Rd. *M'hlm* —4A **142**
Birkdale Clo. *H'pl* —2C **6**
Birkdale Dri. *M'brgh* —2E **105**
Birkdale Rd. *New M* —2F **85**
Birkdale Rd. *Sto T* —2B **96**
Birkhall Rd. *M'brgh* —5F **79**
Birkley Rd. *Sto T* —2B **74**
Birtley Av. *M'brgh* —1C **130**
Bisham Av. *M'brgh* —2C **100**
Bishop Cuthbert. —5D **7**

Bishopsgarth. —5A **52**
Bishopsgarth. *Sto T* —3A **72**
Bishopsgarth Cotts. *Sto T* —3F **71**
Bishop St. *M'brgh* —5B **76**
Bishop St. *Sto T* —5B **74**
Bishops Way. *Sto T* —3A **72**
Bishopton Av. *Sto T* —4D **73**
Bishopton Ct. *Sto T* —5B **72**
Bishopton La. *Sto T* —5A **74**
(in two parts)
Bishopton Rd. *M'brgh* —2F **101**
Bishopton Rd. *Sto T* —4D **73**
Bishopton Rd. W. *Sto T* —4F **71**
Blackburn Clo. *Sto T* —5C **72**
Blackburn Gro. *Mar S* —3A **66**
Blackbush Wlk. *Thor* —3C **128**
Black Diamond Way. *Eagle*
—4B **126**
Blackett Av. *Sto T* —2B **74**
Blackett Hutton Ind. Est. *Guis*
—2E **139**
Blackfriars. *Yarm* —4B **148**
Blackhall Sands. *M'brgh* —3B **130**
Blackmore Clo. *Guis* —4F **139**
Blackmore Wlk. *H'pl* —2D **19**
Black Path. *Mar S* —5B **66**
Black Path Ind. Est. *Sto T* —4B **74**
Black Path, The. *Sto T* —4B **74**
Blacksail Clo. *Sto T* —5F **73**
Blacksmiths Clo. *M'brgh* —1E **105**
Black Squares Dri. *Wyn* —4E **25**
Blackthorn. *Cou N* —1C **154**
Blackthorn Ct. *Red* —3E **65**
Blackthorn Gro. *Sto T* —5C **72**
Blackton Rd. *H'pl* —3C **12**
Blackwell Clo. *Bill* —4A **40**
Blackwood Clo. *H'pl* —2C **6**
Bladon Dri. *Mar S* —3C **66**
Blair Av. *Ing B* —1F **149**
Blairgowrie. *Mar C* —4E **133**
(in two parts)
Blairgowrie Gro. *H'pl* —4F **19**
Blairmore Gdns. *Eagle* —5C **126**
Blaise Garden Village. *H'pl*
—3D **13**
Blake Clo. *Bill* —2E **39**
Blakelock Gdns. *H'pl* —5A **14**
Blakelock Rd. *H'pl* —1F **19**
Blakeston Ct. *Sto T* —4D **53**
Blakeston La. *Sto T* —1F **51**
Blakeston Rd. *Bill* —4F **39**
Blake St. *H'pl* —2A **14**
Blake Wlk. *H'pl* —2A **14**
Blakey Clo. *Red* —3C **64**
Blakey Wlk. *M'brgh* —5F **81**
Blanchland Rd. *M'brgh* —3E **103**
Blandford Clo. *Nort* —4B **54**
Blankney Clo. *Guis* —3D **139**
Blantyre Gro. *H'pl* —4A **20**
Blantyre Rd. *M'brgh* —1C **104**
Blatchford Rd. *M'brgh* —3F **79**
Blayberry Clo. *Red* —3C **64**
Blenavon Ct. *Yarm* —3B **148**
Blenheim Av. *Mar S* —3C **66**
Blenheim Clo. *Mar S* —3C **66**
Blenheim M. *Red* —4B **48**
Blenheim Rd. *M'brgh* —4A **78**
Blenheim Rd. S. *M'brgh* —5A **78**
Blenheim Ter. *Red* —4B **48**

Bletchley Clo. *Sto T* —4C **72**
Blind La. *Guis* —2E **137**
Blorenge Ct. *Ing B* —2F **149**
Blue Bell Gro. *M'brgh* —2E **131**
Blue Bell Gro. *Sto T* —5C **72**
Blue Bell Interchange. *Hem*
—3E **131**
Bluebell Way. *Skel C* —4E **89**
Blue Ho. Point Rd. *Sto T* —4E **75**
(in two parts)
Blue Post Yd. *Sto T* —1A **98**
Blythport Clo. *Sto T* —4C **74**
Boagey Wlk. *H'pl* —4A **8**
Boar La. *Ing B* —5C **128**
Boathouse La. *Sto T* —2B **98**
Boathouse Yd. Stait —1C **120**
(off High St.)
Bodiam Dri. *Red* —2F **65**
Bodmin Gro. *H'pl* —1D **13**
Boeing Way. *Pres I* —5F **97**
Bolam Gro. *Bill* —3E **39**
Bolckow Ind. Est. *G'twn* —2D **81**
Bolckow Rd. *G'twn* —2D **81**
Bolckow St. *Est* —2F **105**
Bolckow St. *Guis* —1E **139**
Bolckow St. *M'brgh* —2E **77**
Bolckow St. *Skel C* —5E **89**
Boldron Clo. *Sto T* —3A **96**
Bollington Rd. *M'brgh* —5B **102**
Bolsover Rd. *Sto T* —2B **74**
Boltby Clo. *M'brgh* —5E **101**
Boltby Ct. *Red* —2B **64**
Boltby Way. *Eagle* —4B **126**
Bolton Clo. *Red* —1E **65**
Bolton Ct. *M'brgh* —2F **101**
Bolton Ct. *Skel C* —3E **89**
Bolton Gro. *H'pl* —4E **21**
Bolton Way. *Guis* —2F **139**
Bondene Gro. *Sto T* —3A **72**
Bondfield Rd. *M'brgh* —5D **81**
Bond St. *H'pl* —1F **15**
Bone St. *Sto T* —4B **74**
Bonington Cres. *Bill* —2D **39**
Bon Lea Trad. Est. *Thor* —2C **98**
(in two parts)
Bonny Gro. *Mar C* —5F **133**
Bonnygrove Way. *Cou N* —5C **132**
Bonnyrigg Clo. *Ing B* —2B **150**
Bonnyrigg Wlk. *H'pl* —4F **19**
Boosbeck. —3B 112
Boosbeck Rd. *Skel C* —5B **88**
(Green Rd.)
Boosbeck Rd. *Skel C* —3C **112**
(High St.)
Bordesley Grn. *M'brgh* —5D **79**
Borough Rd. *M'brgh* —3E **77**
Borough Rd. *Red* —5D **49**
Borrowby Ct. *Guis* —1D **139**
Borrowby La. *Stait* —3B **120**
Borrowdale Gro. *Egg* —2C **148**
Borrowdale Gro. *M'brgh* —4C **100**
Borrowdale Rd. *M'brgh* —4F **81**
Borrowdale St. *H'pl* —1B **20**
Borrowdale Wlk. *M'brgh* —4F **81**
Borton Wlk. *Sto T* —4F **73**
Boscombe Gdns. *Hem* —5F **131**
Boston Clo. *H'pl* —5F **19**
Boston Dri. *Mar C* —4D **133**
Boston Wlk. *Sto T* —1C **74**

Boswell Gro. *H'pl* —2E **19**
Boswell St. *M'brgh* —3F **77**
Bosworth Way. *Bill* —4F **39**
Botany Way. *Nun* —3A **134**
Bothal Dri. *Sto T* —3A **72**
Bothal Wlk. *Sto T* —2A **72**
(in two parts)
Bottle of Notes (Sculpture)
—3F **77**
Bottomley Mall. *M'brgh* —2E **77**
Boulby. —1E 119
Boulby Bank. *E'tn* —1C **118**
Boulby Barns Cotts. *E'tn*
(in two parts) —1D **119**
Boulby Dri. *Loft* —5C **92**
Boulby Rd. *C How* —2F **91**
Boulby Rd. *M'brgh* —1D **61**
Boulby Rd. *Red* —1F **63**
Boulby Wlk. *M'brgh* —5F **81**
Boulevard, The. M'brgh —3F **77**
(off Russell St.)
Boundary Rd. *M'brgh* —2E **77**
Boundary Rd. *Norm* —3C **104**
Bournemouth Av. *M'brgh*
—3F **103**
Bournemouth Dri. *H'pl* —2D **7**
Bourton Ct. *M'brgh* —4D **103**
Bousdale Cotts. *Guis* —4A **138**
Bowesfield. —4A 98
Bowesfield Cvn. Pk. *Sto T*
—3A **98**
Bowesfield Cres. *Sto T* —3A **98**
Bowesfield Ind. Est. *Sto T*
—5A **98**
Bowesfield La. *Sto T* —1A **98**
Bowesfield N. Ind. Est. *Sto T*
—3B **98**
Bowesfield Riverside Ind. Est.
Sto T —4A **98**
Bowes Grn. *H'pl* —2D **7**
Bowes Rd. *Bill* —4D **39**
Bowes Rd. *M'brgh* —1D **77**
Bowes Rd. Ind. Est. *M'brgh*
—5D **57**
Bowfell Clo. *Eagle* —4B **126**
Bowfell Rd. *M'brgh* —1C **102**
Bowhill Way. *Bill* —3A **40**
Bowland Clo. *Nun* —4F **133**
Bowley Clo. *M'brgh* —2B **104**
Bowley Wlk. *M'brgh* —3D **77**
Bowline Ho. *H'pl* —2C **14**
Bowness Clo. *H'pl* —2B **20**
Bowness Gro. *Red* —5C **48**
Bowron St. *Sto T* —4B **74**
Bowser St. *H'pl* —4C **14**
Bow St. *Guis* —2F **139**
Bow St. *M'brgh* —4D **77**
Bow St. Bus. Cen. *Guis* —2F **139**
Box Dri. *Nun* —4B **134**
Boxer Ct. *M'brgh* —3A **80**
Boyne Ct. *S'fld* —3C **22**
Boynston Gro. *S'fld* —4D **23**
Boynton Rd. *M'brgh* —1A **102**
Brabazon Dri. *Mar S* —3B **66**
Brabourn Gdns. *Hem* —5F **131**
Brackenberry Cres. *Red* —2E **65**
Brackenbury Wlk. *M'brgh*
—5F **81**
Bracken Cres. *Guis* —3B **138**

Brackenfield Ct. *Est* —3E **105**
Brackenhill Clo. *Nun* —5A **134**
Bracken Rd. *Sto T* —1E **73**
Brackenthwaite. *M'brgh* —2B **130**
Bracknell Rd. *Thor* —4E **99**
Bradbury Rd. *Sto T* —4B **54**
Bradhope Rd. *M'brgh* —1B **102**
Bradley Ct. *Bill* —5F **39**
Bradley's Ter. *Gt Ay* —1D **167**
Bradshaw Ct. *H'pl* —3F **7**
Braehead. *Eagle* —5C **126**
Braemar Gro. *M'brgh* —5B **80**
Braemar Rd. *Bill* —4C **38**
(in two parts)
Braemar Rd. *H'pl* —4A **20**
Braemar Rd. *M'brgh* —3B **100**
Braeside. *K'ton* —4D **161**
Braeworth Clo. *Yarm* —4F **149**
Brafferton Dri. *Bill* —2F **39**
Brafferton St. *H'pl* —3F **13**
Brafferton Wlk. *M'brgh* —1C **130**
Braid Cres. *Bill* —2D **55**
Braidwood Rd. *M'brgh* —2C **104**
Bramble Dykes. *Red* —4E **65**
Bramble Rd. *Sto T* —1E **73**
Brambles Farm. —5E 79
Brambling Clo. *Nort* —4F **53**
Bramcote Way. *Thor* —3C **128**
Bramfield Way. *Ing B* —3A **128**
Bramham Down. *Guis* —3E **139**
Bramley Ct. *H'pl* —4A **20**
Bramley Gro. *Mar C* —2E **133**
Bramley Pde. *Sto T* —2A **98**
Brampton Clo. *Hem* —3E **131**
Bramwith Av. *M'brgh* —3D **103**
Brancepath Wlk. *H'pl* —3F **7**
Brancepeth Av. *M'brgh* —3C **102**
Brancepeth Clo. *New M* —2A **86**
Brancepeth Ct. *Bill* —4C **38**
Brandlings Ct. *Yarm* —3B **148**
Brandon Clo. *Bill* —3D **39**
Brandon Clo. *H'pl* —2D **31**
Brandon Rd. *M'brgh* —1F **103**
Brankin Ct. *Skel C* —3F **89**
Branklyn Gdns. *Ing B* —1B **150**
Branksome Av. *M'brgh* —4E **101**
Branksome Gro. *Sto T* —3B **96**
Bransdale. *Guis* —3A **138**
Bransdale Av. *Red* —1F **63**
Bransdale Clo. *Sto T* —4E **73**
Bransdale Gro. *H'pl* —4E **21**
Bransdale Rd. *M'brgh* —1C **102**
Brantwood Clo. *Ing B* —1C **150**
Brass Castle La. *Mar C* —3D **155**
Brass Wynd. *Nun* —5F **133**
Braygate Mill La. *Liver & C How*
—5E **91**
Brechin Gro. *H'pl* —4A **20**
Breckland Way. *M'brgh* —2D **103**
Breckon Hill Rd. *M'brgh* —4A **78**
Brecon Cres. *Ing B* —1F **149**
Brecon Dri. *Red* —2A **64**
Brecongill Clo. *H'pl* —1B **14**
Breen Clo. *M'brgh* —4B **78**
Brenda Rd. *H'pl* —1B **20**
Brendon Cres. *Bill* —1E **55**
Brendon Gro. *Ing B* —3B **150**
Brenkley Clo. *Sto T* —4E **53**
Brent Ct. *Bill* —2C **54**

Brentford Ct. *Brot* —3C **90**
Brentford Rd. *Sto T* —2A **74**
Brentnall St. *M'brgh* —3E **77**
Brereton Rd. *M'brgh* —4A **102**
Bretby Clo. *M'brgh* —3A **102**
Brettenham Av. *M'brgh* —5B **102**
  (in two parts)
Breward Wlk. *H'pl* —2B **14**
Brewery St. *H'pl* —4B **14**
Brewery Ter. *Stok* —1B **168**
Brewery Yd. *Stok* —1B **168**
Brewery Yd. *Yarm* —3B **148**
Brewsdale. *M'brgh* —3C **78**
Briardene Av. *M'brgh* —4E **101**
Briardene Ct. *Sto T* —1A **72**
Briardene M. *H'pl* —2B **20**
Briardene Wlk. *Sto T* —1A **72**
Briargate. *M'brgh* —1F **105**
Briar Gro. *Red* —5C **48**
Briarhill Gdns. *H'pl* —2E **13**
Briar Rd. *Thor* —5C **98**
Briarvale Av. *M'brgh* —3D **101**
Briar Wlk. *H'pl* —2A **14**
Briar Wlk. *Sto T* —2D **97**
Brickton Rd. *M'brgh* —1B **100**
Bridge Ct. *M'brgh* —2C **104**
Bridge Ct. *Yarm* —2B **148**
Bridgend Clo. *M'brgh* —3E **81**
Bridgepool Clo. *H'pl* —4B **8**
Bridge Rd. *Red* —3A **48**
Bridge Rd. *Sto T* —2B **98**
Bridge Rd. *Stok* —1B **168**
Bridge St. *Gt Ay* —2C **166**
Bridge St. *H'pl* —4D **15**
Bridge St. *Sto T* —3B **74**
Bridge St. *Thor* —2C **98**
Bridge St. *Yarm* —2B **148**
Bridge St. E. *M'brgh* —2F **77**
Bridge St. W. *M'brgh* —2E **77**
Bridnor Rd. *M'brgh* —3C **102**
Bridport Clo. *Sto T* —4D **75**
Bridport Gro. *Hem* —5F **131**
Brierley Dri. *Wyn* —4D **25**
  (TS21,TS22)
Brierley Dri. *Wyn* —4C **26**
  (TS22)
Brierley Grn. *Mar C* —4E **133**
  (in two parts)
Brierton. —3B 18
Brierton La. *Brier & H'pl* —3B **18**
Brierton Lodge. *H'pl* —3F **19**
Brierton Shops. *H'pl* —3D **19**
Brierville Rd. *Sto T* —3F **73**
Brigandine Clo. *H'pl* —4D **21**
Briggs Av. *S Bnk* —3A **80**
Brigham Rd. *M'brgh* —2B **102**
Brighouse Bus. Village. *M'brgh*
  —5C **56**
Brighouse Rd. *M'brgh* —5C **56**
Brighton Clo. *Thor* —2B **128**
Bright St. *H'pl* —3F **13**
Bright St. *M'brgh* —3A **78**
Bright St. *Sto T* —5A **74**
Brignall Rd. *Sto T* —3F **97**
Brignell Rd. *M'brgh* —1D **77**
Brig Open. *H'pl* —1F **15**
Brimham Clo. *Ing B* —5C **128**
Brimham Ct. *Red* —1B **64**
Brimston Clo. *H'pl* —3D **13**

Brindle Clo. *Mar C* —4E **133**
Brine St. *M'brgh* —4A **78**
Brinewells Grn. *M'brgh* —5B **78**
Brink Burn Rd. *H'pl* —5A **14**
Brinkburn Rd. *Sto T* —2A **74**
Brisbane Cres. *Thor* —1B **128**
Brisbane Gro. *Sto T* —2D **97**
Briscoe Way. *Hem* —4C **130**
Bristol Av. *Salt S* —4C **68**
Bristol Wlk. *H'pl* —1E **13**
Bristow Rd. *M'brgh* —2B **102**
Bristow St. *M'brgh* —4C **78**
Britain Av. *M'brgh* —4C **100**
Britannia Bus. Pk. *M'brgh*
  —1C **76**
Britannia Clo. *H'pl* —3C **14**
Britannia Ct. *M'brgh* —1D **77**
Britannia Ho. *H'pl* —2D **15**
Britannia Pl. *Red* —1E **63**
Britannia Rd. *Sto T* —5F **73**
Britannia Ter. *Brot* —2B **90**
Broadbent St. *Brot* —3B **90**
Broad Clo. *S'tn* —5B **130**
Broadfield Rd. *H'pl* —5F **9**
Broadgate Gdns. *M'brgh*
  —3C **100**
Broadgate Rd. *M'brgh* —3C **100**
Broadhaven Clo. *M'brgh* —5E **81**
Broadstone. *Mar C* —5E **133**
Broadway. *M'brgh* —3E **81**
Broadway E. *Red* —1E **63**
Broadway W. *Red* —1D **63**
Broadwell Rd. *M'brgh* —1B **132**
Brocklesby Rd. *Guis* —4E **139**
Brockrigg Ct. *Guis* —5D **109**
Brodick Gro. *H'pl* —4A **20**
Brogden Grn. *M'brgh* —2C **102**
Bromley Hill Clo. *Nun* —5A **134**
Bromley La. *Newby* —4B **154**
Bromley Rd. *Sto T* —2D **97**
Brompton Gro. *Sto T* —3C **96**
Brompton Rd. *M'brgh* —1D **101**
Brompton St. *M'brgh* —5D **77**
Brompton Wlk. *H'pl* —5D **21**
Bronaber Clo. *Ing B* —1E **149**
Bronte Way. *Bill* —3D **39**
Brookdale Rd. *Mar C* —2D **133**
Brookes, The. *Yarm* —5C **148**
Brookfield. —2D 131
Brookfield Rd. *Sto T* —5A **72**
Brooksbank Av. *Red* —5C **48**
Brooksbank Clo. *Orm* —1B **134**
Brooksbank Rd. *Orm* —1B **134**
Brookside. *B'bck* —2B **112**
Brookside Av. *M'brgh* —3F **101**
Brook St. *H'pl* —3A **14**
Brook St. *M'brgh* —2F **77**
Brookwood Way. *Eagle* —1C **148**
Broomfield Av. *Eagle* —5B **126**
Broom Hill Av. *Ing B* —4A **128**
Broomhill Gdns. *H'pl* —2E **13**
Broomlee Clo. *Ing B* —2A **150**
Brotherswater Ct. *Red* —5B **48**
Brotton. —2B 90
Brotton Rd. *Brot & C How*
  —2D **91**
Brotton Rd. *Thor* —4D **99**
Brougham Enterprise Cen.
  H'pl —1B **14**

Brougham St. *M'brgh* —2E **77**
Brougham Ter. *H'pl* —2A **14**
Brough Clo. *Thor* —1E **129**
Brough Ct. *H'pl* —3D **7**
Brough Ct. *M'brgh* —2A **102**
Brough Fld. Clo. *Ing B* —3A **128**
Brough Rd. *Bill* —5E **39**
Broughton Av. *M'brgh* —5B **102**
Broughton Grn. *Red* —2B **64**
Broughton Rd. *Bill* —5B **38**
Broughton Rd. *Stok* —2D **169**
Browning Av. *H'pl* —1E **19**
Brownsea Ct. *Ing B* —1B **150**
Brown's Ter. *Hind* —5E **121**
Browns Ter. *Stait* —1C **120**
Broxa Clo. *Red* —3B **64**
Bruce Av. *M'brgh* —2B **100**
Bruce Cres. *H'pl* —4A **8**
Brundall Clo. *Sto T* —3B **72**
Brunel Clo. *H'pl* —5C **8**
Brunel Rd. *M'brgh* —3F **79**
Brunner Ho. *M'brgh* —2D **103**
Brunner Rd. *Bill* —5E **55**
Brunswick Av. *M'brgh* —4B **80**
Brunswick Ct. *Sto T* —1A **98**
  (off Brunswick St.)
Brunswick St. *H'pl* —4C **14**
Brunswick St. *M'brgh* —2E **77**
Brunswick St. *Sto T* —1A **98**
Bruntoft Av. *H'pl* —3F **7**
Bruntons Mnr. Ct. *M'brgh*
  —1E **103**
Brus Corner. *H'pl* —3A **8**
Brus Ho. *Thor* —1D **129**
Brusselton Clo. *M'brgh* —1C **130**
Brylston Rd. *M'brgh* —5F **79**
Bryneside Av. *M'brgh* —2F **101**
Bryony Ct. *Guis* —3B **138**
Bryony Gro. *Mar C* —2C **132**
Buccleuch Clo. *Guis* —4E **139**
Buchanan St. *Sto T* —1A **98**
Buckfast Rd. *Skel C* —4D **89**
Buckie Gro. *H'pl* —4A **20**
Buckingham Av. *Hart* —4F **5**
Buckingham Dri. *M'brgh* —4C **104**
Buckingham Rd. *Red* —4C **48**
Buckingham Rd. *Sto T* —1F **97**
Buckland Clo. *Ing B* —1C **150**
Buck St. *M'brgh* —1E **77**
Budworth Clo. *Bill* —2E **39**
Bulmer Clo. *Yarm* —5D **149**
Bulmer Ct. *M'brgh* —2D **105**
Bulmer Pl. *H'pl* —4F **7**
Bulmer's Bldgs. *Guis* —1D **139**
  (off Park La.)
Bulmer Way. *M'brgh* —3D **77**
Bungalows, The. *G'twn* —3E **81**
Bungalows, The. *Long N* —1A **124**
Bungalows, The. *Orm* —4A **104**
  (off Henry Taylor Ct.)
Bungalows, The. *Port M* —4F **121**
Bunting Clo. *H'pl* —5E **7**
Bunting Clo. *Ing B* —5B **128**
Burbank Ct. *H'pl* —4C **14**
  (off Burbank St.)
Burbank St. *H'pl* —4C **14**
Burdale Clo. *Eagle* —4A **126**
Burdon Clo. *Sto T* —4C **72**
Burdon Gth. *Ing B* —4A **128**

Burford Av.—Carlton

Burford Av. *Sto T* —3E **97**
Burgess St. *Sto T* —5A **74**
Burgess Wlk. *M'brgh* —4A **78**
Burghley Ct. *Hem* —4F **131**
Burke Pl. *H'pl* —5E **9**
Burlam Rd. *M'brgh* —1C **100**
Burnaby Clo. *H'pl* —2B **20**
Burneston Gro. *Sto T* —2A **96**
Burnet Clo. *Ing B* —4B **128**
Burnholme Av. *M'brgh* —5E **79**
Burnhope Rd. *H'pl* —3C **12**
Burniston Dri. *Bill* —5A **38**
Burniston Dri. *Thor* —3B **128**
Burnmoor Clo. *Red* —3C **64**
Burnmoor Dri. *Eagle* —5B **126**
Burn Rd. *H'pl* —5B **14**
Burnsall Rd. *M'brgh* —1B **102**
Burns Av. *H'pl* —1E **19**
Burn's Clo. *Hart* —3F **5**
Burnside Ct. *Sto T* —1E **97**
Burnside Gro. *Sto T* —1E **97**
Burns Rd. *M'brgh* —5C **80**
Burnston Clo. *H'pl* —2D **13**
Burnsville Rd. *M'brgh* —3D **81**
Burns Wlk. *M'brgh* —5C **80**
Burntoft. *Wyn* —2E **37**
Burn Valley App. *H'pl* —5A **14**
Burn Valley Gro. *H'pl* —5A **14**
Burn Valley Rd. *H'pl* —5A **14**
Burn Wood Ct. *Long N* —1A **124**
Burringham Rd. *Sto T* —5F **53**
Burtonport Wlk. Sto T —*4C 74*
(off Alnport Rd.)
Burtree Pk. *Sea C* —3E **21**
Burwell Dri. *Sto T* —4A **72**
Burwell Rd. *M'brgh* —2F **103**
Burwell Wlk. *H'pl* —1E **31**
Burythorpe Clo. *M'brgh* —1A **102**
Busby Way. *Yarm* —4F **149**
Bushmead Ter. *M'brgh* —3E **103**
Bush St. *M'brgh* —5D **77**
Bushton Clo. *H'pl* —2D **13**
Bute Av. *H'pl* —1A **20**
Bute Clo. *Thor* —2C **128**
Bute St. *Sto T* —5A **74**
Butler St. *Sto T* —2B **74**
Buttercup Clo. *Sto T* —2C **72**
Butterfield Clo. *Eagle* —1B **148**
Butterfield Dri. *Eagle* —1B **148**
Butterfield Gro. *Eagle* —1B **148**
Butterfly World. —2D **127**
Buttermere Av. *M'brgh* —4C **100**
Buttermere Rd. *M'brgh* —4F **81**
Buttermere Rd. *Red* —5B **48**
Buttermere Rd. *Sto T* —5D **73**
Butterwick Gro. *Wyn* —4A **26**
Butterwick Rd. *Fish* —3D **23**
Butterwick Rd. *H'pl* —3E **7**
Butt La. *Guis* —2F **139**
Buttsfield Way. *Bill* —2E **39**
Butts La. *Egg* —2B **148**
Butts La. *Hart* —3C **4**
Buxton Av. *Mar C* —4D **133**
Buxton Gdns. *Bill* —5B **38**
Buxton Rd. *Sto T* —4B **74**
Bydales Dri. *Mar S* —4E **67**
Byelands St. *M'brgh* —5A **78**
Byemoor Av. *Gt Ay* —3D **167**
Byemoor Clo. *Gt Ay* —3D **167**

Byfleet Av. *M'brgh* —4D **79**
Byland Clo. *Guis* —2F **139**
Byland Clo. *Red* —2B **64**
Byland Gro. *H'pl* —4E **21**
Byland Rd. *Nun* —3B **134**
Byland Rd. *Skel C* —4D **89**
Bylands Gro. *Sto T* —1B **96**
Bylands Rd. *M'brgh* —1D **105**
Byland Way. *Bel P* —2A **56**
Byron Clo. *Bill* —2E **39**
Byron Ct. *Brot* —1B **90**
Byron St. *H'pl* —3F **13**
Bywell Gro. *Orm* —4A **104**

C

Cabot Ct. *Thor* —2D **129**
Cadogan St. *M'brgh* —4D **77**
Cadogan St. *N Orm* —4C **78**
Cadwell Clo. *M'brgh* —2A **104**
Caernarvon Clo. *M'brgh* —4E **81**
Caernarvon Gro. *H'pl* —1D **13**
Cairn Ct. *M'brgh* —5D **57**
Cairn Rd. *H'pl* —5F **19**
Cairnston Rd. *H'pl* —3C **12**
Caister Ct. *Red* —3E **65**
Caistor Dri. *H'pl* —1F **31**
Caithness Rd. *H'pl* —5F **19**
Caithness Rd. *M'brgh* —5B **80**
Calcott Clo. *Sto T* —4C **72**
Calder Clo. *Bill* —4A **38**
Calderdale. *Skel C* —3C **88**
Calder Gdns. *Ing B* —2E **149**
Calder Gro. *H'pl* —4F **19**
Calder Gro. *M'brgh* —4B **102**
Calder Gro. *Red* —1B **64**
Caldicot Clo. *M'brgh* —4E **81**
Caldwell Clo. *Hem* —5E **131**
Caledonian Rd. *H'pl* —1A **20**
Calf Fallow La. *Sto T* —3F **53**
California. —1A **106**
(Eston)
California. —1D **167**
(Great Ayton)
California Bungalows. M'brgh
(off Old Mines Rd.) —*1A 106*
California Clo. *Sto T* —5A **74**
California Ct. *Gt Ay* —1D **167**
California Gro. *Gt Ay* —1D **167**
California Rd. *M'brgh* —1F **105**
Callander Rd. *H'pl* —4F **19**
Calluna Gro. *Mar C* —2C **132**
Calthorpe Ct. *M'brgh* —3D **77**
Calverley Rd. *M'brgh* —1F **103**
Calvert Clo. *M'brgh* —4B **78**
Calvert's La. *Sto T* —5B **74**
Camborne Ho. *M'brgh* —5D **79**
Cambourne Clo. *Hem* —4E **131**
Cambrian Av. *Red* —2A **64**
Cambrian Ct. *Ing B* —1F **149**
Cambrian Rd. *Bill* —1C **54**
Cambridge Av. *Mar C* —4C **132**
Cambridge Av. *M'brgh* —3C **100**
Cambridge Rd. *M'brgh* —3C **78**
(TS3)
Cambridge Rd. *M'brgh* —3B **100**
(TS5)
Cambridge Rd. *Thor* —3C **98**
Cambridge St. *Salt S* —4C **68**
Cambridge Ter. *M'brgh* —4E **57**

Camden St. *M'brgh* —4F **77**
(off Borough Rd.)
Camden St. *M'brgh* —4A **78**
(Somerset St.)
Camden St. *Sto T* —2F **97**
Camellia Cres. *Nort* —1F **73**
Camelon St. *Thor* —3D **99**
Cameron Rd. *H'pl* —2B **14**
Cameron St. *Sto T* —5A **54**
Campbell Ct. *Sto T* —4C **74**
Campbell Rd. *H'pl* —4F **19**
Campion Clo. *Ing B* —4B **128**
Campion Dri. *Guis* —3B **138**
Campion Gro. *Mar C* —2C **132**
Campion St. *H'pl* —4A **14**
Canberra Gro. *Sto T* —2D **97**
Canberra Rd. *Mar C* —3D **133**
Canewood. *M'brgh* —1F **103**
Cannock Rd. *M'brgh* —2C **102**
Cannon Pk. Clo. *M'brgh* —3D **77**
Cannon Pk. Ind. Est. *M'brgh*
—3D **77**
Cannon Pk. Rd. *M'brgh* —3D **77**
Cannon Pk. Way. *M'brgh* —3D **77**
Cannon St. *M'brgh* —4C **76**
(in two parts)
Canon Gro. *Yarm* —5C **148**
Canterbury Gro. *M'brgh* —1E **101**
Canterbury Rd. *Brot* —2C **90**
Canterbury Rd. *Red* —1F **65**
Canton Gdns. *M'brgh* —2D **131**
Canvey Wlk. *Guis* —3D **139**
Captain Cook & Staithes
Heritage Cen. —1C **120**
Captain Cook Birthplace Mus.
—1D **133**
Captain Cook Schoolroom
Mus. —2D **167**
Captain Cook's Clo. *Stait*
—2B **120**
Captain Cook's Cres. *Mar C*
—3E **133**
Captain Cook Sq. *M'brgh* —3E **77**
Captain Cook's Way. *Gt Ay*
—1D **167**
Captains Wlk. *H'pl* —3D **15**
Carburt Rd. *Sto T* —1A **72**
Carcut Rd. *M'brgh* —3C **78**
Cardigan Clo. *M'brgh* —4E **81**
Cardigan Gro. *H'pl* —5E **7**
Cardinal Gro. *Sto T* —4F **71**
Cardwell Wlk. Thor —*3C 98*
(off Walker St.)
Carew Clo. *Yarm* —1A **160**
Carey Ct. *M'brgh* —4D **77**
Cargo Fleet. —3D 79
Cargo Fleet La. *Car F* —3D **79**
Cargo Fleet Rd. *M'brgh* —3A **78**
Carisbrooke Av. *M'brgh* —1F **103**
Carisbrooke Rd. *H'pl* —4D **13**
Carisbrooke Way. *Red* —1E **65**
Carlbury Av. *M'brgh* —1B **130**
Carlie Hill. *Hem* —5D **131**
Carlile Wlk. *Sto T* —3B **74**
Carlin How. —3F 91
Carlisle St. *H'pl* —4E **21**
Carlow Clo. *Guis* —4E **139**
Carlow St. *M'brgh* —5C **76**
Carlton. —5C 50

Carlton Av. *Bill* —4B **38**
Carlton Clo. *Sto T* —5A **74**
Carlton Dri. *Thor* —2B **128**
Carlton St. *H'pl* —4A **14**
Carlyle La. *M'brgh* —5D **81**
Carmarthen Rd. *M'brgh* —3E **103**
Carmel Gdns. *Guis* —1E **139**
Carmel Gdns. *M'brgh* —3D **131**
Carmel Gdns. *Nun* —3B **134**
Carmel Gdns. *Sto T* —1C **74**
Carnaby Wlk. *M'brgh* —4E **101**
Carney St. *B'bck* —3B **112**
Carnoustie Dri. *Eagle* —5C **126**
Carnoustie Gro. *H'pl* —2C **6**
Carnoustie Rd. *New M* —2A **86**
Carnoustie Way. *Mar C* —4E **133**
Caroline St. *H'pl* —4B **14**
Carpenter Clo. *Yarm* —5E **149**
Carradale Clo. *Eagle* —1C **126**
Carriage Wlk. *Eagle* —4B **126**
Carrick Ct. *Riv I* —5D **57**
Carrick St. *H'pl* —4F **7**
Carrick's Yd. *Skel C* —4B **88**
Carroll Wlk. *H'pl* —2D **19**
Carrol St. *Sto T* —5B **74**
Carron Gro. *M'brgh* —2C **104**
Carr St. *H'pl* —2A **14**
Carr St. *Sto T* —1F **97**
Carter's La. *Eagle* —5B **124**
Carthorpe Dri. *Bill* —4E **39**
Cartmel Rd. *Red* —1C **64**
Carvers Ct. *Brot* —2C **90**
Carville Ct. *Sto T* —2B **72**
Casebourne Rd. *H'pl* —1C **20**
Casper Ct. *Eagle* —5C **126**
Cass Ho. Rd. *Hem* —1D **153**
Casson Ct. *Bill* —4D **39**
Casson Way. *Bill* —4D **39**
Cassop Gro. *M'brgh* —1B **130**
Cassop Wlk. *Sto T* —2B **72**
Castle Clo. *Sto T* —4C **72**
Castle Ct. *B'bck* —3B **112**

Castle Dyke Wynd. *Yarm*
—3C **148**

Castle Eden Walkway
Country Pk. —4E **35**
Castlegate Cen. *Sto T* —1B **98**
Castlegate Quay. *Sto T* —1B **98**
Castle Grange. *Skel C* —5B **88**
Castle Howard Clo. *H'pl* —3D **7**
Castlemartin. *Ing B* —3F **149**
Castlereagh. *Wyn* —5C **26**
Castlereagh Clo. *Long N*
—1A **124**

Castlereagh Rd. *Sto T* —4F **73**
Castle Rd. *Red* —1E **65**
Castleton Av. *M'brgh* —3B **100**
Castleton Dri. *Bill* —5B **38**
Castleton Rd. *H'pl* —4E **21**
Castleton Rd. *M'brgh* —5F **81**
Castleton Rd. *Sto T* —3F **97**
Castleton Wlk. *Thor* —2B **128**
Castle Way. *M'brgh* —2F **101**
Castle Way. *Sto T* —1B **98**
Castlewood. *M'brgh* —2F **103**
Castle Wynd. *Nun* —5A **134**
Catcote Rd. *H'pl* —3E **19**
Caterton Clo. *Yarm* —5E **149**

Cat Flatt La. *Red & Mar S* —3F **65**
(in two parts)
Cathedral Dri. *Sto T* —4A **72**
Cathedral Gdns. *M'brgh* —2E **77**
Catherine Gro. *H'pl* —4C **14**
(off Sheerness Gro.)
Catherine Rd. *H'pl* —4C **14**
Catherine St. *H'pl* —1F **15**
Catherine St. *Ling* —4E **113**
Catterall Ho. *M'brgh* —5D **79**
Cattersty Way. *Brot* —1B **90**
Cattistock Clo. *Guis* —3F **139**
Caudwell Clo. *Sto T* —1A **72**
Causeway, The. *Bill* —1D **55**
Cavendish Rd. *M'brgh* —3A **102**
Caversham Rd. *M'brgh* —4B **102**
Cawdor Ct. *New M* —2F **85**
Cawood Dri. *M'brgh* —4E **101**
Cawthorn Clo. *Hem* —4C **130**
Caxton Gro. *H'pl* —1E **19**
Caxton St. *M'brgh* —5E **77**
Cayton Clo. *Red* —3B **64**
Cayton Dri. *Bill* —4B **38**
Cayton Dri. *M'brgh* —4E **101**
Cayton Dri. *Thor* —3B **128**
Cecil Ho. *H'pl* —2B **20**
Cecil St. *M'brgh* —3D **77**
Cecil St. *Sto T* —2A **98**
Cedar Clo. *M'brgh* —1D **105**
Cedar Ct. *Thor* —4C **98**
Cedar Cres. *Eagle* —2C **126**
Cedar Dri. *T'tn* —1B **152**
Cedar Gro. *Brot* —2A **90**
Cedar Gro. *Loft* —5B **92**
Cedar Gro. *Red* —4E **49**
Cedar Gro. *Thor* —4C **98**
Cedar Ho. *Sto T* —3C **72**
Cedarhurst Dri. *Ling* —4E **113**
Cedar Lodge. *Tees A* —1D **145**
Cedar Rd. *Mar C* —2F **133**
Cedar Rd. *Orm* —5B **104**
Cedar St. *Sto T* —5B **74**
Cedar Ter. *M'brgh* —5F **57**
Cedar Wlk. *H'pl* —1A **14**
Cedarwood Av. *Stok* —4C **164**
Cedarwood Glade. *S'tn* —5C **130**
Celandine Clo. *Mar C* —1C **132**
Celandine Way. *Sto T* —3C **72**
Cemetery Roundabout. *Guis*
—4F **109**
Cennon Gro. *Ing B* —1F **149**
Centenary Cres. *Sto T* —1A **74**
Central Arc. *Yarm* —3B **148**
Central Av. *Bill* —3D **55**
Central Av. *M'brgh* —1B **100**
Central M. *M'brgh* —3F **77**
Central Rd. *H'pl* —5D **9**
Central St. *Yarm* —3B **148**
Central Ter. *Red* —3C **48**
Central Way. *Gt Ay* —1D **167**
Central Way Bungalows. *Gt Ay*
—1D **167**
Centre Ct. *M'brgh* —3C **130**
Centre Mall. *M'brgh* —3E **77**
Centre Rd. *Hem* —4E **131**
Ceylon Sq. *Eagle* —3A **126**
Chadburn Grn. *M'brgh* —4F **101**
Chadburn Rd. *Sto T* —2A **74**
Chadderton Clo. *B'bck* —2B **112**

Chadderton Dri. *Thor* —5E **99**
Chadwell Av. *M'brgh* —3D **103**
Chaffinch Clo. *H'pl* —5E **7**
Chalcot Wlk. *M'brgh* —5E **79**
Chaldron Way. *Eagle* —3A **126**
Chalfield Clo. *Ing B* —1C **150**
Chalford Oaks. *M'brgh* —4A **100**
Chalk Clo. *Sto T* —2A **98**
Chalk Wlk. *Sto T* —2A **98**
(off Chalk Clo.)
Challacombe Cres. *Ing B*
—3A **150**
Challoner Rd. *H'pl* —1F **13**
Challoner Rd. *Yarm* —5B **148**
Challoner Sq. *H'pl* —1F **13**
Chaloner M. *Guis* —2E **139**
Chaloner St. *Guis* —2E **139**
Chamomile Dri. *Sto T* —2C **72**
Chancel Way. *M'brgh* —1E **105**
Chancery Ri. *Thor* —2B **128**
Chandlers Clo. *H'pl* —3D **15**
Chandlers Ridge. *Nun* —4A **134**
Chandlers Wharf. *Sto T* —2B **98**
Chantry Clo. *M'brgh* —3C **102**
Chantry Clo. *Sto T* —5A **54**
Chapelbeck Bungalows. *Guis*
—2D **139**
Chapel Clo. *Mar S* —4C **66**
Chapel Clo. *M'brgh* —3F **103**
Chapel Ct. *Bill* —4D **55**
Chapel Gdns. *Carl* —5D **51**
Chapelgarth. *S'tn* —5C **130**
Chapel Rd. *Bill* —4D **55**
Chapel Row. *Loft* —5C **92**
Chapel St. *Brot* —2C **90**
Chapel St. *Guis* —2E **139**
Chapel St. *Mar S* —4C **66**
Chapel St. *M'brgh* —4C **82**
Chapel St. *Skin* —2A **92**
Chapel St. *Thor* —2C **98**
Chapel Yd. *Stait* —1C **120**
(off Beckside)
Chapel Yd. *Yarm* —3B **148**
Chapman Ct. *M'brgh* —1E **103**
Chapman St. *Sto T* —1B **74**
Chards Cotts. *Salt S* —1C **88**
Chard Wlk. *M'brgh* —3C **102**
Charlbury Rd. *M'brgh* —5D **79**
Charles St. *H'pl* —4C **14**
Charles St. *M'brgh* —3A **78**
Charles St. *New M* —2A **86**
Charles St. *Red* —3D **49**
Charles St. *Sea C* —4E **21**
Charles St. *Thor* —3C **98**
Charlock. *Cou N* —2C **154**
Charlotte Grange. *H'pl* —4A **14**
Charlotte St. *H'pl* —5A **14**
Charlotte St. *M'brgh* —2E **77**
Charlotte St. *Red* —3D **49**
Charlotte St. *Skel C* —4D **89**
Charlton Rd. *Red* —5F **47**
Charltons. —2F **141**
Charltonsfield. *M'hlm* —4B **142**
Charltons Gth. *Guis* —1E **139**
Charltons Pond Nature
Reserve. —2F **55**
Charnley Grn. *M'brgh* —5A **102**
Charnwood Clo. *Mar S* —5C **66**
Charnwood Dri. *Orm* —1B **134**

Charrington Av. *Thor* —3B **128**
Charterhouse St. *H'pl* —1A **20**
Chartwell Clo. *Ing B* —1C **150**
Chartwell Clo. *Mar S* —3B **66**
Charwood. *M'brgh* —1F **103**
Chase, The. *Red* —5D **49**
Chase, The. *Sto T* —5B **72**
Chatham Gdns. *H'pl* —1A **14**
Chatham Rd. *Eagle* —4F **125**
Chatham Rd. *H'pl* —1F **13**
Chatham Sq. *H'pl* —1A **14**
Chathill Wlk. *Orm* —4A **104**
Chatsworth Ct. *Sto T* —3D **73**
Chatsworth Gdns. *Bill* —5C **38**
Chatsworth Ho. *M'brgh* —5D **79**
Chatton Clo. *M'brgh* —3D **103**
Chaucer Av. *H'pl* —1E **19**
Chaucer Clo. *Bill* —3D **39**
Chaytor Lee. *Yarm* —4C **148**
Cheadle Wlk. *M'brgh* —2D **103**
Cheam Av. *M'brgh* —5D **79**
Cheddar Clo. *M'brgh* —4E **81**
Cheetham St. *G'twn* —2D **81**
Chelker Clo. *H'pl* —3C **12**
Chelmsford Av. *Sto T* —1C **96**
Chelmsford Rd. *M'brgh* —1E **101**
Chelmsford St. *Thor* —2C **98**
Chelmsford Wlk. *M'brgh* —2E **101**
Chelsea Gdns. *Sto T* —4E **53**
Chelston Clo. *H'pl* —2C **12**
Cheltenham Av. *Mar C* —4D **133**
Cheltenham Av. *Thor* —3C **98**
Cheltenham Clo. *M'brgh* —1F **101**
Cheltenham Rd. *Sto T* —3F **75**
Chepstow Clo. *Bill* —5D **39**
Chepstow Wlk. *H'pl* —5E **7**
Cheriton Grn. *M'brgh* —5D **79**
Cherry Ct. *Sto T* —3A **74**
Cherry Gth. *Ing B* —4A **128**
Cherry Tree Clo. *Orm* —4B **104**
Cherry Tree Dri. *S'fld* —3D **23**
Cherry Tree Gdns. *Sto T* —1C **74**
Cherry Trees. *Red* —3A **48**
Cherry Wlk. *H'pl* —1A **14**
Cherrywood Av. *Stok* —5C **164**
Cherrywood Ct. *M'brgh* —2E **131**
Chertsey Av. *M'brgh* —5D **79**
Cherwell Ter. *M'brgh* —4E **79**
(in two parts)
Chesham Clo. *Sto T* —5B **54**
Chesham Gro. *Sto T* —5C **54**
Chesham Rd. *Sto T* —5B **54**
Chesham St. *M'brgh* —1E **101**
Cheshire Rd. *Sto T* —1C **74**
Chesneywood. *M'brgh* —1F **103**
Chester Rd. *H'pl* —2F **13**
Chester Rd. *Red* —1F **65**
Chester St. *M'brgh* —5D **77**
Chesterton Av. *Thor* —2B **128**
Chesterton Ct. *Sto T* —1B **74**
Chesterton Rd. *H'pl* —2E **19**
Chesterwood. *M'brgh* —1F **103**
Chestnut Av. *Red* —5E **49**
Chestnut Clo. *M'brgh* —4C **82**
Chestnut Clo. *Salt S* —5A **68**
Chestnut Dri. *Mar C* —3E **133**
Chestnut Gro. *Brot* —2A **90**
Chestnut Gro. *Thor* —4C **98**
Chestnut Lodge. *Tees A* —1D **145**

Chestnut Rd. *Eagle* —2C **126**
Chestnut Rd. *S'fld* —3D **23**
Chestnut Row. *G'ham* —3E **31**
Chestnut Sq. *Sto T* —3F **73**
Chetwode Ter. M'brgh —3E 103
(off Carmarthen Rd.)
Chevin Wlk. *M'brgh* —2C **102**
Cheviot Cres. *Bill* —2D **55**
Cheviot Dri. *Skel C* —3C **88**
Chez Nous Av. *H'pl* —1B **20**
Chichester Clo. *H'pl* —1F **31**
Chilcroft Clo. *Bill* —5A **38**
Childeray St. *Sto T* —1F **97**
Child St. *Brot* —2B **90**
Child St. *Guis* —2E **139**
Chillingham Ct. *Bill* —3E **39**
Chiltern Av. *Red* —2A **64**
Chilton Clo. *M'brgh* —5C **100**
Chilton Clo. *Sto T* —1A **72**
Chiltons Av. *Bill* —4E **55**
Chine, The. *Salt S* —4B **68**
Chingford Av. *M'brgh* —2F **103**
Chingford Gro. *Sto T* —4C **72**
Chipchase Rd. *M'brgh* —1D **101**
Chippenham Rd. *M'brgh*
—5A **102**
Chopwell Clo. *Sto T* —1B **72**
Christchurch Dri. *Sto T* —2B **96**
Christine Ho. *Thor* —2B **98**
Christopher St. *H'pl* —3A **14**
Christopher St. *Sto T* —3B **74**
Church Clo. *Egg* —2C **148**
Church Clo. *H'pl* —1F **15**
Church Clo. *Loft* —5C **92**
Church Clo. *Mar S* —4D **67**
Church Clo. *Orm* —4A **104**
Church Clo. *S'tn* —5C **130**
Church Clo. *Thor* —3B **98**
Church Dri. *B'bck* —3C **112**
Church Dri. *Gt Ay* —2C **166**
Churchend Clo. *Bill* —4D **55**
Church Farm Flats. *R'shll* —1B **70**
Church Fld. Way. *Ing B* —4A **128**
Church Howle Cres. *Mar S*
—4E **67**
Churchill Clo. *Gt Ay* —1D **167**
Churchill Clo. *M'brgh* —5E **81**
Churchill Dri. *Mar S* —4B **66**
Churchill Ho. *Thor* —1C **98**
Churchill Rd. *M'brgh* —5E **81**
Church La. *Est* —3D **81**
Church La. *Face* —2B **158**
Church La. *Guis* —1E **139**
Church La. *Mar S* —3D **67**
Church La. *M'brgh* —5C **100**
(TS5)
Church La. *M'brgh* —3D **81**
(TS6)
Church La. *M Geo* —4A **144**
Church La. *Nun* —1B **156**
Church La. *Orm* —4F **103**
(in two parts)
Church La. *R'shll* —1B **70**
Church La. *Skel C* —4A **88**
Church M. *Bill* —4D **55**
Church Mt. *M'brgh* —1E **105**
Church Rd. *Bill* —4D **55**
Church Rd. *Egg* —2C **148**
Church Rd. *Sto T* —5B **74**

Church Row. *H'pl* —5B **14**
Church Row. *Loft* —5C **92**
Church Row. *Wolv* —2C **38**
Church Sq. *H'pl* —3C **14**
Church St. *Guis* —1F **139**
Church St. *H'pl* —3C **14**
Church St. *Mar S* —3C **66**
Church St. *Red* —3A **48**
Church St. *Sea C* —4E **21**
Church St. *Stait* —1C **120**
Church St. M. Guis —1F 139
(off Church St.)
Church St. S. *Mar S* —4D **67**
Church Vw. *Long N* —1A **124**
Church Vw. *S'fld* —4C **22**
Church Vw. *Sto T* —4A **74**
Church Wlk. *Guis* —1F **139**
Church Wlk. *H'pl* —1F **15**
Church Wlk. *M'brgh* —5F **79**
Churchyard Link Rd. *Sto T*
—1A **98**
Cinderwood. *M'brgh* —1F **103**
Clairville Ct. *M'brgh* —5A **78**
Clairville Rd. *M'brgh* —5A **78**
Clapham Grn. *M'brgh* —1B **102**
Clapham Rd. *Yarm* —5B **148**
Claremont Ct. *Thor* —1C **98**
Claremont Dri. *H'pl* —4F **13**
Claremont Dri. *Mar C* —4E **133**
Claremont Gdns. *Sto T* —5B **72**
Claremont Grn. *S'fld* —5C **22**
Claremont Pk. *H'pl* —5F **13**
Clarence Rd. *Eagle* —4C **126**
Clarence Rd. *H'pl* —2B **14**
Clarence Rd. *Nun* —4B **134**
Clarence Row. *Sto T* —4B **74**
Clarence St. *Bill* —3D **57**
Clarence St. *H'pl* —5F **9**
Clarence St. *Sto T* —4B **74**
Clarendon Rd. *M'brgh* —4E **77**
(in two parts)
Clarendon Rd. *Nort* —2A **74**
Clarendon Rd. *Thor* —5D **99**
Clarendon St. *Red* —3D **49**
Clarkson Ct. *H'pl* —3F **19**
Clark St. *H'pl* —4C **14**
Claude Av. *M'brgh* —3D **101**
Clavering. —2C 6
Clavering Rd. *H'pl* —2C **6**
Claxton Clo. *Sto T* —1A **72**
Claydon Gro. *Ing B* —1B **150**
Claygate. *Bill* —3D **39**
Clay La. Commercial Pk.
M'brgh —1B **80**
Claymond Ct. *Sto T* —5A **54**
Claymore Rd. *H'pl* —5F **19**
Clayton Ct. *Sto T* —4A **98**
Claywood. *M'brgh* —1F **103**
Cleadon Av. *Bill* —3E **39**
Cleadon Wlk. *Sto T* —2B **72**
Clearpool Clo. *H'pl* —5C **8**
Clearwater Bus. Pk. *Thor* —5C **74**
Clearwater Ho. *Thor* —5B **74**
Cleasby Way. *Eagle* —3A **126**
Cleatlam Clo. *Sto T* —2B **72**
Cleator Dri. *Guis* —4D **139**
Clee Ter. *Bill* —1E **55**
Clements Ri. *Sto T* —5F **53**
Clepstone Av. *M'brgh* —3C **100**

Clevecoat Wlk. *Hart* —4F **5**
Clevegate. *Nun* —4F **133**
Cleveland Av. *M'brgh* —3D **101**
Cleveland Av. *Sto T* —1B **74**
Cleveland Av. *Stok* —5C **164**
Cleveland Bus. Cen. *M'brgh*
    —3F **77**
Cleveland Cen. *M'brgh* —3E **77**
Cleveland Clo. *Orm* —5A **104**
Cleveland Ct. *M'brgh* —2B **80**
Cleveland Crafts Cen. —3E **77**
Cleveland Dri. *Mar C* —2D **133**
Cleveland Gdns. *Eagle* —5B **126**
Cleveland Ind. Est. *Sto T* —4D **75**
Cleveland Pl. *Guis* —2F **139**
Cleveland Rd. *H'pl* —5C **8**
Cleveland Sq. M'brgh —3E 77
(off Cleveland Cen.)
Cleveland St. *Est* —1F **105**
Cleveland St. *Gt Ay* —1D **167**
Cleveland St. *Guis* —1D **139**
Cleveland St. *H'pl* —5F **9**
Cleveland St. *Liver* —1A **116**
Cleveland St. *Loft* —5C **92**
Cleveland St. *M'brgh* —2F **77**
Cleveland St. *Norm* —2D **105**
Cleveland St. *Red* —3C **48**
Cleveland St. *Salt S* —4D **69**
Cleveland Vw. *Mar S* —4A **66**
Cleveland Vw. *M'brgh* —1E **103**
Cleveland Vw. *Skel C* —1A **112**
Cliff Cotts. *Mar S* —3D **67**
Cliff Cotts. *M'brgh* —2C **100**
Cliff Cres. *Loft* —5A **92**
Cliffden Ct. *Salt S* —4D **69**
Cliffe Av. *C How* —3E **91**
Cliffe Ct. *H'pl* —3E **21**
Cliffe St. *Brot* —2C **90**
Cliffe Ter. *Gt Ay* —1D **167**
Cliff Ho. *Mar S* —3D **67**
Clifford Clo. *H'pl* —4F **7**
Clifford St. *Red* —3C **48**
Cliffport Ct. *Sto T* —4C **74**
Cliff Rd. *Stait* —2C **120**
Cliff St. *New M* —2A **86**
Cliff Ter. *H'pl* —1F **15**
Cliff Ter. *Liver* —5A **92**
  (Liverton Rd.)
Cliff Ter. *Liver* —2A **92**
  (Marine Ter.)
Cliff Ter. *Mar S* —3D **67**
Cliff, The. *Sea C* —3E **21**
Cliffwood Clo. *M'brgh* —2F **105**
Clifton Av. *Bill* —5B **38**
Clifton Av. *Eagle* —3C **126**
Clifton Av. *H'pl* —4F **13**
Clifton Av. *Sto T* —3F **97**
Clifton Gdns. *Eagle* —3D **127**
Clifton Ho. *Sto T* —3E **73**
Clifton Ho. *Thor* —2B **98**
Clifton Pl. *M'brgh* —2D **105**
Clifton St. *M'brgh* —4E **77**
Clive Cres. *Sto T* —1A **74**
Clive Rd. *Est* —2D **105**
Clockwood Gdns. *Yarm* —4D **149**
Cloisters, The. *Sto T* —4A **72**
Close, The. *E'tn* —2A **118**
Close, The. *Liver* —5A **116**
Close, The. *Long N* —1F **123**

Close, The. *M'brgh* —2A **102**
Clove Hitch Ho. *H'pl* —2C **14**
Clover Ct. *Sto T* —3B **72**
Clover Wood Clo. *Mar C* —3F **133**
Clydach Gro. *Ing B* —2F **149**
Clyde Gdns. *Bill* —4A **38**
Clyde Gro. *Sto T* —3F **97**
Clyde Pl. *H'pl* —5D **9**
Clynes Rd. *M'brgh* —4E **81**
Coach Ho. M. *Norm* —3C **104**
Coach Rd. *Brot* —1A **90**
Coal La. *Elw* —4A **10**
Coal La. *Wolv* —5E **27**
Coal La. Roundabout. *Wolv*
    —1B **38**
Coast Rd. *B Col* —1B **6**
Coast Rd. *Red & Mar S* —4E **49**
Coate Clo. *Hem* —4C **130**
Coatham. —3B 48
Coatham Av. *M Geo* —3A **144**
Coatham Bay Cvn. Site. *Red*
    —3A **48**
Coatham Clo. *Hem* —4E **131**
Coatham Dri. *H'pl* —4D **13**
Coatham Gro. *Bill* —3E **39**
Coatham La. *Elt* —4C **94**
Coatham Lodge. *Red* —3A **48**
Coatham Rd. *Red* —3A **48**
Coatham Rd. *Sto T* —1B **72**
Coatham Va. *Eagle* —1A **148**
Coatsay Clo. *Sto T* —2B **72**
Cobble Carr. *Guis* —2D **139**
Cobblewood. *M'brgh* —1F **103**
Cobb Wlk. *H'pl* —5E **9**
Cobden St. *H'pl* —3F **13**
Cobden St. *Sto T* —5A **74**
  (in two parts)
Cobden St. *Thor* —3C **98**
Cobham St. *M'brgh* —5E **77**
Cobwood. *M'brgh* —1F **103**
Cockburn St. *Ling* —4E **113**
Cocken Rd. *Sto T* —2B **72**
Cockerton Wlk. *Sto T* —2B **72**
Cockfield Av. *Bill* —3F **39**
Cohen Ct. *Sto T* —5F **53**
Colburn Wlk. *M'brgh* —5F **81**
Colchester Rd. *E'tn* —2A **118**
Colchester Rd. *Sto T* —5B **54**
Coleby Av. *M'brgh* —5A **102**
Coledale Rd. *M'brgh* —2C **102**
Colenso St. *H'pl* —5A **14**
Coleridge Av. *H'pl* —1B **20**
Coleridge Rd. *Bill* —2E **39**
Coleshill Clo. *Bill* —5E **39**
Coleton Gdns. *Ing B* —1B **150**
College Clo. *Dal P* —1E **17**
College Ct. *Stok* —1C **168**
College Rd. *M'brgh* —5E **79**
College Sq. *Stok* —1C **168**
Colleton Wlk. *M'brgh* —2D **103**
Colliers Grn. *M'brgh* —4B **78**
Collin Av. *M'brgh* —3F **101**
Collingwood Chase. *Brot* —1B **90**
Collingwood Ct. *Riv I* —5C **56**
Collingwood Rd. *Bill* —5D **55**
Collingwood Rd. *H'pl* —3A **14**
Collingwood Wlk. *H'pl* —3A **14**
Collins Av. *Sto T* —1C **74**
Collinson Av. *M'brgh* —3A **100**

Colmans Nook. *Bel P* —2B **56**
Colmore Av. *M'brgh* —5A **80**
Colpitt Clo. *Nort* —5A **54**
Colsterdale Clo. *Bill* —3E **39**
Coltman St. *M'brgh* —4C **78**
Columbia Dri. *Thor* —1B **98**
Columbine Clo. *Mar C* —2C **132**
Colville St. *M'brgh* —4D **77**
Colwyn Clo. *Red* —3D **65**
Colwyn Rd. *H'pl* —5A **14**
  (in four parts)
Colwyn Rd. *Sto T* —5C **54**
Comfrey. *Cou N* —1C **154**
Commerce Way. *M'brgh* —4A **80**
Commercial St. *H'pl* —5F **9**
  (North Ga.)
Commercial St. *H'pl* —2D **15**
  (Slake Ter.)
Commercial St. *M'brgh* —1E **77**
Commercial St. *Sto T* —5B **74**
Commondale Av. *Sto T* —3E **73**
Commondale Dri. *H'pl* —5D **21**
Commondale Gro. *Red* —1A **64**
Compass Ho. *H'pl* —3D **15**
Compton Clo. *Sto T* —3B **74**
Compton Ho. *M'brgh* —5D **79**
Compton Rd. *H'pl* —2D **19**
Comrie Rd. *H'pl* —5F **19**
Concorde Ho. *Pres I* —5F **97**
Concorde Way. *Pres I* —5E **97**
Coney Clo. *Ing B* —5C **128**
Conifer Av. *S'fld* —3D **23**
Conifer Clo. *Orm* —4B **104**
Conifer Cres. *Bill* —2C **54**
Conifer Dri. *Sto T* —2E **73**
Conifer Gro. *Bill* —2C **54**
Coniscliffe Rd. *H'pl* —4C **12**
Coniscliffe Rd. *Sto T* —2B **72**
Coniston Av. *Red* —5C **48**
Coniston Cres. *R'shll* —1B **70**
Coniston Gro. *M'brgh* —4C **100**
Coniston Rd. *H'pl* —1C **20**
Coniston Rd. *M'brgh* —4F **81**
Coniston Rd. *Skel C* —3B **88**
Coniston Rd. *Sto T* —4D **73**
Connaught Ct. *Nun* —3B **134**
Connaught Rd. *M'brgh* —5B **76**
Connaught Rd. *Nun* —3A **134**
Conningsby Clo. *H'pl* —1E **31**
Conrad Wlk. *H'pl* —2D **19**
Consett Clo. *Sto T* —2B **72**
Consett Dryden Clo. *Norm*
    —1D **105**
Consort Clo. *Sto T* —5C **72**
Constable Gro. *Bill* —3D **39**
Constance St. *M'brgh* —4B **78**
Convalescent St. *Salt S* —3C **68**
Conway Av. *Bill* —5E **39**
Conway Rd. *Red* —1D **65**
Conway Wlk. *H'pl* —1E **13**
Conwy Gro. *Ing B* —1F **149**
Conyers Clo. *Yarm* —5B **148**
Conyers Ct. *Brot* —2C **90**
Cook Cres. *Nort* —1A **74**
Cookgate. *Nun* —3F **133**
Cook's Ct. *Orm* —4B **104**
Coombe Hill. *New M* —2A **86**
Coombe Way. *Sto T* —2A **96**
Co-operative Clo. *Loft* —5B **92**

Cooperative Ter.—Crimdon Clo.

Cooperative Ter. *Loft* —5C **92**
Cooper Ct. *Est* —2E **105**
Copeland Ct. *M'brgh* —5D **57**
Copgrove Clo. *M'brgh* —1C **102**
Copley Clo. *Sto T* —2B **72**
Copley Wlk. *M'brgh* —3D **103**
Copnor Wlk. *M'brgh* —3D **103**
Copperwood. *M'brgh* —2F **103**
Copperwood Clo. *H'pl* —2C **6**
Coppice Rd. *M'brgh* —2A **102**
Coppice, The. *Cou N* —3F **131**
(in two parts)
Coppice, The. *Wyn* —5D **27**
Copse Clo. *Ing B* —4B **128**
Copse La. *Ing B* —4B **128**
Copse, The. *H'pl* —1A **14**
Copsewood Wlk. *Stok* —5C **164**
Coquet Clo. *Ing B* —2B **150**
Coquet Clo. *Red* —2F **65**
Coral St. *M'brgh* —4E **77**
Coral St. *Salt S* —3C **68**
Coral Way. *Red* —2E **65**
Corbridge Clo. *Hem* —4E **131**
Corbridge Ct. *Sto T* —2B **72**
Corby Av. *M'brgh* —4A **100**
Corby Ho. *M'brgh* —2A **102**
Corder Rd. *M'brgh* —5B **76**
Corfe Cres. *Bill* —5D **39**
Corfu Way. *Kirk B* —3F **63**
Coris Clo. *Mar C* —2C **132**
Cormland Clo. *Sto T* —1C **74**
Cormorant Dri. *Red* —2E **65**
Corncroft M. *M'brgh* —2E **81**
Cornfield Rd. *M'brgh* —2E **101**
Cornfield Rd. *Sto T* —5A **72**
Cornfield Rd. *Thor* —3B **98**
Cornfields Ho. *M'brgh* —3E **105**
Cornforth Av. *M'brgh* —3D **103**
Cornforth Clo. *Sto T* —2B **72**
Cornforth Gro. *Bill* —3F **39**
Corngrave Clo. *Mar S* —4E **67**
Cornhill Wlk. *Orm* —4A **104**
Cornriggs Wlk. *Sto T* —1B **72**
Cornsay Clo. *M'brgh* —5B **100**
Cornsay Clo. *Sto T* —2B **72**
Cornwall Clo. *Nun* —3A **134**
Cornwall Cres. *Bill* —2F **55**
Cornwall Gro. *Sto T* —1C **74**
Cornwallis Clo. *Brot* —1C **90**
Cornwall Rd. *Guis* —3D **139**
Cornwall St. *H'pl* —1A **20**
Coronation Av. *Hind* —5E **121**
Coronation Ct. *M'brgh* —2D **105**
Coronation Cres. *Yarm* —5A **148**
Coronation Dri. *H'pl* —5D **15**
Coronation Grn. *M'brgh* —4F **103**
Coronation Rd. *Loft* —5B **92**
Coronation St. *C How* —3F **91**
Coronation St. *M'brgh* —4C **78**
Coronation Ter. *Guis* —1E **139**
Corporation Rd. *H'pl* —5E **9**
Corporation Rd. *M'brgh* —3E **77**
Corporation Rd. *Red* —4A **48**
Corporation St. *Sto T* —5A **74**
Corsham Wlk. *M'brgh* —3D **103**
Cortland Rd. *Nun* —3C **134**
Coryton Wlk. *M'brgh* —3D **103**
Costain Gro. *Sto T* —4B **54**
Costa St. *M'brgh* —5D **77**

Costa St. *S Bnk* —2F **79**
Cotgarth Way. *Sto T* —2A **72**
Cotherstone Ct. *Eagle* —5F **125**
Cotherstone Dri. *M'brgh*
—2C **130**
Cotherstone Rd. *Sto T* —3F **97**
Cotswold Av. *M'brgh* —5D **79**
Cotswold Cres. *Bill* —2D **55**
Cotswold Dri. *Red* —1A **64**
Cotswold Dri. *Skel C* —3C **88**
Cottage Farm. *Sto T* —1D **97**
Cottersloe Rd. *Sto T* —4B **54**
Cottingham Dri. *M'brgh* —5D **79**
Cottonwood. *M'brgh* —1F **103**
Coulby Farm Way. *Cou N*
—5B **132**
Coulby Mnr. Farm. *Cou N*
(in three parts) —3A **132**
Coulby Mnr. Way. *Cou N*
—3F **131**
Coulby Newham. —4B 132
Coulson Clo. *Yarm* —1B **160**
Coulthard Ct. *M'brgh* —2A **80**
Coulton Gro. *Bill* —5A **38**
Council of Europe Boulevd.
Sto T & Thor —5B **74**
Coundon Grn. *Sto T* —2B **72**
Countisbury Rd. *Sto T* —3E **53**
Courageous Clo. *H'pl* —3D **21**
Courtney Wlk. *M'brgh* —5E **79**
Court Rd. *M'brgh* —2A **102**
Covent Clo. *M'brgh* —4C **104**
Coverdale. *Hem* —5D **131**
Coverdale Bldgs. *Brot* —2C **90**
Coverdale Rd. *Sto T* —1C **96**
Cowbar. —1C 120
Cowbar Bank. *Stait* —1C **120**
Cowbar Cotts. *Stait* —1B **120**
Cowbar La. *E'tn* —1F **119**
Cowbridge La. *Bill* —3B **40**
Cow Clo. La. *M'hlm* —4C **142**
(in two parts)
Cow Close Wood Nature
Reserve. —5D **143**
Cowdray Clo. *Guis* —4F **139**
Cowley Clo. *Eagle* —1D **127**
Cowley Clo. *H'pl* —2E **21**
Cowley Rd. *M'brgh* —5D **101**
Cowpen Bewley. —4C 40
Cowpen Bewley Rd. *Bill* —4C **40**
Cowpen Bewley Woodland Pk.
Vis. Cen. —3C **40**
Cowpen Cres. *Sto T* —2B **72**
Cowpen La. *Bill* —3E **55**
Cowpen La. Est. *Bill* —2A **56**
Cowpen Marsh Nature
Reserve. —4F **41**
Cowper Gro. *H'pl* —2D **19**
Cowper Rd. *Sto T* —3C **74**
Cowscote Cres. *Loft* —4A **92**
Cowshill Grn. *Sto T* —2B **72**
Cowton Way. *Eagle* —3B **126**
Coxgreen Clo. *Sto T* —2B **72**
Coxhoe Rd. *Bill* —5F **39**
Coxmoor Way. *New M* —2F **85**
Coxwold Clo. *M'brgh* —5E **101**
Coxwold Rd. *Sto T* —1D **97**
Coxwold Way. *Bel P* —2B **56**
Crabtree Wlk. *Nun* —1D **135**

Cradley Dri. *M'brgh* —3C **130**
Cradoc Gro. *Ing B* —1F **149**
Cragdale Rd. *M'brgh* —1C **102**
Cragghall Roundabout. *Brot*
—2D **91**
Craggs St. *M'brgh* —3A **78**
Craggs St. *Sto T* —4F **73**
Cragside. *Brot* —2C **90**
Cragside. *S'fld* —5C **22**
Cragside Ct. *Ing B* —1B **150**
Cragston Clo. *H'pl* —2D **13**
Craigearn Rd. *M'brgh* —1C **104**
Craigweil Cres. *Sto T* —3F **73**
Craister Rd. *Sto T* —4B **74**
Crall Wlk. *H'pl* —4F **19**
Cramlington Clo. *Hem* —4E **131**
Cranage Clo. *M'brgh* —3B **100**
Cranberry. *Cou N* —5D **133**
Cranbourne Dri. *Red* —4E **65**
Cranbourne Ter. *Sto T* —2F **97**
Cranbrook. *Mar C* —5E **133**
Cranfield Av. *M'brgh* —4F **79**
(in two parts)
Cranford Av. *M'brgh* —4B **80**
Cranford Clo. *M'brgh* —4B **80**
Cranford Gdns. *M'brgh* —4B **100**
Cranleigh Rd. *Sto T* —1E **97**
Cranmore Rd. *M'brgh* —5C **78**
Cranstock Clo. *Bill* —5A **38**
Cranswick Clo. *Bill* —2F **39**
Cranswick Dri. *M'brgh* —5E **101**
Cranwell Gro. *Thor* —3D **129**
Cranwell Rd. *H'pl* —5D **19**
Cranworth Grn. *Thor* —2D **99**
Cranworth St. *Thor* —2C **98**
Crathorne Cres. *M'brgh* —1B **100**
Crathorne Pk. *M'brgh* —2C **104**
Crathorne Rd. *Sto T* —5B **54**
Craven St. *M'brgh* —4D **77**
Craven Va. *Guis* —3E **139**
Crawcrook Wlk. *Sto T* —2B **72**
Crawford St. *Sea C* —4E **21**
Crawley Rd. *Thor* —4E **99**
Crayke Rd. *Sto T* —2D **97**
Creekwood. *M'brgh* —1F **103**
Cremorne Clo. *Mar C* —2C **132**
Crescent Av. *Bill* —4E **55**
Crescent, The. *Carl* —5C **50**
Crescent, The. *Eagle* —1B **148**
Crescent, The. *H'pl* —3E **13**
Crescent, The. *Mar S* —4D **67**
Crescent, The. *M'brgh* —2D **101**
Crescent, The. *M Geo* —2C **144**
Crescent, The. *Nun* —3B **134**
Crescent, The. *Orm* —4F **103**
Crescent, The. *Salt S* —5C **68**
Crescent, The. *Thor* —4C **98**
Cresswell Clo. *Hem* —4E **131**
Cresswell Ct. *H'pl* —3D **13**
Cresswell Dri. *H'pl* —3D **13**
Cresswell Rd. *H'pl* —3D **13**
Cresswell Rd. *M'brgh* —2E **81**
Crest, The. *H'pl* —2D **13**
Crestwood. *M'brgh* —2F **103**
Crestwood. *Red* —4D **65**
Cribyn Clo. *Ing B* —1F **149**
Cricket La. *M'brgh* —3C **104**
Crieff Wlk. *H'pl* —4F **19**
Crimdon Clo. *Hem* —5E **131**

Crimdon Wlk. *Sto T* —1A **72**
Cringle Ct. *Red* —2B **64**
Crinklewood. *M'brgh* —2F **103**
Crispin Ct. *Brot* —2C **90**
Crispin Ct. *S'fld* —4D **23**
Crisp St. *Sto T* —2B **74**
Croft Av. *M'brgh* —4B **100**
Croft Dri. *Nun* —4B **134**
Crofton Av. *M'brgh* —2F **101**
Crofton Ct. *Sto T* —4D **75**
Croft on Heugh. —1F 15
Crofton Rd. *Sto T* —4D **75**
Croft Rd. *Eagle* —1B **148**
Crofts, The. *Stil* —2B **50**
Croft St. *Sto T* —4B **74**
Croft Ter. *H'pl* —1F **15**
  (in two parts)
Croft, The. *Mar C* —3D **133**
Cromer Ct. *Eagle* —1C **148**
Cromer St. *M'brgh* —4A **78**
Cromer Wlk. *H'pl* —5E **19**
Cromore Clo. *Thor* —2C **128**
Cromwell Av. *Loft* —5D **93**
Cromwell Av. *Sto T* —4B **74**
Cromwell Grn. *Sto T* —5B **74**
Cromwell Rd. *M'brgh* —3A **80**
Cromwell St. *H'pl* —5C **14**
Cromwell St. *M'brgh* —4B **78**
Cromwell Ter. *Thor* —3C **98**
Crookers Hill Clo. *Nun* —5A **134**
Crookhall Wlk. *Sto T* —2B **72**
Crooks Barn La. *Sto T* —3A **54**
Crooksham. —5B 54
Crook St. *Sto T* —4A **54**
Cropton Clo. *Red* —3B **64**
Cropton Way. *Cou N* —4B **132**
Crosby Ct. *Eagle* —5D **127**
Crosby Ho. *M'brgh* —5D **79**
Crosby St. *Sto T* —3B **74**
Crosby Ter. *Port C* —5A **58**
Crosby Wlk. *Thor* —3C **98**
Crossbeck Ter. *Norm* —2D **105**
Crossbeck Way. *Orm* —4B **104**
Crosscliff. *Hem* —4E **131**
Cross Fell. *Red* —1B **64**
Crossfell Rd. *M'brgh* —2C **102**
Crossfields. *Cou N* —1B **154**
Cross La. *Gt Ay* —4E **167**
Cross La. *Loft* —3B **92**
Cross Row. *B'bck* —3B **112**
Cross St. *Bill* —3D **57**
Cross St. *Est* —1F **105**
Cross St. *Guis* —2E **139**
Cross St. *S'fld* —4D **23**
Cross St. *Sto T* —5B **54**
Crosswell Pk. *Ing B* —2F **149**
Crosthwaite Av. *M'brgh*
  —3F **101**
Crowhurst Clo. *Guis* —4E **139**
Crowland Av. *M'brgh* —2A **104**
Crowland Rd. *H'pl* —1D **31**
Crow La. *M'brgh* —5A **82**
Crowood Av. *Stok* —5C **164**
Croxdale Gro. *Sto T* —1B **96**
Croxdale Rd. *Bill* —4E **39**
Croxden Gro. *M'brgh* —3E **103**
Croxton Av. *H'pl* —1F **31**
Croxton Clo. *Sto T* —5F **71**
Croydon Rd. *M'brgh* —5A **78**

Crummackdale. *Ing B* —3B **150**
Crummock Rd. *Red* —5C **48**
Culgarth Av. *M'brgh* —1C **102**
Cullen Rd. *H'pl* —4F **19**
Culloden Way. *Bill* —4A **40**
Culross Gro. *Sto T* —5F **71**
Cumberland Cres. *Bill* —3D **55**
Cumberland Gro. *Sto T* —4F **53**
Cumberland Ho. *M'brgh* —2E **101**
Cumberland Rd. *M'brgh* —1E **101**
Cumbernauld Rd. *Thor* —4E **99**
Cumbria Wlk. *H'pl* —5B **14**
Cumnor Wlk. *M'brgh* —5D **79**
Cundall Rd. *H'pl* —3F **13**
Cunningham Clo. *Brot* —1B **90**
Cunningham Dri. *Thor* —3D **129**
Cunningham St. *M'brgh* —5C **76**
Curlew La. *Sto T* —3A **54**
Curran Av. *M'brgh* —2B **100**
Curson St. *M'brgh* —2F **105**
Curthwaite. *M'brgh* —2A **130**
Custom Ho. *M'brgh* —1F **77**
Cuthbert Clo. *Thor* —3C **98**
Cutler Clo. *Mar C* —2E **133**
Cypress Ct. *Sto T* —3A **74**
Cypress Rd. *Mar C* —2E **133**
Cypress Rd. *Red* —5F **49**

Dabholm Rd. *M'brgh* —5E **45**
Dacre Clo. *Thor* —5C **98**
Daimler Dri. *Cow I* —5B **40**
Daisy Ct. *Sto T* —3C **72**
Dalby Clo. *Bill* —5A **38**
Dalby Clo. *Red* —3C **64**
Dalby Way. *Cou N* —5B **132**
Dalcross Ct. *Hem* —5E **131**
  (in two parts)
Dale Clo. *Sto T* —2A **72**
Dale Gth. *Mar S* —5E **67**
Dale Gro. *Sto T* —1B **96**
Dalehouse. —2B 120
Dalehouse Bank. *Stait* —3B **120**
Dales Pk. Rd. *Hem* —5D **131**
Daleston Av. *M'brgh* —3D **101**
Daleston Clo. *H'pl* —2C **12**
Dale St. *M'brgh* —3E **77**
Dale St. *New M* —1A **86**
Dale Ter. *Ling* —4E **113**
Daleville Clo. *M'brgh* —3F **101**
Dalewood Wlk. *Stok* —5C **164**
Dalkeith Cres. *Hem* —4E **131**
Dalkeith Rd. *H'pl* —3E **19**
Dallas Ct. *Hem* —5E **131**
  (in three parts)
Dallas Rd. *H'pl* —3E **19**
Dalmuir Clo. *Eagle* —5C **126**
Dalry Gro. *H'pl* —4E **19**
Dalston Ct. *Orm* —4B **104**
Dalton Bk. La. *Dal P* —2D **17**
Dalton Gro. *Bill* —3E **39**
Dalton Gro. *Sto T* —2A **74**
Dalton Heights. *Dal P* —1E **17**
Dalton Piercy. —1E 17
Dalton St. *H'pl* —4A **14**
Daltry Clo. *Yarm* —5E **149**
Dalwood Ct. *Hem* —5E **131**
Dam St. *Loft* —5C **92**
Danby Ct. *Sto T* —3B **74**

Danby Dale Av. *Red* —1A **64**
Danby Gro. *H'pl* —4E **21**
Danby Gro. *Thor* —4D **99**
Danby Rd. *M'brgh* —5F **81**
Danby Rd. *Sto T* —3B **74**
Danby Wlk. *Bill* —5C **38**
Danby Wynd. *Yarm* —3B **148**
Danesbrook Ct. *Ing B* —3B **150**
Danesfort Av. *Guis* —2D **139**
Daniel Ct. *M'brgh* —5A **78**
Dante Rd. *Mar C* —2B **132**
Daphne Rd. *Sto T* —3A **74**
Darcy Clo. *Yarm* —1A **160**
Darenth Cres. *M'brgh* —2D **103**
Darlington Bk. La. *Whi H &*
  Sto T —1A **94**
Darlington La. *Sto T* —3B **72**
  (in two parts)
Darlington Rd. *Elt* —4E **95**
Darlington Rd. *Long N* —1F **123**
Darlington Rd. *Sto T* —3A **96**
Darlington St. *H'pl* —1F **15**
Darlington St. *Thor* —2C **98**
Darlington Ter. Stait —1C **120**
  (off High St.)
Darnall Grn. *M'brgh* —5B **102**
Darnbrook Way. *Nun* —4F **133**
Darnton Dri. *M'brgh* —5B **102**
Darras Wlk. *M'brgh* —5D **79**
Dartmouth Gro. *Red* —2D **65**
Darvel Rd. *H'pl* —3E **19**
Darwen Ct. *Hem* —5E **131**
Darwin Gro. *H'pl* —1D **19**
Dauntless Clo. *H'pl* —3E **21**
Davenport Rd. *Yarm* —1A **160**
Daventry Av. *Sto T* —2E **73**
David Rd. *Sto T* —2C **74**
Davison Dri. *H'pl* —3F **7**
Davison St. *Ling* —4E **113**
Davison St. *M'brgh* —3E **77**
Davy Rd. *Skip I* —3F **79**
Dawdon Clo. *Sto T* —1B **72**
Dawley Clo. *Thor* —4E **99**
Dawlish Dri. *H'pl* —5A **20**
Dawlish Grn. *M'brgh* —5B **102**
Dawn Clo. *Sto T* —3A **54**
Dawson Ho. *Bill* —1D **55**
Dawson Sq. *M'brgh* —1B **100**
Dawsons Wharf Ind. Est.
  M'brgh —1E **77**
Daylight Rd. *Sto T* —3D **73**
Days Ter. *Brot* —2B **90**
Day St. *Brot* —3B **90**
Deacon Gdns. *Sea C* —5E **21**
Deacon St. *M'brgh* —4C **78**
Deal Clo. *Sto T* —2E **73**
Deal Ct. *M'brgh* —2A **102**
Deal Rd. *Bill* —4D **39**
Deal Rd. *Red* —2E **65**
Deansgate. *M'brgh* —1A **106**
Dean St. *Sto T* —1A **98**
De Brus Ct. *Salt S* —3C **68**
Debruse Av. *Yarm* —1A **160**
De Brus Pk. *Mar C* —2D **155**
De Brus Way. *Guis* —1E **139**
Deepdale. *Guis* —3A **138**
Deepdale Av. *G'twn* —4F **81**
Deepdale Av. *M'brgh* —2A **102**
  (Fairfield Rd.)

Deepdale Av. *M'brgh* —3F **101**
(Marton Burn Rd., in two parts)
Deepdale La. *Skin & Loft*
—3A **92**
Deepdale Rd. *Loft* —4A **92**
Deepdene Gro. *Red* —3F **65**
Deepgrove Wlk. *M'brgh* —5F **81**
Dee Rd. *M'brgh* —5D **81**
Deerpool Clo. *H'pl* —5C **8**
De Havilland Av. *Pres B* —5E **97**
De Havilland Dri. *Mar S* —3A **66**
Deighton Gro. *Bill* —4D **39**
Deighton Rd. *M'brgh* —1B **132**
De La Mare Dri. *Bill* —2D **39**
Delamere Dri. *Mar S* —5B **66**
Delamere Rd. *M'brgh* —3D **103**
Delarden Rd. *M'brgh* —5D **79**
Delaval Rd. *Bill* —5F **39**
Dell Clo. *Mar C* —3C **132**
Dellfield Clo. *M'brgh* —3C **102**
Del Strother Av. *Sto T* —4E **73**
Denbigh Rd. *Bill* —4E **39**
Dene Clo. *Thor* —4E **99**
Dene Gro. *Red* —4D **49**
Dene Rd. *M'brgh* —2A **102**
Deneside Clo. *Yarm* —4D **149**
Denevale. *Yarm* —4D **149**
Dene Wlk. *Mar S* —4B **66**
Denham Grn. *M'brgh* —5D **79**
Denholme Av. *Sto T* —3E **97**
Denmark St. *M'brgh* —2D **77**
Dennison St. *Sto T* —3F **97**
Denshaw Clo. *Sto T* —5A **72**
Dentdale Clo. *Yarm* —1B **160**
Denton Clo. *M'brgh* —2B **130**
Denton Clo. *Sto T* —1B **72**
Dent St. *H'pl* —3B **14**
Denver Dri. *M Geo* —1B **144**
Depot Rd. *M'brgh* —1E **77**
Derby Av. *M'brgh* —2A **100**
Derby Clo. *Thor* —3D **99**
Derby Rd. *Guis* —3D **139**
Derby St. *H'pl* —1B **20**
Derby St. *Sto T* —5A **74**
Derby Ter. *Thor* —2D **99**
Derby, The. *Mar C* —1B **132**
Derwent Av. *Guis* —3C **138**
Derwent Clo. *R'shll* —1B **70**
Derwent Ho. *Bill* —3A **40**
Derwent Pk. *Loft* —5D **93**
Derwent Rd. *Red* —5A **48**
Derwent Rd. *Skel C* —4B **88**
Derwent Rd. *Thor* —5D **99**
Derwent St. *H'pl* —3B **14**
Derwent St. *M'brgh* —4D **77**
Derwent St. *N Orm* —4C **78**
Derwent St. *Sto T* —2A **74**
Derwentwater Av. *M'brgh*
—4C **100**
Derwentwater Rd. *M'brgh*
—4F **81**
Desford Grn. *M'brgh* —1D **103**
Desmond Rd. *M Geo* —3A **144**
Deva Clo. *M'brgh* —2B **102**
Devon Clo. *Red* —1B **64**
Devon Cres. *Bill* —2F **55**
Devon Cres. *Skel C* —4A **88**
Devonport Rd. *M'brgh* —2F **101**
Devonport Rd. *Sto T* —4C **74**

Devon Rd. *Guis* —3D **139**
Devon Rd. *M'brgh* —4E **85**
Devonshire Rd. *M'brgh* —1D **101**
Devonshire St. *Sto T* —3F **97**
Devon St. *H'pl* —1B **20**
Dewberry. *Cou N* —1D **155**
Dew La. *Orm* —5A **104**
Diamond Ct. *Pres I* —5F **97**
Diamond Hall Roundabout.
S'fld —5E **23**
Diamond Rd. *Thor* —4D **99**
Diamond St. *M'brgh* —4E **77**
Diamond St. *Salt S* —3C **68**
Dickens Ct. *Bill* —3D **39**
Dickens Gro. *H'pl* —1F **19**
Dickens St. *H'pl* —3F **7**
Dikes La. *Gt Ay* —2F **167**
Diligence Way. *Eagle* —4B **126**
Dillside. *Sto T* —3C **72**
Dimmingdale Rd. *M'hlm*
—5C **142**
Dinas Ct. *Ing B* —1F **149**
Dingleside. *Sto T* —4C **72**
Dinsdale Av. *M'brgh* —5C **100**
Dinsdale Ct. *Bill* —4F **39**
Dinsdale Dri. *Eagle* —5C **126**
Dinsdale Rd. *Sto T* —1B **72**
Diomed Ct. *Mar C* —1C **132**
Dionysia Rd. *M'brgh* —5C **78**
Dipton Grn. *M'brgh* —5B **102**
Dipton Rd. *Sto T* —1A **72**
Dishforth Clo. *Thor* —3D **129**
Dixon Gro. *M'brgh* —5C **78**
Dixons Bank. *Mar C* —3E **133**
Dixon St. *Brot* —2B **90**
Dixon St. *C How* —3F **91**
Dixon St. *Ling* —4E **113**
Dixon St. *Skel C* —3C **88**
Dixon St. *Sto T* —5A **74**
Dobson Pl. *H'pl* —3E **7**
Dobson Ter. *Red* —4D **49**
Dockside Rd. *M'brgh* —2C **78**
Dock St. *M'brgh* —2F **77**
Dodford Rd. *Hem* —5E **131**
Dodsworth Wlk. *H'pl* —3D **7**
Doncaster Cres. *Sto T* —2F **73**
Donegal Ter. *M'brgh* —5C **76**
Donington Grn. *M'brgh* —2A **104**
Dorchester Clo. *M'brgh* —2B **132**
Dorchester Clo. *Sto T* —2E **73**
Dorchester Dri. *H'pl* —2D **7**
Doric Ho. *S'fld* —4C **22**
Dorkings, The. *Gt Br* —5F **169**
Dorlcote Pl. *Sto T* —2B **74**
Dorman Mus. —5E **77**
Dorman Rd. *M'brgh* —1E **105**
Dorman's Cres. *Red* —5F **47**
Dormanstown. —1F 63
Dorma Pk. Bungalows. *G'ham*
—3E **31**
Dormor Way. *S Bnk* —3E **79**
Dornoch Sands. *M'brgh*
—3B **130**
Dorothy St. *M'brgh* —4C **78**
Dorothy Ter. *Thor* —3C **98**
(off Langley Av.)
Dorrien Cres. *M'brgh* —5C **78**
Dorset Clo. *M'brgh* —1D **101**
Dorset Clo. *Red* —1B **64**

Dorset Cres. *Bill* —1F **55**
Dorset Rd. *Guis* —4C **138**
Dorset Rd. *Skel C* —4A **88**
Dorset Rd. *Sto T* —1C **74**
Dorset St. *H'pl* —1B **20**
Douglas Clo. *Pres I* —5F **97**
Douglas St. *M'brgh* —4A **78**
(in two parts)
Douglas Ter. *M'brgh* —2D **105**
Douglas Wlk. *Sto T* —3B **74**
(off Headlam Rd.)
Dovecote Clo. *Mar S* —4C **66**
Dovecot St. *Sto T* —1A **98**
(in two parts)
Dovedale Av. *M'brgh* —4F **81**
Dovedale Clo. *Nort* —1C **74**
Dovedale Rd. *Sto T* —1C **74**
Dover Clo. *Bill* —5C **38**
Dover Clo. *Red* —2E **65**
Dover Rd. *Sto T* —2F **73**
(in two parts)
Dover St. *H'pl* —3C **14**
Dovey Ct. *Ing B* —1F **149**
Downe St. *Liver* —5A **92**
Downfield Way. *New M* —2F **85**
Downham Av. *M'brgh* —3C **102**
Downham Gro. *H'pl* —5E **19**
Downholme Gro. *Sto T* —3C **96**
Downside Rd. *M'brgh* —3A **100**
Dowson Rd. *H'pl* —3F **7**
Doxford Wlk. *Hem* —5E **131**
Doyle Wlk. *H'pl* —2D **19**
Doyle Way. *Sto T* —4A **72**
Dragon Ct. *Sto T* —5B **54**
Drake Clo. *Mar S* —4E **67**
Drake Ct. *M'brgh* —2C **76**
Drake Rd. *Sto T* —1A **74**
Draycott Av. *M'brgh* —3D **131**
Draycott Clo. *Nort* —5E **53**
Draycott Clo. *Red* —3B **64**
Drayton Rd. *H'pl* —2D **19**
Driffield Way. *Bill* —2F **39**
Driftwell Dri. *Sto T* —4A **72**
Drive, The. *G'ham* —3E **31**
Drive, The. *Mar S* —4B **66**
Drive, The. *S'tn* —5C **130**
Drive, The. *Thor* —2B **128**
Droitwich Av. *Sto T* —2E **73**
Drovers La. *R'shll* —1B **70**
Druridge Gro. *Red* —2F **65**
Dryburn Rd. *Sto T* —1A **72**
Dryden Clo. *Bill* —2E **39**
Dryden Rd. *H'pl* —2E **19**
Duchy Rd. *H'pl* —3C **12**
Duddon Sands. *M'brgh* —3B **130**
Duddon Wlk. *Sto T* —5F **73**
Dudley Rd. *Bill* —4D **39**
Dudley Wlk. *Red* —2E **65**
(off Carisbrooke Way)
Dufton Rd. *M'brgh* —1C **100**
Dugdale St. *Sto T* —4C **74**
Dukeport Ct. *Sto T* —4C **74**
(off Alnport Rd.)
Duke St. *H'pl* —2F **13**
Dukesway. *Tees* —5D **129**
Dulas Clo. *Red* —3E **65**
Dulverton Clo. *Ing B* —3B **150**
Dulverton Way. *Guis* —3F **139**
Dumbarton Av. *Sto T* —2F **73**

Dumfries Rd. *H'pl* —4F **19**
Dunbar Av. *M'brgh* —5B **102**
Dunbar Ct. *E'tn* —2A **118**
Dunbar Dri. *Eagle* —1C **148**
Dunbar Rd. *Bill* —5D **39**
Dunbar Rd. *H'pl* —3E **19**
Duncan Av. *Red* —5A **48**
Duncan Pl. *Loft* —5C **92**
Duncan Rd. *H'pl* —3E **19**
Duncombe Rd. *M'brgh* —3A **78**
Dundas Arc. *M'brgh* —2F **77**
Dundas St. *H'pl* —4C **14**
Dundas St. *Loft* —5B **92**
Dundas St. *M'brgh* —2F **77**
(in two parts)
Dundas St. *New M* —1A **86**
Dundas St. *Red* —3C **48**
Dundas St. *Sto T* —4F **73**
Dundas St. E. *Salt S* —4C **68**
Dundas St. W. *Salt S* —4C **68**
Dundas Ter. *Mar S* —5C **66**
Dundas Ter. *New M* —1A **86**
Dundee Rd. *H'pl* —4F **19**
Dunedin Av. *Sto T* —2B **96**
Dunedin Ho. *Thor* —1B **98**
Dunelm Ct. *S'fld* —4C **22**
Dunelm Rd. *Sto T* —3C **72**
Duneside. *Sto T* —3C **72**
Dunford Clo. *Sto T* —1B **72**
Dunhallow Clo. *Guis* —4E **139**
Dunholm Av. *M'brgh* —3A **104**
Dunkeld Clo. *Sto T* —1B **72**
Dunkery Clo. *Ing B* —3A **150**
Dunlane Clo. *M'brgh* —5B **76**
Dunlin Clo. *Sto T* —3B **54**
Dunlin Ho. *H'pl* —3D **15**
Dunlin Rd. *H'pl* —5E **7**
Dunmail Rd. *Red* —5B **48**
Dunmail Rd. *Sto T* —5F **73**
Dunmoor Gro. *Ing B* —2A **150**
Dunmow Av. *M'brgh* —3E **103**
Dunnet Clo. *Red* —4C **64**
Dunning Rd. *M'brgh* —3F **77**
(in two parts)
Dunning St. *M'brgh* —3F **77**
Dunoon Clo. *Sto T* —2F **73**
Dunoon Rd. *H'pl* —3E **19**
Dunottar Av. *Eagle* —3C **126**
Dunsdale. —1D 109
Dunsdale Clo. *Mar S* —4E **67**
Dunsdale Clo. *M'brgh* —2E **105**
Dunsley Clo. *M'brgh* —1B **102**
Dunsley Ct. *Guis* —1E **139**
Dunsley Dri. *Bill* —4E **39**
Dunsmore Clo. *Malt* —2F **151**
Dunsop Av. *M'brgh* —5B **102**
Dunstable Clo. *Sto T* —2E **73**
Dunstable Rd. *M'brgh* —5B **76**
Dunster Ho. *M'brgh* —2D **103**
Dunster Rd. *Bill* —4E **39**
Dunston Clo. *Guis* —4E **139**
Dunston Rd. *H'pl* —3D **13**
Dunston Rd. *Sto T* —1B **72**
Durham Ho. *M'brgh* —2A **102**
Durham La. *Elt & Sto T* —4A **96**
Durham La. Ind. Est. *Eagle*
—3A **126**
Durham Rd. *Brot* —2C **90**
Durham Rd. *M'brgh* —5E **81**

Durham Rd. *Red* —1F **65**
Durham Rd. *S'fld* —1C **22**
(Old Durham Rd.)
Durham Rd. *S'fld* —2C **22**
(Salter's La.)
Durham Rd. *S'fld* —3C **34**
(Stockton Rd.)
Durham Rd. *Sto T* —5C **52**
Durham Rd. *Thor T* —1D **51**
Durham Rd. *Wolv* —2C **38**
Durham Rd. By-Pass. *Sto T*
—3E **73**
Durham St. *H'pl* —5E **9**
Durham St. *M'brgh* —1F **77**
Durham St. *Sto T* —5A **74**
Durness Gro. *H'pl* —3E **19**
Durnford Rd. *M'brgh* —2F **103**
Dyke House. —1A 14

Eaglebridge Ct. *Wyn* —2E **37**
Eagle Ct. *Pres B* —5F **97**
Eagle Pk. *Mar C* —5F **133**
(in two parts)
Eaglescliffe. —5B 126
Eaglescliffe Clo. *New M* —2F **85**
Eaglescliffe Ind. Est. *Eagle*
—3C **126**
Eaglesfield Rd. *H'pl* —3D **19**
Eamont Gdns. *H'pl* —5A **14**
Eamont Rd. *Sto T* —5A **54**
Earle Clo. *Yarm* —4E **149**
Earls Ct. Rd. *Hem* —5E **131**
Earlsdon Av. *M'brgh* —1B **130**
Earlsferry Rd. *H'pl* —3D **19**
Earls Nook. *Bel P* —1A **56**
Earlston Wlk. *H'pl* —3D **19**
Earl St. *H'pl* —4D **9**
Earlsway. *Tees* —5E **129**
Earn Wlk. *H'pl* —3D **19**
Earsdon Clo. *Nort* —5E **53**
Easby Av. *M'brgh* —3E **101**
Easby Clo. *Guis* —2F **139**
Easby Clo. *M'brgh* —5A **82**
Easby Clo. *Red* —2B **64**
Easby Ct. *Skel C* —3E **89**
Easby Gro. *M'brgh* —1D **105**
Easby Gro. *Thor* —4D **99**
Easby La. *Gt Ay* —2C **166**
Easby Rd. *Bill* —1E **55**
Easdale Wlk. *M'brgh* —3E **101**
Easington. —3A 118
Easington Rd. *H'pl* —1C **6**
Easington Rd. *Sto T* —5B **52**
Easson Rd. *Red* —5C **48**
Easson St. *M'brgh* —1A **102**
East Av. *Bill* —4D **55**
Eastbank Rd. *Orm* —5B **104**
Eastbourne Av. *Egg* —2C **148**
Eastbourne Gdns. *M'brgh*
—3F **103**
Eastbourne Rd. *M'brgh* —2E **101**
Eastbourne Rd. *Sto T* —3A **74**
(in two parts)
Eastbury Clo. *Ing B* —1C **150**
East Cres. *Loft* —5D **93**
East Cres. *M'brgh* —2B **100**
Eastcroft. *M'brgh* —1C **102**
Eastcroft Rd. *M'brgh* —2E **81**

East Dri. *Thor* —1D **99**
East End. *S'fld* —4D **23**
East End. *Stok* —1C **168**
Easter Pk. *Tees* —5E **129**
Easterside. —5B 102
Easterside Rd. *M'brgh* —5B **102**
Eastfield Rd. *Mar S* —4B **66**
Eastfields. *Stok* —1C **168**
Eastgate Rd. *M'brgh* —3C **100**
Eastham Sands. *M'brgh* —3B **130**
Eastland Av. *H'pl* —5F **13**
Eastland Vw. *M'brgh* —5E **79**
Eastleigh. *Thor* —1E **129**
East Lodge. *M'brgh* —5F **77**
E. Lodge Gdns. *Red* —4B **64**
East Loftus. —5D 93
Eastlowthian St. *M'brgh* —5F **57**
East Meadows. *Mar S* —4D **67**
E. Middlesbrough Ind. Est.
(Telford Rd.) *M'brgh* —3E **79**
E. Middlesbrough Ind. Est.
(Westerby Rd.) *M'brgh* —4D **79**
Easton St. *Thor* —3D **99**
East Pde. *H'pl* —5D **9**
East Pde. *S'fld* —3D **23**
East Pde. *Skel C* —4B **88**
Eastport Rd. *Sto T* —4C **74**
East Precinct. *Bill* —1D **55**
East Row. *Est* —1F **105**
East Row. *M'brgh* —2B **100**
East Scar. *Red* —2E **65**
East Side. *Nun* —2C **156**
East St. *Loft* —5C **92**
East St. *Mar S* —4D **67**
East St. *M'brgh* —1F **77**
East Ter. *Skel C* —4B **88**
East Vw. *M Row* —4A **144**
E. View Ter. *H'pl* —3E **21**
E. View Ter. *M'brgh* —1A **102**
E. Well Clo. *S'fld* —4D **23**
Eastwood Rd. *M'brgh* —2A **104**
Ebchester Clo. *Sto T* —5B **52**
Eccleston Wlk. *M'brgh* —5A **102**
Eckert Av. *M'brgh* —2A **100**
Eckford Wlk. *H'pl* —3E **19**
Eddison Way. *Hem* —5E **131**
(in three parts)
Eddleston Wlk. *H'pl* —3D **19**
Eden Dri. *S'fld* —4D **23**
Edenhall Gro. *Red* —2C **64**
Eden Rd. *M'brgh* —2F **101**
Eden Rd. *Skel C* —3C **88**
Eden St. *H'pl* —4B **14**
Eden St. *Salt S* —4C **68**
Eden Way. *Bill* —4A **38**
Eder Rd. *Sto T* —2B **74**
Edgar St. *H'pl* —1C **20**
Edgar St. *Sto T* —2B **74**
Edgehill Way. *Bill* —4A **40**
Edgeworth Ct. *Hem* —5F **131**
Edgley Rd. *Sto T* —2B **96**
Edinburgh Av. *M'brgh* —3D **101**
Edinburgh Clo. *Nun* —3A **134**
Edinburgh Gro. *H'pl* —4C **20**
Edith St. *M'brgh* —4B **76**
Edmondbyers Rd. *Sto T* —5B **52**
Edmondsley Wlk. *Sto T* —5C **52**
Edmundsbury Rd. *M'brgh*
—1F **101**

Ednam Gro. *H'pl* —3E **19**
Edridge Grn. *M'brgh* —5E **79**
Edwards St. *Est* —2F **105**
Edwards St. *Sto T* —2A **98**
(in two parts)
Edward St. *N Orm* —4C **78**
Edward St. *S Bnk* —3B **80**
Edzell Wlk. *H'pl* —3D **19**
Egerton Ct. *Sto T* —4E **53**
Egerton Rd. *H'pl* —4C **12**
Egerton St. *M'brgh* —5F **77**
Egerton Ter. *G'ham* —3E **31**
Egglescliffe. —2C 148
Egglescliffe Bank. *Egg* —2B **148**
Egglescliffe Clo. *Sto T* —5C **52**
Egglescliffe Ct. *Egg* —2C **148**
Egglescliffe Parish Church of
St John the Baptist. —2C 148
Eggleston Ct. *M'brgh* —1C **76**
Eggleston Ct. *Skel C* —4D **89**
Egglestone Ct. *Bill* —4E **39**
Egglestone Dri. *Eagle* —5A **126**
Egglestone Ter. *Sto T* —1F **97**
Eggleston Rd. *Red* —3C **64**
Eglinton Av. *Guis* —3E **139**
Eglinton Rd. *M'brgh* —2E **81**
Egmont Rd. *M'brgh* —5A **78**
Egton Av. *Nun* —4F **133**
Egton Clo. *Red* —3C **64**
Egton Dri. *H'pl* —5D **21**
Egton Rd. *Sto T* —2B **74**
Eider Clo. *Ing B* —5B **128**
Elcho St. *H'pl* —3A **14**
Elcoat Rd. *Sto T* —4B **54**
Elder Clo. *H'pl* —1D **13**
Elder Ct. *M'brgh* —3F **77**
Elder Gro. *Red* —3F **65**
Elder Gro. *Sto T* —2E **73**
Elderslie Wlk. *H'pl* —3D **19**
Elderwood Ct. *M'brgh* —3F **101**
Eldon Gro. *H'pl* —4F **13**
Eldon St. *Thor* —2C **98**
Eldon Wlk. *Thor* —3D **99**
Eleanor Pl. *Sto T* —2A **98**
Elemere Ct. *Bill* —4E **39**
Elgin Av. *G'twn* —2C **80**
Elgin Av. *M'brgh* —3D **103**
Elgin Rd. *H'pl* —3E **19**
Elgin Rd. *Thor* —3D **129**
Eliot Ct. *Bill* —3D **39**
Elishaw Grn. *Ing B* —2A **150**
Elizabeth St. *Thor* —3C **98**
Elizabeth Ter. *M'brgh* —4B **78**
Elizabeth Way. *H'pl* —4D **21**
Elkington Wlk. *M'brgh* —2A **104**
Elland Av. *M'brgh* —5B **102**
Ellary Wlk. *H'pl* —3D **19**
Ellen Av. *Sto T* —2F **97**
Ellenport Ct. *Sto T* —4C **74**
Ellerbeck Ct. *Stok* —3D **169**
Ellerbeck Way. *Orm* —4B **104**
Ellerbeck Way. *Stok* —3D **169**
Ellerburne St. *Thor* —3D **99**
Ellerby Clo. *Red* —2C **64**
Ellerby Grn. *M'brgh* —1C **102**
Ellerby Rd. *M'brgh* —5F **81**
Ellers Bank. *Upl* —2C **110**
Ellerton Clo. *M'brgh* —5E **101**
Ellerton Rd. *Sto T* —3A **96**

Ellesmere Wlk. *M'brgh* —5E **79**
Ellett Ct. *H'pl* —4F **7**
Elliot St. *M'brgh* —3F **77**
Elliot St. *Red* —3B **48**
Elliot St. *Skel C* —5B **88**
Elliott St. *H'pl* —3A **14**
Elliott Wlk. *Sto T* —2A **98**
Ellis Gdns. *Hem* —5E **131**
Ellison St. *H'pl* —5A **14**
Elm Av. *S'fld* —3D **23**
Elm Clo. *Norm* —5C **80**
Elm Clo. *Salt S* —4A **68**
Elm Dri. *Mar C* —2D **133**
Elmfield Gdns. *H'pl* —3F **19**
Elm Gro. *H'pl* —3E **13**
Elm Gro. *Thor* —4C **98**
Elm Ho. *Sto T* —5B **74**
Elmhurst Gdns. *Hem* —5E **131**
(in three parts)
Elm Rd. *Guis* —1E **139**
Elm Rd. *Red* —4E **49**
Elmstone Gdns. *Hem* —5E **131**
(in three parts)
Elm St. *M'brgh* —3F **77**
Elm St. *S Bnk* —2A **80**
Elm Tree. —3B 72
Elm Tree Av. *Sto T* —3B **72**
Elm Tree Cen. *Sto T* —4C **72**
Elm Tree Pk. *Sea C* —3E **21**
Elm Wlk. *Loft* —5B **92**
Elmwood. *Cou N* —3B **132**
Elmwood Av. M'brgh —1B 100
(off Northern Rd.)
Elmwood Clo. *Stok* —5C **164**
Elmwood Ct. *Sto T* —3B **72**
Elmwood Gro. *Sto T* —4D **73**
Elmwood Pl. *H'pl* —1E **13**
Elmwood Rd. *Eagle* —2C **126**
Elmwood Rd. *H'pl* —2E **13**
Elphin Wlk. *H'pl* —3D **19**
Elsdon Gdns. *Ing B* —2A **150**
Elsdon St. *Sto T* —1F **97**
Elstob Clo. *Sto T* —5B **52**
Elstone Rd. *M'brgh* —3A **78**
Elterwater Clo. *Red* —5B **48**
Eltham Cres. *Thor* —3E **129**
Eltisley Grn. *M'brgh* —5E **79**
Elton. —4E 95
Elton Clo. *Sto T* —5C **52**
Elton Gro. *Sto T* —1A **96**
Elton Interchange. *Elt* —3F **95**
Elton La. *Eagle* —1B **148**
Elton Park. —5A 72
Elton Rd. *Bill* —4B **38**
Elton St. *Red* —4C **48**
Eltringham Rd. *H'pl* —4A **14**
Elvan Gro. *H'pl* —3E **19**
Elvington Clo. *Bill* —1F **39**
Elvington Grn. *M'brgh*
—1E **103**
Elwick. —4C 10
Elwick Av. *M'brgh* —5C **100**
Elwick Clo. *Sto T* —5B **52**
Elwick Ct. *H'pl* —5A **14**
Elwick Gdns. *Sto T* —5B **52**
Elwick Rd. *H'pl* —4E **13**
(Park Rd.)

Elwick Rd. *H'pl* —2A **12**
(Worset La.)
Ely Cres. *Brot* —2C **90**
Ely Cres. *Red* —5F **49**
Ely St. *M'brgh* —4A **78**
Embleton Av. *M'brgh* —4C **100**
Embleton Clo. *Sto T* —5B **52**
Embleton Ct. *Red* —2D **65**
Embleton Gro. *Wyn* —2E **37**
Embleton Rd. *Bill* —4B **38**
Embleton Wlk. *Sto T* —5B **52**
(in two parts)
Embsay Clo. *Ing B* —2B **150**
Embsay Ct. *M'brgh* —3A **102**
Emerald St. *M'brgh* —4E **77**
Emerald St. *Salt S* —3C **68**
Emerson Av. *M'brgh* —3E **101**
Emerson Ct. *H'pl* —3F **7**
Emily St. *M'brgh* —3F **77**
Emma Simpson Ct. *Sto T*
—3C **96**
Emmerson St. *M'brgh* —1E **101**
Emmetts Gdns. *Ing B* —1B **150**
Emsworth Dri. *Eagle* —5A **126**
Endeavour Clo. *H'pl* —3E **21**
Endeavour Dri. *Orm* —5B **104**
Endeavour Ho. *Thor* —1B **98**
Endeavour, The. *Nun* —3A **134**
Enderby Gdns. *Hem* —5E **131**
Endeston Rd. *M'brgh* —3E **103**
Endrick Rd. *H'pl* —3D **19**
Endsleigh Dri. *M'brgh* —3A **100**
Enfield Chase. *Guis* —3D **139**
Enfield Gro. *M'brgh* —4C **104**
Enfield Shop. Cen. *Guis* —3E **139**
Enfield St. *M'brgh* —4D **77**
Ennerdale Av. *M'brgh* —4C **100**
Ennerdale Cres. *Skel C* —3B **88**
Ennerdale Rd. *Sto T* —5D **73**
Ennis Rd. *Red* —5E **47**
Ennis Sq. *Red* —5E **47**
Enron Ho. *Thor* —1C **98**
Ensign Ct. *H'pl* —3D **15**
Enterpen Clo. *Yarm* —4F **149**
Enterprise Cen. *M'brgh* —1F **77**
Enterprise Cen. Annexe.
M'brgh —1E **77**
Enterprise Ho. H'pl —1C 20
(off Thomlinson Rd.)
Epping Av. *M'brgh* —3D **103**
Epping Clo. *Mar S* —4C **66**
Epping Clo. *Thor* —2C **128**
Epsom Av. *M'brgh* —5B **102**
Epsom Rd. *Red* —2D **65**
Epworth Grn. *M'brgh* —1E **103**
Erica Gro. *Mar C* —1C **132**
Eric Av. *Thor* —3D **99**
Eridge Rd. *Guis* —3F **139**
Eriskay Wlk. *H'pl* —3D **19**
Eris Rd. *Pres I* —5E **97**
Erith Gro. *M'brgh* —1B **132**
Ernest St. *H'pl* —2A **14**
Ernest Wlk. *H'pl* —2A **14**
Errington Gth. Mar S —5E 67
(off Hambleton Cres.)
Errington St. *Brot* —3B **90**
Errol St. *H'pl* —3A **14**
Errol St. *M'brgh* —5F **77**
Erskine Rd. *H'pl* —3D **19**

Escomb Clo. *Sto T* —5B **52**
Escombe Av. *M'brgh* —5B **102**
Escombe Rd. *Bill* —2E **39**
Escombe Ho. *M'brgh* —2A **102**
Esha Ness Ct. *H'pl* —3D **19**
Esher Av. *Norm* —4C **104**
Esher St. *M'brgh* —4A **78**
Eshwood Sq. *M'brgh* —3E **77**
Esk Clo. *Guis* —3D **139**
Eskdale. *Hem* —5D **131**
Eskdale Clo. *Yarm* —1B **160**
Eskdale Ct. *H'pl* —3D **19**
Eskdale Rd. *H'pl* —4D **19**
Eskdale Rd. *Red* —1F **63**
Eskdale Ter. Guis —1E *139*
  (off Bolckow St.)
Eskdale Ter. *Ling* —4E **113**
Esk Grn. *Eagle* —1B **148**
Esk Gro. *H'pl* —3E **19**
Esk Rd. *Sto T* —1A **74**
Esk St. *M'brgh* —4C **78**
Esk Ter. Loft —5D *93*
  (off Whitby Rd.)
Esplanade. *Red* —3C **48**
Essex Av. *M'brgh* —3D **81**
Essex Clo. *Red* —1B **64**
Essex Cres. *Bill* —2F **55**
Essex Gro. *Sto T* —1C **74**
Essexport Rd. *Sto T* —4C **74**
Essex St. *M'brgh* —5D **77**
Eston. —1E 105
Eston Clo. *Thor* —4D **99**
Eston Rd. *Laz* —1A **106**
  (in two parts)
Eston Rd. *M'brgh* —1C **80**
Eston Vw. *M'brgh* —2D **103**
Etherley Clo. *Sto T* —5B **52**
Etherley Wlk. *Sto T* —5B **52**
  (in two parts)
Eton Rd. *M'brgh* —2C **100**
Eton Rd. *Sto T* —2F **97**
Eton St. *H'pl* —1A **20**
Ettersgill Clo. *Eagle* —5A **126**
Ettington Av. *M'brgh* —4D **103**
Etton Rd. *Bill* —1E **39**
Ettrick Wlk. *H'pl* —3D **19**
Evans St. *M'brgh* —3D **81**
Evendale. *Guis* —3A **138**
Evenwood Clo. *Sto T* —5B **52**
Evenwood Gdns. *M'brgh*
  —2D **131**
Everett St. *H'pl* —2F **13**
Evergreen Wlk. M'brgh —3F *101*
  (off Pinewood Av.)
Everingham Rd. *Yarm* —1A **160**
Eversham Rd. *M'brgh* —2E **81**
Eversley Wlk. *M'brgh* —3D **103**
Evesham Rd. *M'brgh* —3D **103**
Evesham Way. *Bill* —3A **40**
Ewbank Dri. *Sto T* —1F **97**
Ewbank Gdns. *Sto T* —1F **97**
Exchange Pl. *M'brgh* —2F **77**
Exchange Sq. *M'brgh* —2F **77**
Exchange Yd. *Sto T* —1A **98**
Exeter Rd. *Est* —1E **105**
Exeter Rd. *M'brgh* —1F **101**
Exeter St. *H'pl* —4C **14**
Exeter St. *Salt S* —4C **68**
Exford Clo. *Ing B* —3B **150**

Exmoor Gro. *H'pl* —1D **13**
Ezard St. *Sto T* —4A **74**

F

Fabian Ct. Shop. Cen. *M'brgh*
  —5E **81**
Fabian Rd. *M'brgh* —5C **80**
Faceby Pl. *Sto T* —3B **74**
Faceby Wlk. *M'brgh* —2C **102**
Fagg St. *Sto T* —5A **74**
Fairbank Ho. *Sto T* —3E **73**
Fairbridge St. *M'brgh* —3E **77**
Fairburn Clo. *Sto T* —5A **72**
Fairburn Rd. *M'brgh* —2C **104**
Fairdene Av. *Sto T* —5A **72**
Fairfax Ct. *Hem* —1E **153**
Fairfax Ct. *Yarm* —3B **148**
Fairfax Rd. *M Geo* —1B **144**
Fairfield. —5A 72
Fairfield Av. *M'brgh* —3B **100**
Fairfield Av. *Orm* —5A **104**
Fairfield Clo. *Red* —1C **64**
Fairfield Clo. *Sto T* —5B **72**
Fairfield Rd. *M'brgh* —2F **101**
Fairfield Rd. *Stait* —2C **120**
Fairfield Rd. *Sto T* —5B **72**
Fairfield Rd. *Stok* —1A **168**
Fairmead. *Red* —3A **64**
Fairmead. *Yarm* —5A **148**
Fairstone Av. *Sto T* —4A **72**
Fairthorn Av. *Sto T* —5A **72**
Fairview. *Long N* —1A **124**
Fairville Rd. *Sto T* —4A **72**
Fairway. *Sto T* —2F **97**
Fairway, The. *Eagle* —5C **126**
Fairway, The. *Mar C* —4E **133**
Fairway, The. *Salt S* —5B **68**
Fairwell Rd. *Sto T* —3A **72**
Fairwood Pk. *Mar C* —2E **133**
Fairy Cove Ter. H'pl —5F *9*
  (off Sea Vw. Ter.)
Fairy Cove Wlk. *H'pl* —5F **9**
Fairy Dell. *Mar C* —4C **132**
Fakenham Av. *M'brgh* —3B **100**
Falcon La. *Nort* —3A **54**
Falcon Rd. *H'pl* —1D **13**
Falcon Rd. *M'brgh* —4E **79**
Falcon Wlk. *Hilt* —1E **163**
  (in two parts)
Falcon Way. *Guis* —2A **138**
Falkirk Rd. *H'pl* —4E **19**
Falkirk St. *Thor* —3D **99**
Falklands Clo. *Mar S* —4B **66**
Falkland St. *M'brgh* —4D **77**
Fallow Clo. *Ing B* —5B **128**
Fallows Ct. *M'brgh* —3D **77**
Fall Way. *M'brgh* —4C **104**
Falmouth Gro. *H'pl* —1E **13**
Falmouth St. *M'brgh* —5F **77**
Falston Clo. *Bill* —4C **38**
Fanacurt Rd. *Guis* —3B **138**
Fancy Bank. *Guis* —2C **140**
Fane Clo. *Sto T* —5B **72**
Fane Gro. *M'brgh* —5C **100**
Faraday St. *M'brgh* —4D **77**
Fareham Clo. *H'pl* —1F **31**
Farfields Clo. *Long N* —1F **123**
Farington Dri. *Mar C* —3F **133**
Farleigh Clo. *Bill* —4E **39**

Farley Dri. *M'brgh* —5A **100**
Farmbank Rd. *Orm* —1B **134**
Farmcote Ct. *Hem* —1D **153**
  (in two parts)
Farm Gth. *Gt Ay* —1D **167**
Farm La. *Ing B* —5B **128**
Farm La. *Sto T* —1D **97**
Farnborough Av. *M'brgh* —3C **100**
Farndale Ct. *M'brgh* —2A **102**
Farndale Cres. *M'brgh* —2A **102**
Farndale Dri. *Guis* —3A **138**
Farndale Gdns. *Ling* —4E **113**
Farndale Grn. *Sto T* —3E **73**
Farndale Rd. *H'pl* —4E **21**
Farndale Rd. *M'brgh* —2A **102**
Farndale Rd. *Nun* —3B **134**
Farndale Sq. *Red* —1F **63**
Farndale Wlk. *M'brgh* —5F **81**
Farne Ct. *Ing B* —1B **150**
Farnell Gro. *H'pl* —3E **19**
Farnham Clo. *Eagle* —5A **126**
Farnham Wlk. *M'brgh* —3C **102**
Farrer St. *Sto T* —4A **74**
Farrier Clo. *Ing B* —5B **128**
Farr Wlk. *H'pl* —4E **19**
Farthingale Way. *Hem* —1D **153**
Fastnet Gro. *H'pl* —4C **14**
Fauconberg Clo. *Bel P* —2B **56**
Fauconberg Way. *Yarm* —5A **148**
Faulder Wlk. *H'pl* —2B **20**
Faverdale Av. *M'brgh* —2B **130**
Faverdale Clo. *M'brgh* —3E **77**
Faverdale Clo. *Sto T* —3C **72**
Faversham Clo. *Hem* —1E **153**
Fawcett Av. *S'tn* —5C **130**
Fawcett Rd. *Thor* —1D **129**
Fawcett Way. *Thor* —1D **129**
Fawcus Ct. *Red* —1F **63**
  (in two parts)
Faygate Rd. *Hem* —5D **131**
Fearby Rd. *Sto T* —3A **96**
Fearnhead. *Mar C* —5E **133**
Felbrigg La. *Ing B* —1B **150**
Felby Av. *M'brgh* —4D **103**
Felixstowe Clo. *H'pl* —1E **31**
Fell Briggs Dri. *Mar S* —4C **66**
Fellston Clo. *H'pl* —2D **13**
Felton La. *Sto T* —3A **72**
Fencote Gdns. *Sto T* —5B **72**
Fenham Ct. *Orm* —4A **104**
Fenmoor Clo. *Hem* —4C **130**
Fenner Clo. *Mar S* —5F **67**
Fens. —1E 31
Fens Cres. *H'pl* —5F **19**
Fens, The. *Hart* —3B **6**
Fenton Clo. *Ing B* —1B **150**
Fenton Clo. *M'brgh* —2A **80**
Fenton Ct. *B'bck* —3C **112**
Fenton Rd. *H'pl* —1D **31**
Fenton St. *B'bck* —3B **112**
Fenwick St. *Sto T* —4B **74**
Fermenter Rd. *Bill* —3C **56**
Ferndale. *Sto T* —3C **72**
Ferndale Av. *M'brgh* —4E **79**
  (in four parts)
Ferndale Clo. *New M* —2A **86**
Ferndale Ct. *M'brgh* —5F **79**
Fernhill Rd. *M'brgh* —2F **105**
Fernie Rd. *Guis* —4E **139**

Fernie Rd.—Fulbeck Ho.

Fernie Rd. *Sto T* —4B **54**
Fern St. *M'brgh* —4F **77**
Fernwood. *Cou N* —2B **154**
Fernwood. *Red* —3D **65**
Fernwood Av. *H'pl* —1A **20**
Ferry Rd. *H'pl* —1E **15**
Ferry Rd. *M'brgh* —1F **77**
Feversham St. *M'brgh* —2F **77**
Fewston Clo. *H'pl* —3C **12**
Fewston Clo. *M'brgh* —1C **102**
Field Clo. *Thor* —4E **99**
Fieldfare La. *Sto T* —3B **54**
(in two parts)
Fieldfare Rd. *H'pl* —5E **7**
Field Head. *Red* —1B **64**
Fielding Ct. *Bill* —3D **39**
Fieldview Clo. *M'brgh* —4E **57**
Fife Gro. *H'pl* —4D **19**
Fife Rd. *Sto T* —4A **54**
Fife St. *M'brgh* —3A **78**
Filey Clo. *Red* —2F **65**
Finchale Av. *Bill* —5D **39**
Finchale Av. *M'brgh* —3E **103**
Fincham Clo. *Sto T* —5E **53**
Finchdale Clo. *Red* —4E **65**
Finchfield Clo. *Eagle* —5B **126**
Finchley Rd. *Sto T* —4B **54**
Findlay Gro. *H'pl* —4E **19**
Finkle St. *Sto T* —1B **98**
Finsbury St. *M'brgh* —4D **77**
Firbeck Wlk. *Thor* —3C **128**
Firby Clo. *H'pl* —5C **8**
Firby Clo. *Sto T* —4E **53**
Fir Gro. *Red* —3A **64**
Fir Gro. *Thor* —4C **98**
Firlands, The. *Mar S* —3D **67**
Fir Rigg Dri. *Mar S* —4C **66**
Firsby Ct. *Hem* —5E **131**
(in two parts)
Firsby Wlk. *M'brgh* —1D **103**
First Foulsyke. *Loft* —5E **93**
Firtree Av. *M'brgh* —3D **105**
Fir Tree Clo. *Hilt* —1F **163**
Firtree Dri. *M'brgh* —3C **104**
Firtree Rd. *Sto T* —3E **73**
Fisherman's Sq. *Red* —4D **49**
Fishponds Rd. *Red & Year*
—5B **64**
Fiske Ct. *M'brgh* —3C **130**
Fitzwilliam Clo. *Mar S* —4D **67**
Fitzwilliam St. *Red* —4D **49**
Flamborough Ho. *M'brgh*
—2A **102**
Flatts La. *M'brgh & Nun* —3D **105**
Flatts La. *Nun* —1D **135**
Flatts La. Dri. *M'brgh* —4D **105**
Flatts Lane Vis. Cen. —5E **105**
Flatts Lane Woodland Country
Pk. —5D **105**
Flaxton Ct. *H'pl* —5A **14**
Flaxton St. *H'pl* —5A **14**
Fleck Way. *Tees* —4D **129**
Fleet Av. *H'pl* —3C **14**
Fleet Bri. Rd. *Sto T & Bill* —1C **74**
(in two parts)
Fleetham Gro. *Sto T* —2A **96**
Fleetham Pl. *M'brgh* —3D **77**
Fleetham St. *M'brgh* —3D **77**
(Newport Rd.)

Fleetham St. *M'brgh* —4E **77**
(Union St.)
Fleet Ho. *M'brgh* —1F **103**
Fleet St. *N Orm* —3C **78**
Fleet, The. *Red* —1E **63**
Fleet, The. *Thor* —4E **99**
Fleming Rd. *Skip I* —4A **80**
Fleming St. *Red* —3B **48**
Fletcher St. *M'brgh* —3F **77**
Fletcher Wlk. *H'pl* —2D **19**
Flexley Av. *M'brgh* —3F **103**
Flint Wlk. *H'pl* —1D **13**
Flixton Gro. *Bill* —5A **38**
Flodden Way. *Bill* —3A **40**
Flora St. *M'brgh* —1E **105**
Florence Ct. *Ing B* —1B **150**
Florence Easton Ho. *M'brgh*
(off Shepherdson Ct.) —2A **80**
Florence Ho. *Thor* —1C **98**
Florence St. *M'brgh* —2E **77**
Florida Gdns. *M'brgh* —4D **101**
Flotilla Ho. *H'pl* —3D **15**
(off Admiral Way)
Flounders Rd. *Yarm* —5A **148**
Foggy Furze. —2B 20
Folkestone Rd. *Hem* —5E **131**
Folland Dri. *Mar S* —3B **66**
Fonteyn Ct. *Hem* —5E **131**
Fontwell Clo. *Sto T* —3A **72**
Forber Rd. *M'brgh* —4F **101**
Forbes Av. *M'brgh* —2B **100**
Forcett Clo. *M'brgh* —2C **130**
Fordon Pl. *M'brgh* —4A **102**
Ford Pl. *Sto T* —4A **74**
Ford St. *Sto T* —4A **74**
Fordwell Rd. *Sto T* —3A **72**
Fordyce Rd. *H'pl* —4D **19**
Fordyce Rd. *Hem* —5D **131**
(in two parts)
Fordy Gro. *Thor* —5C **98**
Foreland Point. *Ing B* —3A **150**
Forest Dri. *Orm* —1B **134**
Forester Clo. *Thor* —3D **21**
Foresters Clo. *Wyn* —2D **37**
Forester's Lodge Roundabout.
Wyn —3B **26**
Forest La. *K'ton* —5A **160**
Forest M. *Thor* —2D **129**
Forfar Av. *M'brgh* —1B **132**
Forfar Rd. *H'pl* —4D **19**
Forget-me-Not Gro. *Sto T*
—3D **73**
Formby Clo. *H'pl* —2C **6**
Formby Grn. *M'brgh* —4A **102**
Formby Wlk. *Eagle* —4C **126**
Forres Wlk. *H'pl* —4D **19**
Forster Ho. *M'brgh* —3F **77**
Forth Gro. *H'pl* —4E **19**
Forth Rd. *Red* —5A **48**
Fortrose Clo. *Eagle* —1C **148**
Forty Foot Rd. *M'brgh* —2D **77**
Forum Ct. *M'brgh* —4B **78**
Fosdyke Grn. *M'brgh* —2A **104**
Fossfeld. *Sto T* —3A **72**
Foster St. *Brot* —3A **90**
Foston Clo. *Sto T* —4F **53**
Founders Ct. *G'ham* —3E **31**
Fountain Ct. *M'brgh* —3F **77**
Fountains Av. *Ing B* —5C **128**

Fountains Clo. *Guis* —2E **139**
(in two parts)
Fountains Ct. *Skel C* —4D **89**
Fountains Cres. *M'brgh* —1D **105**
Fountains Dri. *M'brgh* —4D **101**
Fountain St. *Guis* —2E **139**
Four Winds Ct. *H'pl* —3D **13**
Fowler Clo. *Yarm* —5E **149**
Fox Almshouses. *Sto T* —5B **54**
Foxberry Av. *M'brgh* —2B **130**
Fox Clo. *Ing B* —4C **128**
Foxglove Clo. *Sto T* —3C **72**
Foxgloves. *Cou N* —5C **132**
Foxheads Ct. *M'brgh* —3D **77**
Fox Hills. *Brot* —2C **90**
Fox Howe. *Cou N* —3B **132**
(in two parts)
Foxrush Clo. *Red* —3C **64**
Fox St. *Sto T* —1B **74**
Foxton Clo. *Yarm* —4E **149**
Foxton Dri. *Bill* —2E **39**
Foxwood Dri. *Sto T* —3C **72**
Frampton Grn. *M'brgh* —4D **103**
France St. *Red* —3D **49**
Frankfield Pl. *Gt Ay* —1D **167**
Franklin Clo. *Sto T* —2B **96**
Franklin Ct. *Thor* —2D **129**
Fransham Rd. *M'brgh* —1D **103**
Fraser Ct. *H'pl* —4D **19**
Fraser Gro. *H'pl* —4D **19**
Fraser Rd. *Sto T* —3D **97**
Frederick St. *M'brgh* —4C **78**
Frederick St. *Sto T* —4A **74**
Frederick St. *Thor* —2C **98**
Frederic St. *H'pl* —5E **9**
Fredric Ter. *Bill* —3D **57**
Freebrough Rd. *M'hlm* —3B **142**
Freemantle Gro. *H'pl* —4B **20**
Freight Rd. *M'brgh* —1E **61**
Fremantle Cres. *M'brgh* —3F **101**
Fremington Wlk. *M'brgh*
—1B **132**
Frensham Dri. *H'pl* —2B **20**
Freshingham Clo. *Hem* —5E **131**
Freville St. *H'pl* —4C **14**
Friarage Gdns. *H'pl* —1F **15**
Friar St. *H'pl* —1F **15**
Friarswood Clo. *Yarm* —4E **149**
Friar Ter. *H'pl* —1F **15**
Friendship La. *H'pl* —1F **15**
Frimley Av. *M'brgh* —1D **103**
Frobisher Clo. *Mar S* —5F **67**
Frobisher Rd. *Thor* —2D **129**
Frome Ho. *M'brgh* —3F **101**
Frome Rd. *Sto T* —2B **74**
Front St. *C How* —3F **91**
Front St. *G'ham* —3E **31**
Front St. *Hart* —4F **5**
Front St. *S'fld* —4D **23**
Front, The. *M Row* —4A **144**
Front, The. *Sea C* —4F **21**
Frosterley Gro. *Bill* —3F **39**
Fry St. *M'brgh* —3F **77**
Fryup Cres. *Guis* —4D **139**
Fuchsia Gro. *Sto T* —5C **72**
Fudan Way. *Thor* —1C **98**
Fulbeck Clo. *H'pl* —3F **19**
Fulbeck St. *Bill* —1F **55**
Fulbeck Ho. *M'brgh* —2A **104**

Fulbeck Rd. *M'brgh* —2A **104**
Fulford Gro. *New M* —2F **85**
Fulford Way. *Mar C* —5F **133**
Fuller Cres. *Sto T* —5F **53**
Fulmar Head. *Guis* —2B **138**
Fulmar Ho. *H'pl* —3D **15**
Fulmar Rd. *Sto T* —3A **54**
Fulmerton Cres. *Red* —4C **64**
Fulthorp Av. *H'pl* —3E **7**
Fulthorpe Gro. *Wyn* —2D **37**
Fulthorpe Rd. *Sto T* —5F **53**
Fulwood Av. *M'brgh* —3A **102**
Furlongs, The. *Red* —5D **49**
Furness St. *H'pl* —2B **14**

Gables, The. *Mar C* —3C **132**
Gables, The. *M'brgh* —1A **102**
Gables, The. *S'fld* —2C **22**
Gainford Av. *M'brgh* —3E **101**
Gainford Rd. *Bill* —5F **39**
Gainford Rd. *Sto T* —1C **96**
Gainford St. *H'pl* —4B **14**
Gainsborough Clo. *M'brgh*
—4D **105**
Gainsborough Cres. *Bill* —3D **39**
Gainsborough Rd. *Mar C*
—2C **132**
Gaisgill Clo. *Orm* —4B **104**
Gala Clo. *H'pl* —2E **21**
Galgate Clo. *Mar C* —3E **133**
Galley Hill. —2B 138
Galleys Fld. Ct. *H'pl* —5F **9**
Galloway Sands. *M'brgh*
—3B **130**
Galsworthy Rd. *H'pl* —2D **19**
Ganstead Way. *Bill* —2F **39**
Ganton Clo. *Bill* —5A **38**
Ganton Clo. *New M* —1A **86**
Garbutt St. *Sto T* —4B **74**
(in two parts)
Garden Clo. *Thor* —3B **98**
Garden Pl. *M'brgh* —2D **105**
Gardens, The. *M'brgh* —3A **102**
Gardner Ho. *H'pl* —3D **19**
Garforth Clo. *Nort* —4F **53**
Garland Ho. *H'pl* —2C **14**
Garmon Clo. *Ing B* —1F **149**
Garnet Rd. *Thor* —4D **99**
Garnet St. *M'brgh* —4E **77**
Garnet St. *Salt S* —3C **68**
Garrett Wlk. *M'brgh* —4D **77**
Garrick Gro. *H'pl* —2E **19**
Garrowby Rd. *M'brgh* —2C **102**
Garsbeck Way. *Orm* —4B **104**
Garsdale Clo. *Yarm* —1B **160**
Garsdale Grn. *M'brgh* —1D **103**
Garside Dri. *H'pl* —4A **8**
Garstang Clo. *Mar C* —3F **133**
Garston Gro. *H'pl* —4B **20**
Garth Clo. *Carl* —5C **50**
Garth Ends. *Stait* —1C **120**
Garth, The. *Brot* —2C **90**
Garth, The. *Cou N* —1B **154**
Garth, The. *Mar S* —3C **66**
Garth, The. *S'fld* —3D **23**
Garth, The. *Sto T* —5A **54**
Garth, The. *Stok* —1B **168**
Garth Wlk. *M'brgh* —2C **102**

Garvin Clo. *M'brgh* —2C **102**
Gascoyne Clo. *Mar C* —2E **133**
Gaskell La. *Loft* —5B **92**
Gatenby Dri. *M'brgh* —2C **130**
Gatesgarth Clo. *H'pl* —5B **8**
Gatley Wlk. *Sto T* —2D **127**
Gatwick Grn. *M'brgh* —1D **103**
Gayle Moor Clo. *Ing B* —3B **150**
Gayton Sands. *M'brgh* —3B **130**
Gedney Av. *M'brgh* —4D **103**
Geltsdale. *M'brgh* —2C **130**
Geneva Dri. *Red* —5C **48**
Gentian Way. *Sto T* —3C **72**
George Stephenson Ho. *Thor*
—1B **98**
George St. *Guis* —1D **139**
George St. *H'pl* —3C **14**
George St. *Red* —4D **49**
George St. *Thor* —2C **98**
George Ter. *Brot* —3B **90**
Georgiana Clo. *Thor* —2C **98**
Gerrie St. *B'bck* —3C **112**
Gibb Sq. *H'pl* —5F **9**
Gibraltar Rd. *Eagle* —4F **125**
Gibson Gro. *H'pl* —2D **7**
Gibson St. *N Orm* —4C **78**
Gifford St. *M'brgh* —1E **101**
Gilberti Pl. *H'pl* —3F **7**
Gilkes St. *M'brgh* —3E **77**
Gilling Rd. *Sto T* —5B **72**
Gilling Wlk. *M'brgh* —1C **102**
Gilling Way. *Red* —2E **65**
Gillpark Gro. *H'pl* —4D **21**
Gill St. *Guis* —1E **139**
Gill St. *H'pl* —4B **14**
Gill St. *Salt S* —5C **68**
Gilmonby Rd. *M'brgh* —4D **103**
Gilmour St. *Thor* —3C **98**
(in three parts)
Gilpin Ho. *Sto T* —5A **54**
Gilpin Rd. *Thor* —4C **98**
Gilpin Sq. *Sto T* —3F **73**
Gilside Rd. *Bill* —5F **39**
Gilsland Clo. *Ack* —2B **130**
Gilsland Gro. *Norm* —2D **105**
Gilwern Ct. *Ing B* —2F **149**
Girrick Clo. *Hem* —5C **130**
Girton Av. *M'brgh* —4D **103**
Gisborne Gro. *Sto T* —2C **96**
Gisburn Av. *M'brgh* —3D **103**
Gisburn Rd. *Bill* —5F **39**
Gladesfield Rd. *Sto T* —2B **74**
Gladstone Ind. Est. *Thor* —2C **98**
Gladstone St. *Brot* —3A **90**
Gladstone St. *C How* —3F **91**
Gladstone St. *H'pl* —1F **15**
Gladstone St. *Loft* —5C **92**
Gladstone St. *M'brgh* —1F **105**
Gladstone St. *Sto T* —2A **98**
(in two parts)
Gladstone St. *Thor* —2C **98**
Glaisdale Av. *M'brgh* —4E **101**
Glaisdale Av. *Red* —1F **63**
Glaisdale Av. *Sto T* —3E **73**
Glaisdale Clo. *M'brgh* —5A **82**
Glaisdale Gro. *H'pl* —4E **21**
Glaisdale Rd. *M'brgh* —5A **82**
Glaisdale Rd. *Yarm* —4E **149**
Glamis Gro. *M'brgh* —3A **102**

Glamis Rd. *Bill* —4C **38**
Glamis Wlk. *H'pl* —4E **19**
Glamorgan Gro. *H'pl* —1D **13**
Glasgow St. *Thor* —2C **98**
Glastonbury Av. *M'brgh* —1E **105**
Glastonbury Ho. *M'brgh* —3E **103**
Glastonbury Rd. *Skel C* —4D **89**
Glastonbury Wlk. *H'pl* —1E **13**
Gleaston Cres. *M'brgh* —4A **102**
Gleaston Wlk. *M'brgh* —4A **102**
Glebe. —4E 53
Glebe Gdns. *E'tn* —3A **118**
Glebe Gdns. *S'tn* —5C **130**
Glebe Rd. *M'brgh* —4D **77**
Glebe Rd. *Stok* —3C **168**
Glebe, The. *Sto T* —4E **53**
Glencairn Gro. *H'pl* —4D **19**
Glendale. *Guis* —4A **138**
Glendale Av. *H'pl* —4F **13**
Glendale Rd. *M'brgh* —4E **101**
Glendue Clo. *Nun* —4A **134**
Gleneagles Clo. *Bill* —5A **38**
Gleneagles Ct. *M'brgh* —4A **102**
Gleneagles Rd. *H'pl* —2C **6**
Gleneagles Rd. *M'brgh* —4F **101**
Gleneagles Rd. *New M* —1A **86**
Glenfall Clo. *Bill* —5A **38**
Glenfield Clo. *Sto T* —5A **72**
Glenfield Dri. *M'brgh* —4E **101**
Glenfield Rd. *Sto T* —5A **72**
Glenfield Ter. *Loft* —5D **93**
Glenhow Gdns. *Salt S* —4C **68**
Glenluce Rd. *Eagle* —5C **126**
Glenmoor Gro. *M'brgh* —1C **104**
Glenn Cres. *Mar C* —3D **133**
Glenside. *Salt S* —4D **69**
Glenston Clo. *H'pl* —2C **12**
Glen, The. *Egg* —2C **148**
Glentower Gro. *H'pl* —4D **21**
Glentworth Av. *M'brgh* —2A **104**
Glentworth Ho. *M'brgh* —2A **104**
Gloucester Clo. *Nun* —3A **134**
Gloucester Rd. *Guis* —4D **139**
Gloucester St. *H'pl* —1A **20**
Gloucester Ter. *Bill* —1F **55**
Glyder Ct. *Ing B* —1F **149**
Goathland Dri. *H'pl* —5D **21**
Goathland Gro. *Guis* —4D **139**
Goathland Rd. *M'brgh* —5F **81**
Gofton Pl. *M'brgh* —4D **81**
Goldcrest. *Guis* —2B **138**
Goldcrest Clo. *Ing B* —5B **128**
Golden Lion M. *Stok* —1C **168**
Goldfinch Rd. *H'pl* —5D **7**
Goldsmith Av. *H'pl* —2E **7**
Goldsmith Clo. *Bill* —3D **39**
Goodwin Clo. *Red* —4B **64**
Goodwin Wlk. *H'pl* —4C **14**
Goodwood Rd. *Red* —2D **65**
Goodwood Sq. *Sto T* —2F **99**
Goosepastures. *Yarm* —4C **148**
Gooseport Rd. *Sto T* —4C **74**
Gordon Cres. *M'brgh* —3E **81**
Gordon Rd. *Red* —4A **48**
Gordon St. *H'pl* —3F **13**
Gore Sands. *M'brgh* —2A **130**
Gorman Rd. *M'brgh* —1D **101**
Gorsefields Ct. *M'brgh* —3E **105**
Gorton Clo. *Bill* —4C **38**

Gosford M.—Greywood Clo.

Gosford M. *M'brgh* —2E **77**
Gosford St. *M'brgh* —2F **77**
Gosforth Av. *Red* —4D **49**
  (in two parts)
Goshawk Rd. *H'pl* —5D **7**
Gough Clo. *M'brgh* —4D **77**
Goulton Clo. *Yarm* —4E **149**
Gower Clo. *M'brgh* —3D **77**
Gower Wlk. *H'pl* —5E **7**
Grace Clo. *Sea C* —5E **21**
Graffenberg St. *Red* —3D **49**
Grafton Clo. *Guis* —3E **139**
Graham St. *H'pl* —5E **9**
Graham St. *Liver* —5A **92**
Graham Wlk. *H'pl* —4E **19**
Grainger Clo. *Eagle* —4B **126**
Grainger St. *H'pl* —2B **14**
Grammar School La. *Yarm*
  —4B **148**
Grampian Rd. *Bill* —1D **55**
Grampian Rd. *Skel C* —3C **88**
Granary, The. *Wyn* —5C **26**
Grange Av. *Bill* —4E **55**
Grange Av. *H'pl* —3F **13**
Grange Av. *Sto T* —4D **73**
Grange Bungalow, The. *M'brgh*
  —3E **81**
Grange Bus. Cen., The. *Bill*
  —3F **55**
Grange Clo. *H'pl* —3E **13**
Grange Clo. *M'brgh* —3E **81**
Grange Cres. *Mar C* —3D **133**
Grange Dri. *Stok* —1B **168**
Grange Est. *M'brgh* —3C **82**
Grange Farm. *Cou N* —3B **132**
Grange Farm Rd. *M'brgh* —3E **81**
Grangefield. —5E 73
Grangefield Rd. *Sto T* —5D **73**
Grangefields. *Brot* —2A **90**
Grange La. *Loft* —3E **93**
Grange Rd. *H'pl* —3F **13**
Grange Rd. *M'brgh* —3E **77**
  (in four parts)
Grange Rd. *Nort* —1B **74**
Grange Rd. *Thor* —3C **98**
Grangetown. —3E 81
Grangetown By-Pass. *M'brgh &*
  G'twn —2B **80**
Grange Vw. *Wolv* —3C **38**
Grangeville Av. *Sto T* —5A **72**
Grange Wood. *Cou N* —3F **131**
Grantham Av. *H'pl* —4F **13**
Grantham Grn. *M'brgh* —5B **102**
Grantham Rd. *Sto T* —4F **53**
Grantley Av. *M'brgh* —5A **80**
Grant St. *Red* —3C **48**
Granville Av. *H'pl* —3F **13**
Granville Gro. *Sto T* —1B **74**
Granville Pl. *H'pl* —3F **13**
Granville Rd. *G'twn* —3D **81**
Granville Rd. *M'brgh* —5E **77**
Granville Ter. *Red* —3D **49**
Granwood Rd. *M'brgh* —2F **105**
Grasby Clo. *M'brgh* —2A **104**
Grasmere Av. *M'brgh* —5C **100**
Grasmere Cres. *Skel C* —4B **88**
Grasmere Dri. *M'brgh* —1C **104**
Grasmere Rd. *Red* —5C **48**
Grasmere Rd. *Sto T* —5E **73**

Grasmere St. *H'pl* —5A **14**
Grass Cft. *Long N* —1A **124**
Grassholme Av. *M'brgh* —1B **100**
  (off Northern Rd.)
Grassholme Rd. *H'pl* —3C **12**
Grassholme Way. *Eagle* —5F **125**
Grassholm Rd. *Sto T* —1B **74**
Grassington Grn. *Ing B* —3B **150**
Grassington Rd. *M'brgh* —3A **102**
Gray Art Gallery. —3B **14**
Graygarth Rd. *M'brgh* —2C **102**
Gray's Rd. *Sto T* —5E **73**
Gray St. *H'pl* —2A **14**
Gray St. *M'brgh* —2F **77**
Graythorp. —4D 33
Graythorp Ind. Est. *H'pl* —4D **33**
Graythorp Rd. *H'pl* —4C **32**
Great Auk. *Guis* —2B **138**
Great Ayton. —2D 167
Great Ayton All Saints Church.
  —2C **166**
Gt. Ayton Rd. *Nun & Gt Ay*
  —4C **156**
Great Broughton. —5F 169
Great Garth. *Guis* —2D **139**
Greatham. —3E 31
Greatham Clo. *M'brgh* —2C **130**
Greatham St. *H'pl* —1C **20**
Greenacre. *Gt Ay* —3C **166**
Greenacre Clo. *Mar S* —4C **66**
Greenacres. *S'tn* —5B **130**
Greenbank Av. *M'brgh* —1B **100**
Grn. Bank Clo. *B'bck* —2B **112**
Greenbank Ct. *H'pl* —3E **13**
Greenbank Ter. *B'bck* —2B **112**
Green Clo. *Nun* —4A **134**
Greencroft. *Red* —3A **64**
Greencroft Wlk. *M'brgh* —3E **103**
Green Dragon Mus. & Gallery.
  —5B **74**
Grn. Dragon Yd. *Sto T* —5B **74**
Greenfield Dri. *Eagle* —5B **126**
Greenfields Way. *Sto T* —1A **96**
Greenfinch Clo. *H'pl* —5E **7**
Greenford Wlk. *M'brgh* —2A **104**
Greenham Clo. *M'brgh* —2A **104**
Greenhead Clo. *Hem* —3E **131**
Greenhow Gro. *H'pl* —4E **21**
Greenhow Rd. *M'brgh* —1C **102**
Greenhow Wlk. *Red* —2B **64**
Greenland Av. *M'brgh* —2A **100**
Greenland Rd. *H'pl* —5C **8**
Greenlands Rd. *Red* —5E **49**
Green La. *Gt Ay* —5C **166**
Green La. *M'brgh* —4B **100**
Green La. *Newby & Nun* —5E **155**
Green La. *Red & Mar S* —3A **66**
Green La. *Skel C* —5B **88**
Green La. *Sto T* —2D **73**
  (in two parts)
Green La. *Thor* —5B **98**
Green La. *Yarm* —2A **160**
Green Lea. *Elw* —4C **10**
Green Leas. *Carl* —5C **50**
Greenlee Clo. *Ing B* —2A **150**
Greenock Clo. *New M* —2F **85**
Greenock Rd. *H'pl* —4E **19**
Green Rd. *Skel C* —4B **88**
Green's Beck Rd. *Sto T* —2C **96**

Green Scar. *Red* —3E **65**
Greens Gro. *Sto T* —2C **96**
Greenside. *G'ham* —3E **31**
Greenside. *Ing B* —5B **128**
Greenside. *M'brgh* —4C **104**
Green's La. *Sto T* —1C **96**
Greenstones Rd. *Red* —2E **65**
Green St. *H'pl* —5C **14**
Greens Valley Dri. *Sto T* —2C **96**
Green Ter. *H'pl* —4E **21**
Green, The. *Bill* —4C **40**
  (Cowpen Bewley Rd.)
Green, The. *Bill* —4D **55**
  (West Rd.)
Green, The. *Cas E* —3A **4**
Green, The. *Egg* —2C **148**
Green, The. *Elw* —4D **11**
Green, The. *G'ham* —3E **31**
Green, The. *K'ton* —4D **161**
Green, The. *Long N* —1A **124**
Green, The. *Mar S* —4B **66**
Green, The. *M'brgh* —3A **102**
Green, The. *Red* —1E **63**
Green, The. *Salt S* —1B **88**
Green, The. *Sea C* —3E **21**
Green, The. *Sto T* —4A **54**
Green, The. *Thor* —1C **128**
Green, The. *Wolv* —2C **38**
Grn. Vale Gro. *Sto T* —1A **96**
Greenway. *Est* —1E **105**
Greenway. *Ing B* —5B **128**
Green Way. *Nun* —4A **134**
Greenway Ct. *M'brgh* —5F **79**
Greenway, The. *M'brgh* —5F **79**
Greenwood Av. *M'brgh* —3D **101**
Greenwood Rd. *Bill* —1F **55**
Greenwood Rd. *H'pl* —2B **14**
Greenwood Rd. *Sto T* —2C **96**
Greenwood Wlk. *Red* —2C **64**
Grendale Ct. *Loft* —5C **92**
Grendon Wlk. *M'brgh* —4D **103**
Grenville Clo. *Mar S* —5E **67**
Grenville Rd. *Thor* —2D **129**
Gresham Rd. *M'brgh* —4D **77**
Gresley Ct. *Salt S* —4C **68**
Greta Av. *H'pl* —2A **20**
Greta Rd. *Red* —5A **48**
Greta Rd. *Skel C* —3C **88**
Greta Rd. *Sto T* —5A **54**
Greta St. *M'brgh* —4D **77**
Greta St. *Salt S* —5C **68**
Gretton Av. *M'brgh* —5B **102**
Grewgrass La. *Mar S & New M*
  —4D **65**
Greylands Av. *Sto T* —1B **74**
Greymouth Clo. *Sto T* —2C **96**
Greys Ct. *Ing B* —1B **150**
Greystoke Ct. *M'brgh* —4C **100**
Greystoke Gro. *Red* —3C **64**
Greystoke Rd. *Red* —3C **64**
Greystoke Wlk. *Red* —3C **64**
Greystone Rd. *Est* —2F **81**
Greystones Roundabout.
  M'brgh —5B **82**
Grey St. *Sto T* —2B **74**
Grey Towers Dri. *Nun* —5A **134**
Grey Towers Farm Cotts. *Nun*
  —5B **134**
Greywood Clo. *H'pl* —2C **6**

Gribdale Rd. *M'brgh* —1D **103**
Griffin Rd. *M'brgh* —1A **102**
Griffiths Clo. *Yarm* —1B **160**
Griffiths Rd. *M'brgh* —4E **81**
Grimston Wlk. *M'brgh* —1B **102**
Grimwood Av. *M'brgh* —4E **79**
Grindon. —3D 35
Grinkle Av. *M'brgh* —3D **103**
Grinkle Ct. *Guis* —1E **139**
Grinkle La. *E'tn*
—5F **117** & 5A **118**
Grinkle Rd. *Red* —5F **47**
Grinton Rd. *Sto T* —3B **96**
Grisedale Clo. *M'brgh* —2C **130**
Grisedale Cres. *Egg* —2C **148**
Grisedale Cres. *Est* —4F **81**
Gritten Sq. *H'pl* —4C **8**
Grosmont Clo. *Red* —3C **64**
Grosmont Dri. *Bill* —5C **38**
Grosmont Pl. *M'brgh* —5F **81**
Grosmont Rd. *H'pl* —5E **21**
Grosmont Rd. *M'brgh* —5F **81**
Grosvenor Ct. *Ing B* —2B **150**
Grosvenor Gdns. H'pl —3A 14
(off Grosvenor St.)
Grosvenor Gdns. *M'brgh*
—2D **105**
Grosvenor Pl. *Guis* —2D **139**
Grosvenor Rd. *Bill* —5B **38**
Grosvenor Rd. *M'brgh* —2C **100**
Grosvenor Rd. *Sto T* —1C **96**
Grosvenor Sq. *Guis* —2D **139**
Grosvenor St. *H'pl* —3A **14**
(in two parts)
Grosvenor Ter. *C How* —3F **91**
Grove Bank. *K'ton* —4C **160**
Grove Clo. *H'pl* —4F **13**
Grove Hill. —5A 78
Grove Hill. *Skin* —2A **92**
Grove Rd. *M'brgh* —4B **78**
Grove Rd. *Red* —4D **49**
Grove Rd. *Skin* —2A **92**
Groves St. *H'pl* —1F **15**
Groves, The. *Sto T* —2F **97**
Grove St. *Sto T* —2F **97**
(in two parts)
Grove Ter. *Sto T* —2B **74**
Grove, The. *G'ham* —3E **31**
Grove, The. *Guis* —4B **138**
Grove, The. *H'pl* —3F **13**
Grove, The. *Mar C* —5D **103**
Grove, The. *M'brgh* —3D **131**
Grove, The. *Yarm* —5C **148**
Grundales Dri. *Mar S* —4C **66**
Guernsey Wlk. *Guis* —3D **139**
Guildford Ct. *M'brgh* —4D **105**
Guildford Rd. *Bill* —4C **38**
Guildford Rd. *M'brgh* —4C **104**
Guillemot Clo. *H'pl* —5D **7**
Guisborough. —1E 139
Guisborough By-Pass. *Guis*
—1C **138**
Guisborough Ct. *M'brgh* —1F **105**
Guisborough Forest &
Walkway Vis. Cen. —3F **137**
Guisborough Ho. *M'brgh*
—2B **102**
Guisborough La. *Skel C* —1F **111**
Guisborough Mus. —1E **139**

Guisborough Priory. —1F **139**
(Remains of)
Guisborough Rd. *Gt Ay* —2C **166**
Guisborough Rd. *M'hlm* —3A **142**
Guisborough Rd. *Nun* —5A **134**
Guisborough Rd. *Salt S* —5B **68**
Guisborough Rd. *Thor* —4D **99**
Guisborough St. *M'brgh* —2F **105**
Guiseley Way. *Eagle* —3B **126**
Gulliver Rd. *H'pl* —2D **19**
Gun Gutter. *Stait* —1C **120**
Gunnergate Clo. *Salt S* —4A **68**
Gunnergate La. *Cou N* —4C **132**
Gunnerside Rd. *Sto T* —5A **72**
Gunners Va. *Wyn* —4A **26**
Gurney Ho. *M'brgh* —3F **77**
Gurney St. *M'brgh* —3F **77**
Gurney St. *New M* —1A **86**
Guthrie Av. *M'brgh* —3A **100**
Guthrie Wlk. *H'pl* —4D **19**
Gwynn Clo. *Sto T* —4A **72**
Gypsy La. *Mar C & Nun* —3E **133**

Hackforth Rd. *Sto T* —3B **96**
Hackness Wlk. *M'brgh* —4E **101**
Hackworth Ct. *Sto T* —4A **74**
Hadasia Gdns. *Sto T* —5C **72**
Haddon Rd. *Bill* —5C **38**
Haddon St. *M'brgh* —5F **77**
Hadleigh Clo. *S'fld* —5C **22**
Hadleigh Cres. *M'brgh* —2A **102**
Hadlow Wlk. *M'brgh* —1D **103**
Hadnall Clo. *M'brgh* —5A **100**
Hadston Clo. *Red* —3D **65**
Haffron Av. *Sto T* —4B **74**
Hagg Farm Roundabout. *Skel C*
—2E **89**
Hailsham Av. *Tees* —5D **129**
Haldane Gro. *H'pl* —4E **19**
Hale Rd. *Bill* —4E **39**
Halidon Way. *Bill* —4F **39**
Halifax Clo. *Mar S* —4B **66**
Halifax Rd. *Thor* —2D **129**
Hall Clo. *Carl* —5C **50**
Hall Clo. *Mar S* —4C **66**
Hall Clo., The. *Orm* —4A **104**
Hallcroft Clo. *Bill* —4D **55**
Hall Dri. *M'brgh* —5C **100**
Hallgarth. *Gt Br* —5F **169**
Hallgarth Clo. *M'brgh* —2C **130**
Hallgate Clo. *Sto T* —3A **96**
Hall Grounds. *Loft* —5C **92**
Hallifield St. *Sto T* —2B **74**
Hall Lea. *S'fld* —3C **22**
Hall Moor Clo. *K'ton* —4D **161**
Halton Clo. *Bill* —2E **39**
Halton Ct. *Bill* —2E **39**
Halton Ct. *M'brgh* —5A **80**
Halyard Way. *M'brgh* —2B **78**
Hambledon Cres. *Skel C* —3C **88**
Hambledon Rd. *M'brgh* —2B **100**
Hambleton Av. *Red* —2A **64**
Hambleton Cres. *Mar S* —5E **67**
Hambleton Ga. *Stok* —2C **168**
Hambletonian Yd. Sto T —1A 98
(off West Row)
Hambleton Rd. *Nun* —3B **134**
Hambleton Sq. *Bill* —1C **54**

Hamilton Ct. *Thor T* —2E **51**
Hamilton Gro. *M'brgh* —5B **80**
Hamilton Gro. *Red* —4A **48**
Hamilton Rd. *H'pl* —4E **19**
Hamilton Rd. *Sto T* —3F **73**
Hammond Clo. *Mar C* —3C **132**
Hampden St. *S Bnk* —3A **80**
Hampden Way. *Thor* —2D **129**
Hampshire Grn. *Sto T* —2C **74**
Hampstead Gdns. *H'pl* —3E **13**
Hampstead Gro. *M'brgh* —4C **104**
Hampstead Rd. *M'brgh* —4C **104**
Hampstead, The. *Red* —2E **65**
Hampton Clo. *Nun* —3A **134**
Hampton Gro. *Red* —5E **49**
Hampton Rd. *Sto T* —2E **97**
Hamsterley Rd. *Sto T* —2C **72**
Hamsterley Way. *Skel C* —3C **88**
Hanbury Clo. *Ing B* —5B **128**
Handale Clo. *Guis* —2A **140**
Handale Ho. Rd. *E'tn* —5F **117**
Handley Clo. *Pres I* —1F **127**
Hankin Rd. *M'brgh* —4B **78**
Hanover Ct. *Nort* —5F **53**
Hanover Gdns. *M'brgh* —2C **100**
Hanover Ho. *Salt S* —3C **68**
Hanover Pde. *Sto T* —5F **53**
Hanover Point. *Sto T* —5F **53**
Hanson Ct. *Red* —4C **48**
Hanson Gro. *M'brgh* —5F **79**
Hanson St. *Red* —4C **48**
Harbottle Clo. *Ing B* —2A **150**
Harbourne Gdns. *M'brgh*
—2D **131**
Harbour Wlk. *H'pl* —2C **14**
Harcourt Rd. *M'brgh* —3F **79**
Harcourt St. *H'pl* —3F **13**
Hardale Gro. *Red* —1A **64**
Harding Row. *Sto T* —1B **74**
Hardknott Gro. *Red* —5B **48**
Hardwick. —5B 52
Hardwick Av. *M'brgh* —4C **100**
Hardwick Ct. *H'pl* —5C **12**
Hardwick Hall Country Pk.
—3A **22**
Hardwick Rd. *Bill* —5F **39**
Hardwick Rd. *S'fld* —3C **22**
Hardwick Rd. *S Bnk* —2A **80**
Hardwick Rd. *Sto T* —1C **72**
Hardy Gro. *Bill* —3D **39**
Harebell Clo. *Ing B* —4B **128**
Harebell Clo. *Skel C* —5E **89**
Harehills Rd. *M'brgh* —2B **100**
Haresfield Way. *Ing B* —5B **128**
Hareshaw Clo. *Ing B* —2A **150**
Harestones. *Wyn* —4B **26**
Harewood Cres. *Sto T* —3B **72**
Harewood Ho. *M'brgh* —2B **102**
Harewood Rd. *Thor* —2D **99**
Harewood St. *M'brgh* —5E **77**
Harewood Way. *Red* —2E **65**
Harford St. *M'brgh* —5D **77**
Harker Clo. *Yarm* —5B **148**
Harland Pl. *Sto T* —5B **54**
Harlech Clo. *M'brgh* —5E **81**
Harlech Ct. *Ing B* —1F **149**
Harlech Gro. *New M* —2A **86**
Harlech Wlk. *H'pl* —1E **13**
Harlow Cres. *Thor* —5E **99**

Harlsey Cres.—Hemel Clo.

Harlsey Cres. *Sto T* —3C **96**
Harlsey Gro. *Sto T* —3C **96**
Harlsey Rd. *Sto T* —3C **96**
Harpenden Wlk. *M'brgh*
—1D **103**
Harper Pde. *Sto T* —3D **97**
Harper Ter. *Sto T* —3D **97**
Harrier Clo. *H'pl* —1D **13**
Harriet Ho. *Thor* —1B **98**
(off Sorbonne Clo.)
Harris Gro. *H'pl* —4E **19**
Harrison Pl. *H'pl* —4F **7**
Harrison St. *M'brgh* —4C **78**
(in two parts)
Harris St. *M'brgh* —3E **77**
Harris Wlk. Guis —3D **139**
(off Hutton La.)
Harrogate Cres. *M'brgh* —2E **101**
Harrowgate La. *Sto T* —3A **72**
Harrow Rd. *M'brgh* —3C **100**
Harrow Rd. *Sto T* —1E **97**
Harrow St. *H'pl* —1A **20**
Harsley Wlk. *M'brgh* —1D **103**
Hart. —4F 5
Hart Av. *H'pl* —2E **13**
Hartburn. —2D 97
Hartburn Av. *Sto T* —1D **97**
Hartburn Ct. *M'brgh* —1C **130**
Hartburn La. *Sto T* —2E **97**
Hartburn Village. *Sto T* —3D **97**
Hart Church. —3A **6**
Hart Clo. *Sto T* —2D **73**
Harter Clo. *Nun* —4A **134**
Hartforth Av. *M'brgh* —2C **130**
Hartington Clo. *Thor* —3C **98**
Hartington Rd. *M'brgh* —3E **77**
Hartington Rd. *Sto T* —1A **98**
Hartington St. *Loft* —4A **92**
Hartland Gro. *M'brgh* —3E **103**
Hart La. *Hart & H'pl* —4A **6**
Hart La. Cotts. *H'pl* —2F **13**
Hartlepool. —4B 14
Hartlepool Clo. *Sto T* —2C **72**
Hartlepool Crematorium. *H'pl*
—3A **20**
Hartlepool Historic Quay.
—2C **14**
Hartlepool Ind. Est. *H'pl* —5A **8**
Hartlepool Power Station
Vis. Cen. —4F **33**
Hartlepool Rd. *S'fld & Wyn*
—1C **24**
Hartlepool St Hilda's Parish
Church. —1F **15**
Hartlepool United F.C. —3B **14**
(Victoria Park)
Hartley Clo. *H'pl* —3A **14**
Hartley St. *H'pl* —3A **14**
Hartoft Ct. *Red* —2B **64**
Harton Av. *Bill* —5A **38**
Hart Pastures. *Hart* —4A **6**
Hart Rd. *H'pl* —3D **7**
Hartsbourne Cres. *New M*
—2F **85**
Hartside Gdns. *H'pl* —2D **13**
Hartside Gro. *Sto T* —2E **73**
Hart Station. —2D 7
Hartville Rd. *H'pl* —1C **6**
Hartwith Dri. *Sto T* —5B **52**

Harvard Av. *Thor* —1C **98**
Harvester Clo. *Sea C* —2D **21**
Harvester Ct. *Mar C* —1B **132**
Harvey Ct. *Dorm* —1F **63**
Harvey Wlk. *H'pl* —2D **19**
Harwal Rd. *Red* —4A **48**
Harwell Clo. *M'brgh* —3A **102**
Harwell Dri. *Sto T* —3A **72**
Harwich Clo. *Red* —2F **65**
Harwich Gro. *H'pl* —4B **20**
Harwood Ct. *Riv I* —1D **77**
Harwood St. *H'pl* —1A **14**
Hasguard Way. *Ing B* —2E **149**
Hasledon Grn. *S'fld* —5C **22**
Hastings Clo. *Nun* —3A **134**
Hastings Clo. *Thor* —3C **128**
Hastings Ho. *M'brgh* —3E **103**
Hastings Pl. *H'pl* —4F **7**
Hastings Way. *Bill* —4A **40**
Haswell Av. *H'pl* —2B **20**
Haswell Ct. *Sto T* —3B **74**
Hatfield Av. *M'brgh* —4C **100**
Hatfield Clo. *Eagle* —5A **126**
Hatfield Rd. *Bill* —5F **39**
Hatherley Ct. *M'brgh* —5E **79**
Hatterall Ct. *Ing B* —2F **149**
Hauxley Clo. *Red* —2F **65**
Hauxwell's Yd. *Yarm* —3B **148**
Havelock St. *H'pl* —4D **15**
Havelock St. *Thor* —3C **98**
Haven Grn. *H'pl* —4D **9**
Haven Wlk. *H'pl* —4D **9**
Haverthwaite. *M'brgh* —2B **130**
Haverton Hill. —3D 57
Haverton Hill Ind. Est. *Bill* —4D **57**
Haverton Hill Rd. *Sto T & Bill*
—3F **75**
Havilland Rd. *Thor* —2D **129**
Haweswater Rd. *Red* —5B **48**
Hawford Clo. *Ing B* —5C **128**
Hawkesbury Clo. *Sto T* —2C **96**
Hawkhead Rd. *Red* —5C **48**
Hawkins Clo. *Mar S* —5E **67**
Hawkridge Clo. *H'pl* —2A **14**
Hawkridge Clo. *Ing B* —3B **150**
Hawkridge St. *H'pl* —3A **14**
Hawk Rd. *M'brgh* —4D **79**
Hawkstone. *Mar C* —1E **155**
Hawkstone Clo. *Bill* —5A **38**
Hawkstone Clo. *Guis* —3E **139**
Hawnby Clo. *Sto T* —5A **72**
Hawnby Ct. *Red* —2B **64**
Hawnby Rd. *M'brgh* —3E **101**
Hawthorn Av. *Bill* —3D **55**
Hawthorn Av. *Thor* —5C **98**
Hawthorn Cres. *Mar C* —2E **133**
Hawthorn Dri. *Brot* —2A **90**
Hawthorn Dri. *Guis* —3B **138**
Hawthorne Av. *M'brgh* —2F **101**
Hawthorne Gro. *Yarm* —4D **149**
Hawthorne Rd. *Sto T* —3F **73**
Hawthorn Pl. *Egg* —2C **148**
Hawthorn Rd. *Red* —5E **49**
Hawthorn Rd. *S'fld* —3D **23**
Hawthorns, The. *Gt Ay* —1D **167**
Hawthorn Wlk. *H'pl* —1A **14**
Haxby Clo. *M'brgh* —5E **101**
Haxby Ct. *Guis* —5E **109**
Haxby Wlk. *H'pl* —5C **8**

Hayburn Clo. *Ing B* —1C **150**
Hayburn Clo. *Red* —2E **65**
Haydock Pk. Rd. *Sto T* —2F **99**
Haydon Grn. *Bill* —2D **39**
Hayling Gro. *Red* —3E **65**
Hayling Way. *Sto T* —1F **95**
Haymore St. *M'brgh* —1E **101**
Hayston Rd. *H'pl* —2C **12**
Hazelbank. *Cou N* —3B **132**
Hazel Ct. *M'brgh* —3F **77**
Hazel Ct. *Sto T* —1B **74**
Hazeldene Av. *Sto T* —3E **97**
Hazel Gdns. *Brot* —2A **90**
Hazel Grn. *Red* —4E **49**
Hazel Gro. *H'pl* —1A **14**
Hazel Gro. *Mar C* —3F **133**
Hazel Gro. *Thor* —4C **98**
Hazelmere Clo. *Bill* —4A **38**
Hazel Rd. *Sto T* —3F **73**
Hazel Slade. *Eagle* —5C **126**
Hazel Wlk. *Loft* —5C **92**
Hazelwood Ct. *M'brgh* —2E **131**
Hazelwood Ri. *H'pl* —5F **9**
Hazlehen Clo. *H'pl* —5D **7**
Headingley Ct. *Sea C* —5E **21**
Headlam Ct. *Sto T* —3B **74**
Headlam Rd. *Bill* —4F **39**
Headlam Rd. *Sto T* —3B **74**
Headlam Ter. *Eagle* —2B **148**
Headland Promenade. *H'pl*
—4D **9**
Headlands, The. *Mar S* —3D **67**
Head St. *M'brgh* —3E **77**
Healaugh Pk. *Yarm* —5D **149**
Heather Clo. *Sto T* —1E **73**
Heather Dri. *M'brgh* —5C **100**
Heatherfields Rd. *M'brgh*
—3E **105**
Heather Gro. *H'pl* —5F **7**
Heather Gro. *Skel C* —5E **89**
Heathfield Clo. *Eagle* —5B **126**
Heathfield Dri. *H'pl* —1A **20**
Heath Rd. *M'brgh* —3B **78**
Heathrow. *Thor* —5E **99**
Heathrow Clo. *M Geo* —1A **144**
Heath, The. *Nort* —2A **74**
Heaton Rd. *Bill* —2D **39**
Hebburn Rd. *Sto T* —2C **72**
Hebron Rd. *M'brgh* —2F **101**
Hebron Rd. *Stok* —1A **168**
Heddon Gro. *Ing B* —3A **150**
Hedingham Clo. *M'brgh* —2A **102**
Hedley Clo. *Yarm* —1B **160**
Hedley Ct. *Yarm* —2B **148**
Hedleyhope Wlk. *Sto T* —2C **72**
Hedley St. *Guis* —1E **139**
Heighington Clo. *Sto T* —2C **72**
Helen Ho. *Thor* —1B **98**
Hellhole La. *Thor* —1D **51**
Helmington Grn. *Sto T* —2C **72**
Helmsley Clo. *M'brgh* —4E **101**
Helmsley Dri. *Guis* —1D **139**
Helmsley Gro. *Sto T* —4C **72**
Helmsley Lawn. Red —1E **65**
(off Carisbrooke Way)
Helmsley Rd. *Stok* —1C **168**
Helmsley St. *H'pl* —1A **14**
Helston Ct. *Thor* —5E **99**
Hemel Clo. *Thor* —4E **99**

Hollinside Clo. *Sto T* —2D **73**
Hollinside Rd. *Bill* —4F **39**
Hollins La. *M'brgh* —2C **100**
Hollis Ct. *Cou N* —4B **132**
Hollowfield. *Cou N* —3A **132**
(in two parts)
Hollowfield Sq. *Cou N* —4A **132**
Hollybush Av. *Ing B* —4C **128**
Hollybush Est. *Skel C* —3D **89**
Hollygarth. *Gt Ay* —2C **166**
Hollygarth Clo. *Gt Ay* —2C **166**
Hollyhurst Av. *M'brgh* —3F **101**
Holly La. *S'tn* —5C **130**
Hollymead Dri. *Guis* —1E **139**
Hollymount. *Bill* —4D **55**
Hollymount. *H'pl* —3E **13**
Hollystone Ct. *Bill* —3E **39**
Holly St. *M'brgh* —4F **77**
Holly St. *Sto T* —1B **74**
Holly Ter. *M'brgh* —4E **57**
Hollywalk Av. *M'brgh* —3C **104**
Hollywalk Clo. *Norm* —3C **104**
Hollywalk Dri. *M'brgh* —2D **105**
Holmbeck. *Skel C* —4E **89**
Holme Ct. *M'brgh* —4F **103**
Holmefields Rd. *M'brgh* —3E **105**
Holme Ho. Rd. *Sto T* —3E **75**
Holmes Clo. *Thor* —5B **98**
Holmeside Gro. *Bill* —3F **39**
Holmes Nature Reserve, The.
                              —1A **128**
Holmside Wlk. *Sto T* —2C **72**
Holms La. *Carl* —3C **50**
Holmwood Av. *M'brgh* —3F **101**
Holnest Av. *M'brgh* —2D **103**
Holnicote Clo. *Ing B* —3B **150**
Holtby Wlk. *M'brgh* —1D **103**
(Fransham Rd.)
Holtby Wlk. *M'brgh* —4D **103**
(Hillingdon Rd.)
Holt St. *H'pl* —5B **14**
Holt, The. *Cou N* —3F **131**
Holwick Rd. *M'brgh* —2C **76**
Holyhead Dri. *Red* —3E **65**
Holyrood Clo. *Thor* —3D **99**
Holy Rood Ct. *M'brgh* —1A **102**
Holyrood Cres. *Hart* —4F **5**
Holyrood La. *M'brgh* —1A **102**
Holyrood Wlk. *H'pl* —4E **13**
Holystone Dri. *Ing B* —2A **150**
Holywell Grn. *Eagle* —5C **126**
Homebryth Ho. *S'fld* —3D **23**
Homerell Clo. *Red* —2E **65**
Homer Gro. *H'pl* —2E **19**
Homerton Rd. *M'brgh* —1D **103**
Homestall. *S'fld* —1C **22**
Honddu Ct. *Ing B* —2F **149**
Honey Bee Clo. *Sto T* —2F **73**
Honeycombe Av. *Sto T* —2F **73**
Honey Pot Gro. *Sto T* —2F **73**
Honeysuckle Ct. *Nort* —1A **74**
Honey Way. *Sto T* —2F **73**
Hong Kong Rd. *Eagle* —4F **125**
Honister Clo. *Sto T* —4F **73**
Honister Gro. *M'brgh* —5B **100**
Honister Rd. *Red* —5B **48**
Honister Wlk. *Egg* —1C **148**
Honiton Way. *H'pl* —5F **19**
Hood Clo. *H'pl* —2E **7**

Hood Dri. *S Bnk* —3B **80**
Hoope Clo. *Yarm* —1B **160**
Hope St. *Bill* —3D **57**
Hope St. *H'pl* —3C **14**
Hope St. *Sto T* —2F **97**
Hopkins Av. *M'brgh* —5E **79**
Hopps St. *H'pl* —2A **14**
Horden Rd. *Bill* —5F **39**
Hornbeam Clo. *Orm* —4B **104**
Hornbeam Wlk. *Sto T* —1E **73**
Hornby Av. *S'fld* —5C **22**
Hornby Clo. *H'pl* —2E **21**
Hornby Clo. *M'brgh* —3E **77**
Hornleigh Gro. *Red* —4A **48**
Hornsea Clo. *Bill* —2F **39**
Hornsea Gro. *Red* —4A **48**
Hornsea Rd. *Hem* —5C **130**
Horseclose La. *Carl* —5E **51**
Horsefield St. *M'brgh* —3A **78**
Horse Shoe Pond. *Wyn* —4B **26**
Horsley Pl. *H'pl* —4F **7**
Horsley Way. *Bill* —2E **39**
Hoskins Way. *M'brgh* —1E **103**
Hospital Clo. *G'ham* —3E **31**
Hospital Cotts. *G'ham* —3E **31**
Hough Cres. *Thor* —5C **98**
Houghton Grn. *Sto T* —2C **72**
Houghton St. *H'pl* —5B **14**
Hoveton Clo. *Sto T* —3C **72**
Hovingham Dri. *Guis* —5E **109**
Hovingham St. *M'brgh* —4C **78**
Howard Ct. *M'brgh* —2A **102**
Howard Dri. *Mar S* —5E **67**
Howard Pl. *Sto T* —3B **74**
Howard St. *H'pl* —4D **9**
Howard St. *M'brgh* —4D **77**
Howard Wlk. *Bill* —5D **55**
Howbeck La. *H'pl* —5A **8**
Howcroft Av. *Red* —2E **63**
Howden Dike. *Yarm* —5D **149**
Howden Rd. *H'pl* —2E **7**
Howden Wlk. *Sto T* —5A **74**
Howe Hill Bank. *Newby*
                    —5C **154** & 1A **164**
Howe St. *M'brgh* —5E **77**
Howgill Wlk. *M'brgh* —1C **102**
Howlbeck Bungalows. Guis
(off Howlbeck Rd.) —1D **139**
Howlbeck Rd. *Guis* —1D **139**
Hoylake Clo. *New M* —2A **86**
Hoylake Rd. *M'brgh* —4F **101**
Hoylake Way. *Eagle* —1C **148**
Hubbard Wlk. *M'brgh* —3A **78**
Huckelhoven Ct. *H'pl* —4C **14**
Huckelhoven Way. *H'pl* —4C **14**
Hudson Ho. *Thor* —1D **129**
Hudson St. *M'brgh* —1F **77**
Hudswell Gro. *Sto T* —3C **96**
Hugill Clo. *Yarm* —5D **149**
Hulam Clo. *Sto T* —2D **73**
Hulton Clo. *Mar C* —3F **133**
Humber Gro. *Loft* —5D **93**
Humber Gro. *Bill* —4A **38**
Humber Rd. *Thor* —5D **99**
Humbledon Rd. *Sto T* —2D **73**
Hume Ho. *Sto T* —4A **74**
Hume St. *Sto T* —4A **74**
(in two parts)
Humewood Gro. *Sto T* —4B **54**

Hummersea Clo. *Brot* —2B **90**
Hummersea La. *Loft* —5C **92**
Hummershill La. *Mar S* —4D **67**
Hundale Cres. *Red* —3D **65**
Hunley Av. *Brot* —1B **90**
Hunley Clo. *Brot* —1B **90**
Hunstanton Gro. *New M* —2F **85**
Huntcliffe Av. *Red* —5A **48**
Huntcliffe Dri. *Brot* —1A **90**
Hunter Ho. Ind. Est. *H'pl* —1D **33**
Huntersgate. *M'brgh* —1A **106**
Hunter's Hill. —4E 139
Hunter St. *H'pl* —3A **14**
Huntingdon Grn. *Sto T* —1C **74**
Huntley Clo. *M'brgh* —4E **103**
Huntley Rd. *H'pl* —4E **19**
Huntsman Dri. *M'brgh* —3B **58**
Hunwick Clo. *M'brgh* —1B **130**
Hunwick Wlk. *Sto T* —2C **72**
Hurn Wlk. *Thor* —1E **129**
Huron Clo. *M'brgh* —1A **102**
Hurricane Ct. *Pres I* —5F **97**
Hurst Pk. *Red* —2D **65**
Hurworth Clo. *Sto T* —5A **72**
Hurworth Rd. *Bill* —2A **40**
Hurworth Rd. *M'brgh* —3A **102**
Hurworth St. *H'pl* —2A **14**
Hury Rd. *Sto T* —5A **54**
Hustler Rd. *M'brgh* —3C **130**
Hutchinson St. *Brot* —2B **90**
Hutchinson St. *Sto T* —5A **74**
Hutone Pl. *H'pl* —2E **7**
Hutton Av. *H'pl* —3F **13**
Hutton Clo. *Thor* —4C **98**
Hutton Ct. *H'pl* —3A **14**
Hutton Gate. —4B 138
Hutton Gro. *Red* —2E **63**
Hutton Gro. *Sto T* —2D **97**
Hutton La. *Guis* —4B **138**
Hutton Rd. *Est* —5A **82**
Hutton Rd. *M'brgh* —5B **78**
Hutton St. *H'pl* —4C **8**
Hutton St. *Skin* —2A **92**
Hutton Village. —5C 138
Hutton Village Rd. *Guis* —4B **138**
Huxley Wlk. *H'pl* —1E **19**
Hylton Gro. *Sto T* —2A **74**
Hylton Rd. *Bill* —5F **39**
Hylton Rd. *H'pl* —5C **12**
Hythe Clo. *Red* —3F **65**

Ian Gro. *H'pl* —5E **19**
Ian St. *Thor* —3D **99**
Ibbertson St. *H'pl* —5F **9**
Iber Gro. *H'pl* —5E **19**
Ibrox Gro. *H'pl* —5F **19**
Ibstone Wlk. *Sto T* —5C **52**
Ickworth Ct. *Ing B* —1B **150**
Ida Rd. *M'brgh* —5B **78**
Ida St. *Sto T* —2A **74**
Ilam Ct. *Ing B* —1B **150**
Ilford Rd. *Sto T* —5C **52**
Ilford Way. *M'brgh* —3D **103**
Ilkeston Wlk. *Sto T* —5C **52**
Ilkley Gro. *Guis* —4D **139**
Ilkley Gro. *H'pl* —4B **20**
Ilston Grn. *M'brgh* —3D **103**
Imeson St. *M'brgh* —2F **105**

Kerr Gro. *H'pl* —4D **19**
Kerridge Clo. *Mar S* —4C **66**
Kesteven Rd. *H'pl* —5D **19**
Kesteven Rd. *M'brgh* —1B **132**
Kestrel Av. *M'brgh* —4D **79**
Kestrel Clo. *H'pl* —5C **6**
Kestrel Clo. *Sto T* —3A **54**
Kestrel Hide. *Guis* —2B **138**
Keswick Gro. *M'brgh* —5C **100**
Keswick Rd. *Bill* —4D **55**
Keswick Rd. *M'brgh* —1C **104**
Keswick Rd. *Red* —1C **64**
Keswick St. *H'pl* —5A **14**
Kettleness Av. *Red* —5A **48**
Kettlewell Clo. *Bill* —4D **39**
Ketton Rd. *Sto T* —1C **72**
Ketton Row. *M'brgh* —3D **77**
Keverstone Clo. *Sto T* —1D **73**
Keverstone Gro. *Bill* —2F **39**
Kew Gdns. *Sto T* —4E **53**
Kew Ri. *M'brgh* —4C **104**
Keynsham Av. *M'brgh* —3E **103**
Kielder Clo. *Bill* —5A **38**
Kielder Rd. *H'pl* —3C **12**
Kilbride Clo. *Thor* —4E **99**
Kilbridge Clo. *New M* —2A **86**
Kilburn Rd. *M'brgh* —3A **102**
Kilburn Rd. *Sto T* —2D **97**
Kildale Gro. *Sea C* —5D **21**
Kildale Gro. *Sto T* —1A **96**
Kildale Rd. *Bill* —2D **55**
Kildale Rd. *M'brgh* —1A **102**
Kildare Gro. *Red* —1A **64**
Kildare Ho. *M'brgh* —2B **102**
Kildare St. *M'brgh* —5C **76**
Kildwick Gro. *M'brgh* —3E **103**
Kilkenny Rd. *Guis* —3E **139**
Killerby Clo. *Sto T* —1D **73**
Killinghall Gro. *Sto T* —1A **96**
Killinghall Row. *M Geo* —1A **144**
Kilmarnock Rd. *H'pl* —5D **19**
Kilmory Wlk. *H'pl* —4D **19**
Kilnwick Clo. *Bill* —2F **39**
Kilsyth Gro. *H'pl* —4D **19**
Kilton. —5E **91**
Kilton Clo. *Red* —1E **65**
Kilton Clo. *Sto T* —1D **73**
Kilton Ct. *M'brgh* —2F **101**
Kilton Dri. *Brot* —2C **90**
Kilton La. *Brot & C How* —2C **90**
Kilton La. *Ling & Liver* —4F **113**
Kilton La. Roundabout. *Brot*
—3C **90**
Kilton Thorpe. —1C **114**
Kilton Thorpe La. *Brot* —1C **114**
Kilwick St. *H'pl* —5B **14**
Kimberley Dri. *M'brgh* —1D **103**
Kimberley St. *H'pl* —5A **14**
Kimble Dri. *Thor* —2C **128**
Kimblesworth Wlk. *Sto T* —1D **73**
Kimmerton Av. *M'brgh* —1C **130**
Kinbrace Rd. *H'pl* —4D **19**
Kindersley St. *M'brgh* —4C **78**
Kinderton Gro. *Sto T* —5E **53**
Kingcraft Rd. *Mar C* —1B **132**
King Edward's Rd. *M'brgh*
—4E **77**
King Edward's Sq. *M'brgh*
—4E **77**

King Edward Ter. *Mar S* —4D **67**
Kingfisher Dri. *Guis* —2A **138**
Kingfisher Ho. *H'pl* —3D **15**
King Georges Ter. *M'brgh* —1F **79**
King Oswy Dri. *H'pl* —2D **7**
Kings Ct. *Sto T* —5B **54**
Kingsdale Clo. *Yarm* —1B **160**
Kingsdown Way. *New M* —2A **86**
Kings Ho. *M'brgh* —3F **77**
Kingsley Av. *H'pl* —2F **19**
Kingsley Clo. *G'twn* —4E **81**
Kingsley Rd. *M'brgh* —4E **81**
Kingsley Rd. *Sto T* —1C **96**
King's M. E. *M'brgh* —4B **78**
King's M. W. *M'brgh* —4B **78**
Kingsport Clo. *Sto T* —4D **75**
Kings Rd. *Bill* —5C **38**
Kings Rd. *M'brgh* —1C **100**
King's Rd. *N Orm* —4B **78**
Kingston Av. *M'brgh* —3D **101**
Kingston Rd. *Sto T* —3B **74**
Kingston St. *M'brgh* —4E **77**
King St. *H'pl* —1C **20**
King St. *M'brgh* —2A **80**
King St. *Red* —3D **49**
King St. *Sto T* —5B **74**
King St. *Thor* —3C **98**
Kingsway. *Bill* —1D **55**
Kingsway Av. *M'brgh* —4B **80**
Kininvie Clo. *Red* —4C **64**
Kininvie Wlk. *Sto T* —1D **73**
Kinkerdale Rd. *M'brgh* —2E **61**
Kinloch Rd. *M'brgh* —1C **104**
Kinloss Clo. *Thor* —1E **129**
Kinloss Wlk. *Thor* —1E **129**
Kinmel Clo. *Red* —3E **65**
Kinross Av. *M'brgh* —3E **103**
Kinross Gro. *H'pl* —4D **19**
Kinterbury Clo. *H'pl* —2D **21**
Kintra Rd. *H'pl* —4D **19**
Kintyre Dri. *Thor* —2C **128**
Kintyre Wlk. *Guis* —4C **138**
(off Hutton La.)
Kinver Clo. *M'brgh* —2C **102**
Kipling Gro. *Sto T* —1B **96**
Kipling Rd. *H'pl* —1E **19**
Kirby Av. *M'brgh* —2B **100**
Kirby Clo. *Bill* —5F **39**
Kirby Clo. *M'brgh* —5A **82**
Kirby Wlk. *Red* —2C **64**
Kirkbright Clo. *Ling* —4E **113**
Kirkby La. *Gt Br* —5F **169**
Kirkby La. *Sto T* —5D **169**
Kirkdale. *Guis* —3A **138**
Kirkdale. *Thor* —1C **98**
Kirkdale Clo. *Sto T* —4E **73**
Kirkdale Way. *M'brgh* —5E **101**
Kirkfell Clo. *Eagle* —4B **126**
Kirkgate Rd. *M'brgh* —3C **100**
Kirkham Rd. *Nun* —3B **134**
Kirkham Row. *M'brgh* —4B **102**
Kirklands, The. *Mar S* —3D **67**
Kirkland Way. *M'brgh* —3D **103**
Kirkleatham. —5A **64**
Kirkleatham Av. *Mar S* —3D **67**
Kirkleatham Bus. Pk. *Kirk B*
—4A **64**
Kirkleatham By-Pass. *Red*
—1A **84**

Kirkleatham La. *Red* —4A **48**
Kirkleatham St Cuthberts
Church. —5A **64**
Kirkleatham St. *Red* —4A **48**
Kirkleavington Hall Dri. *Yarm*
—2D **161**
Kirklevington. —4D 161
Kirklevington Wlk. *Sto T* —1C **72**
Kirknewton Clo. *Sto T* —1D **73**
Kirknewton Gro. *Ing B* —2A **150**
Kirknewton Rd. *M'brgh* —2C **104**
Kirk Rd. *Yarm* —5E **149**
Kirkstall Av. *M'brgh* —3E **103**
Kirkstall Ct. *Skel* —4D **89**
Kirkstone Ct. *H'pl* —5A **8**
Kirkstone Gro. *H'pl* —5F **7**
Kirkstone Gro. *Red* —1C **64**
Kirkstone Rd. *M'brgh* —2C **102**
Kirk St. *Stil* —2A **50**
Kirkwall Clo. *Sto T* —4F **71**
Kirkwood Dri. *Red* —4E **65**
Kirriemuir Rd. *H'pl* —4D **19**
Kitchen Garden, The. *H'pl*
—3E **13**
Kittiwake Clo. *H'pl* —1D **13**
Knaith Clo. *Yarm* —1A **160**
Knapton Av. *Bill* —5A **38**
Knaresborough Av. *Mar C*
—4D **133**
Knaresborough Clo. *H'pl* —3D **7**
Knayton Gro. *Sto T* —1A **96**
Knighton Ct. *Thor* —5E **99**
Knightsbridge Gdns. *H'pl* —3E **13**
Knightsport Rd. *Sto T* —4C **74**
Knitsley Rd. *Sto T* —1C **72**
Knole Rd. *Bill* —5E **39**
Knowles Clo. *K'ton* —4C **160**
Knowles St. *Sto T* —5B **74**
Kreuger All. *M'brgh* —4B **78**
Kyle Av. *H'pl* —1A **20**

Laburnum Av. *Thor* —5C **98**
Laburnum Ct. *Sto T* —1F **97**
Laburnum Gro. *M'brgh* —5F **57**
Laburnum Rd. *Brot* —2A **90**
Laburnum Rd. *Eagle* —2C **126**
Laburnum Rd. *M'brgh* —5C **80**
Laburnum Rd. *Orm* —5B **104**
Laburnum Rd. *Red* —4E **49**
Laburnum St. *H'pl* —3A **14**
Lacey Gro. *H'pl* —2F **13**
Lackenby La. *M'brgh* —4F **81**
Lackenby Rd. *Laz* —4C **82**
Ladgate Grange. *M'brgh*
—2D **103**
Ladgate La. *Hem & M'brgh*
—2E **131**
Ladgate La. *M'brgh* —1C **132**
Ladyfern Way. *Nort* —1F **73**
Lady Hullocks Ct. *Stok* —2B **168**
Ladyport Grn. *Sto T* —4C **74**
Ladysmith St. *H'pl* —1C **20**
Lagonda Ct. *Bill* —5C **40**
Lagonda Rd. *Cow I* —5B **40**
Laindon Av. *M'brgh* —1B **132**
Laing Cvn. Site. *Red* —4F **47**
Laing Clo. *G'twn* —2D **81**
Laing St. *Sto T* —5A **74**

Leven Rd.—Longbeck Way

Leven Rd. *Guis* —3D **139**
Leven Rd. *N Orm* —4C **78**
Leven Rd. *Sto T* —5A **54**
Leven Rd. *Stok* —2A **168**
Leven Rd. *Yarm* —4C **148**
Levenside. *Gt Ay* —2C **166**
Levenside. *Stok* —2B **168**
Levenside Pl. *Stok* —2B **168**
Leven St. *Bill* —3D **57**
Leven St. *M'brgh* —4C **76**
Leven St. *Salt S* —4C **68**
Leven St. *S Bnk* —2A **80**
Leven Wynd. *Stok* —2B **168**
Leveret Clo. *Ing B* —4C **128**
Levick Cres. *M'brgh* —4A **100**
Levick Ho. *M'brgh* —3C **100**
Levington Wynd. *Nun* —4A **134**
Levisham Clo. *M'brgh* —5E **101**
Levisham Clo. *Sto T* —2D **97**
Lewes Way. *Bill* —3A **40**
Lewis Gro. *H'pl* —2D **19**
Lewis Rd. *M'brgh* —1D **101**
Lewis Wlk. *Guis* —3D **139**
Lexden Av. *M'brgh* —4A **100**
Lexington Ct. *Sto T* —2B **74**
Leybourne Ter. *Sto T* —1F **97**
Leyburn Gro. *Sto T* —3B **96**
Leyburn St. *H'pl* —5A **14**
Libanus Ct. *Ing B* —1F **149**
Lichfield Av. *Eagle* —5A **126**
Lichfield Av. *Est* —5E **81**
Lichfield Rd. *M'brgh* —2F **101**
Liddel Ct. *H'pl* —4A **8**
Lightfoot Cres. *H'pl* —4E **7**
Lightfoot Gro. *Sto T* —1A **98**
Light Pipe Hall Rd. *Sto T* —1F **97**
(in two parts)
Lilac Av. *S'fld* —3D **23**
Lilac Av. *Thor* —5C **98**
Lilac Clo. *Carl* —4D **51**
Lilac Clo. *M'brgh* —4C **82**
Lilac Clo. *Salt S* —5A **68**
Lilac Cres. *Brot* —2A **90**
Lilac Gro. *M'brgh* —5E **79**
Lilac Gro. *Red* —5E **49**
Lilac Rd. *Eagle* —2C **126**
Lilac Rd. *Norm* —5C **80**
Lilac Rd. *Orm* —5B **104**
Lilac Rd. *Sto T* —3E **73**
Lile Gdns. *S'fld* —4E **23**
Limber Grn. *M'brgh* —3A **104**
Limbrick Av. *Sto T* —5A **72**
Limbrick Ct. *Sto T* —5B **72**
Lime Clo. *Mar C* —2D **133**
Lime Cres. *H'pl* —1A **14**
Lime Cres. *M'brgh* —1C **104**
Lime Gro. *Sto T* —5B **72**
Limeoak Way. *Sto T* —4C **74**
Limerick Rd. *Red* —1D **63**
Lime Rd. *Eagle* —2D **127**
Lime Rd. *Guis* —1D **139**
Lime Rd. *Norm* —5B **80**
Lime Rd. *Red* —4E **49**
(in two parts)
Limes Cres. *Mar S* —5D **67**
Limes Rd. *M'brgh* —2E **101**
Limetree Ct. *M'brgh* —3F **101**
Limetrees Clo. *M'brgh* —4E **57**
Lime Wlk. *Loft* —5B **92**

Limpton Ga. *Yarm* —5C **148**
Linby Av. *M'brgh* —3C **102**
Lincoln Cres. *Bill* —2F **55**
Lincoln Gro. *Sto T* —1C **74**
Lincoln Pl. *Thor* —4C **98**
Lincoln Rd. *Guis* —3D **139**
Lincoln Rd. *H'pl* —5D **19**
Lincoln Rd. *Red* —1F **65**
Lincombe Dri. *M'brgh* —3D **131**
Linden Av. *Gt Ay* —2C **166**
Linden Av. *Sto T* —3E **97**
Linden Clo. *Gt Ay* —1C **166**
Linden Ct. *Gt Ay* —1C **166**
Linden Ct. *Thor* —4C **98**
Linden Cres. *Gt Ay* —2C **166**
Linden Cres. *Mar C* —3C **132**
Linden Gro. *Gt Ay* —2C **166**
Linden Gro. *H'pl* —4F **13**
Linden Gro. *M'brgh* —2D **101**
Linden Gro. *Thor* —4C **98**
Linden Ho. *Brot* —2A **90**
Linden Rd. *Brot* —2A **90**
Linden Rd. *Gt Ay* —2C **166**
Lindisfarne Clo. *H'pl* —3D **7**
Lindisfarne Rd. *M'brgh* —3E **103**
Lindrick. *Mar C* —5E **133**
Lindrick Ct. *M'brgh* —2E **105**
Lindrick Dri. *H'pl* —2C **6**
Lindrick Rd. *New M* —2F **85**
Lindsay Rd. *H'pl* —4C **18**
Lindsay St. *Sto T* —2A **98**
Lindsey Ct. *Brot* —3C **90**
Lingberry Gth. *Loft* —5C **92**
Ling Clo. *Mar C* —1C **132**
Lingdale. —4E 113
Lingdale Clo. *Sto T* —4E **73**
Lingdale Dri. *H'pl* —5D **21**
Lingdale Gro. *Red* —1F **63**
Lingdale Ind. Est. *Ling* —4E **113**
Lingdale Rd. *Ling* —3C **112**
Lingdale Rd. *Thor* —5D **99**
Lingfield Ash. *Cou N* —5B **132**
Lingfield Dri. *Eagle* —5A **126**
Lingfield Rd. *Sto T* —5A **72**
Lingfield Rd. *Yarm* —4E **149**
Lingfield Way. *Cou N* —5C **132**
Lingholme. *Red* —1B **64**
Lingmell Rd. *Red* —2C **64**
Link Cen. *Sto T* —4A **74**
(off Farrer St.)
Links, The. *Salt S* —1B **88**
Links, The. *Sea C* —5E **21**
Link, The. *M'brgh* —3F **103**
Linkway, The. *Bill* —1E **55**
Linley Ct. *Nort* —3A **54**
Linlithgow Clo. *Guis* —4D **139**
Linmoor Av. *M'brgh* —1E **103**
Linnet Ct. *Sto T* —3B **54**
Linnet Rd. *H'pl* —5E **7**
Linshiels Gro. *Ing B* —2A **150**
Linsley Clo. *M'brgh* —3B **78**
Linthorpe. —2D 101
Linthorpe M. *M'brgh* —3E **77**
(in two parts)
Linthorpe Rd. *M'brgh* —5E **77**
(TS1, in three parts)
Linthorpe Rd. *M'brgh* —1E **101**
(TS5)
Linton Av. *Mar C* —3C **132**

Linton Clo. *Sto T* —3A **72**
Linton Rd. *M'brgh* —2B **104**
Linwood Av. *Stok* —5C **164**
Linwood Ct. *Guis* —1E **139**
Lion Bri. Clo. *Wyn* —2E **37**
Lister St. *H'pl* —4A **14**
Lithgo Clo. *H'pl* —2E **21**
Little Ayton. —3E 167
Lit. Ayton La. *Gt Ay* —3E **167**
Littleboy Dri. *Thor* —4E **99**
Little Crake. *Guis* —2B **138**
Little Grebe. *Guis* —2A **138**
Lit. Moorsholm La. *M'hlm*
—4F **113**
Lit. York St. *Sto T* —1A **98**
Littondale. *Hem* —5D **131**
Littondale Ct. *Ing B* —3A **150**
Liverton. —5A 116
Liverton Av. *M'brgh* —5C **76**
Liverton Cres. *Bill* —4B **38**
Liverton Cres. *Thor* —3B **128**
Liverton La. *Liver*
—1F **143** & 5A **116**
Liverton Mill Bank. *M'hlm*
—1D **143**
Liverton Mines. —1A 116
Liverton Rd. *Liver* —2A **116**
(Cleveland St.)
Liverton Rd. *Liver* —5A **92**
(Liverton Ter.)
Liverton Rd. *Loft* —5B **92**
Liverton Ter. *Liver* —5A **92**
Liverton Ter. S. *Liver* —1A **116**
Liverton Whin. *Salt S* —4A **68**
Livingstone Rd. *M'brgh* —4C **78**
Lizard Gro. *H'pl* —4C **14**
Lizard Wlk. *H'pl* —4C **14**
Lloyd St. *M'brgh* —2D **77**
Lobelia Clo. *Orm* —4B **104**
Lobster Rd. *Red* —3B **48**
Loch Gro. *H'pl* —4D **19**
Lockerbie Wlk. *Thor* —2C **128**
Locke Rd. *Red* —4B **48**
Lockheed Clo. *Pres I* —1F **127**
Lockton Clo. *Hem* —5C **130**
Lockton Cres. *Thor* —3B **128**
Lockwood Ct. *M'brgh* —2E **105**
Locomotion Ct. *Eagle* —4B **126**
Lodge Rd. *M'brgh* —1E **105**
Lodge St. *Sto T* —1A **98**
Lodore Gro. *M'brgh* —5B **100**
Loftus. —5B 92
Loftus Bankwest Rd. *C How &*
Loft —3F **91**
Loftus Ho. *M'brgh* —2A **102**
Loftus Rd. *Thor* —4D **99**
Logan Dri. *Sto T* —5C **72**
Logan Gro. *H'pl* —4D **19**
Lomond Av. *Bill* —2E **55**
Londonderry Rd. *Sto T* —4F **73**
(in two parts)
Londonderry St. *H'pl* —1F **15**
Longacre Clo. *Skel C* —2C **88**
Longbank Rd. *Orm* —5B **104**
Longbeck La. *New M* —2C **84**
Longbeck Rd. *Mar S* —5B **66**
Longbeck Trad. Est. *Mar S*
—4B **66**
Longbeck Way. *Thor* —3E **129**

Longcroft Wlk. *M'brgh* —5C **78**
Longfellow Rd. *Bill* —3D **39**
Longfellow Wlk. *H'pl* —3D **19**
Longfield Vw. *M'brgh* —4C **104**
Longford Clo. *Bill* —4E **39**
Longford St. *M'brgh* —5C **76**
Longhill. —2C 20
Longhill Ind. Est. *H'pl* —1C **20**
(in two parts)
Longhurst. *Cou N* —5C **132**
Longlands Rd. *M'brgh* —5A **78**
Long La. *K'ton* —5F **161**
Long La. *M'hlm* —2C **142**
Longnewton. —1A 124
Long Newton La. *Long N &*
Eagle —1A **124**
Long Row. *Port M* —4F **121**
Longscar Wlk. *H'pl* —4C **14**
Longshaw Clo. *Ing B* —5C **128**
Long Wlk. *Yarm* —4D **149**
Longworth Way. *Guis* —5F **109**
Lonsdale Ct. *H'pl* —5B **14**
Lonsdale Gro. *Red* —2E **63**
Lonsdale St. *M'brgh* —5D **77**
Loraine Clo. *Mar S* —5E **67**
Lord Av. *Thor* —4D **19**
Lord Nelson's Yd. *Yarm* —3B **148**
Lord St. *Red* —3C **48**
Lorimer Clo. *Ing B* —5B **128**
Lorne Ct. *Sto T* —3E **97**
Lorne St. *M'brgh* —4D **77**
Lorne Ter. *Brot* —2C **90**
Lorrain Gro. *Sto T* —4C **54**
Lorton Rd. *Red* —2C **64**
Lothian Gro. *Red* —4A **48**
Lothian Rd. *M'brgh* —5A **78**
Louisa St. *M'brgh* —3B **78**
Lovaine St. *M'brgh* —4D **77**
Lovat Av. *Red* —5A **48**
Lovat Gro. *H'pl* —4D **19**
Low Church Wynd. *Yarm*
—2B **148**
Lowcross Av. *Guis* —4C **138**
Lowcross Dri. *Gt Br* —5F **169**
Lowdale La. *H'pl* —2C **6**
Lowell Clo. *Bill* —2E **39**
Lwr. Cleveland St. *Liver* —5A **92**
Lwr. East St. *M'brgh* —2F **77**
Lwr. Feversham St. *M'brgh*
—2F **77**
Lwr. Gosford St. *M'brgh* —2F **77**
Lwr. Promenade. *Salt S* —3D **69**
Loweswater Cres. *Sto T* —4D **73**
Loweswater Gro. *Red* —5C **48**
Low Farm Dri. *Red* —2B **64**
Lowfield Av. *M'brgh* —5E **79**
Lowfields. —5C 80
(Middlesbrough)
Lowfields. —4B 128
(Stockton-on-Tees)
Lowfields Av. *Ing B* —4A **128**
Lowfields Grn. *Ing B* —5B **128**
Lowfields Wlk. *Ing B* —4B **128**
Low Fold. *Red* —1B **64**
Low Grange. —4F 39
Low Grange Av. *Bill* —2E **39**
Low Grange Ct. *Bill* —4A **40**
Low Grn. *Gt Ay* —2B **166**
Lowick Clo. *Sto T* —4B **72**

Low La. *Malt & M'brgh* —3C **130**
Low La. *Thor & H Lev* —4B **150**
Lowmead Wlk. *M'brgh* —4D **103**
Lowood Av. *Mar C* —3C **132**
Lowson St. *Stil* —1B **50**
Low Stanghow Rd. *Ling* —5E **113**
Lowther Clo. *Bill* —4A **38**
Lowthian Rd. *H'pl* —3A **14**
Low Throston. —1E 13
Loxley Rd. *M'brgh* —1A **104**
Loyalty Clo. *H'pl* —2B **20**
Loyalty Ct. *H'pl* —2B **20**
Loyalty M. *H'pl* —2B **20**
Loyalty Rd. *H'pl* —3B **20**
Loy La. *Loft* —5E **93**
(in two parts)
Lucan St. *H'pl* —3B **14**
Luccombe Clo. *Ing B* —3B **150**
Lucerne Ct. *Mar C* —2C **132**
Lucerne Dri. *Guis* —3B **138**
Lucerne Rd. *Red* —5C **48**
Luce Sands. *M'brgh* —3B **130**
Lucia La. *Guis* —3C **138**
Ludford Av. *M'brgh* —3D **103**
Ludham Gro. *Sto T* —3C **72**
Ludlow Cres. *Red* —1E **65**
Ludlow Rd. *Bill* —5D **39**
Luff Way. *Red* —2E **65**
Lulsgate. *Thor* —1E **129**
Lulworth Clo. *Red* —3E **65**
Lulworth Gro. *H'pl* —2D **7**
Lumley Rd. *Bill* —5E **39**
Lumley Rd. *Red* —4D **49**
Lumley Sq. *H'pl* —1F **15**
Lumley St. *Loft* —4A **92**
Lumley Ter. *Guis* —1F **139**
Lumpsey Clo. *Brot* —2B **90**
Lundy Ct. *Ing B* —1B **150**
Lundy Wlk. Guis —3D **139**
(off Hutton La.)
Lunebeck Wlk. *Thor* —3E **129**
Lunedale Av. *M'brgh* —4D **101**
Lunedale Rd. *Bill* —2D **55**
Lune Rd. *Eagle* —2B **148**
Lune Rd. *Sto T* —1A **74**
Lune St. *Salt S* —4C **68**
Lustrum Av. *Sto T* —3F **75**
Lustrum Bus. Pk. *Sto T* —3E **75**
Lustrum Retail Pk. *Sto T* —3F **75**
Lutton Cres. *Bill* —5A **38**
Luttrell Ho. *M'brgh* —2C **102**
Lycium Clo. *Mar C* —1C **132**
Lydbrook Rd. *M'brgh* —1B **100**
Lydd Gdns. *Thor* —1E **129**
Lynas Pl. *Red* —3C **48**
Lyn Clo. *Ing B* —3B **150**
Lyndale. *Guis* —4A **138**
Lyndon Way. *Sto T* —5A **72**
Lynmouth Clo. *Hem* —4C **130**
Lynmouth Rd. *Sto T* —4E **53**
Lynmouth Wlk. *H'pl* —1E **13**
Lynnfield Rd. *H'pl* —3B **14**
Lynn St. *H'pl* —3C **14**
Lynn St. S. *H'pl* —4C **14**
Lynton Ct. *H'pl* —1E **13**
Lynwood Av. *M'brgh* —4E **101**
Lysander Clo. *Mar S* —4B **66**
Lytham Wlk. *Eagle* —5C **126**
Lythe Pl. *M'brgh* —4A **102**

Lythe Wlk. *M'brgh* —5F **81**
Lyttelton Dri. *Sto T* —2C **96**
Lytton St. *M'brgh* —4A **78**

Macaulay Rd. *H'pl* —2D **19**
McAuley Ct. *M'brgh* —1C **102**
Mac Bean St. *M'brgh* —4C **78**
McClean Av. *Red* —5F **47**
McCreaton St. *M'brgh* —5C **78**
Mackie Dri. *Guis* —1F **139**
Macklin Av. *Bill & Cow I* —1A **56**
McLean Rd. *Brot* —2C **90**
McNay St. *Salt S* —4C **68**
Macrae Rd. *H'pl* —5C **18**
Madison Sq. *Sto T* —4B **72**
Magdalene Dri. *Hart* —3F **5**
Magdalen St. *M'brgh* —4B **78**
Magister Rd. *Thor* —1C **128**
Magnolia Ct. *Sto T* —1F **97**
Maidstone Dri. *Mar C* —2E **133**
Mainsforth Dri. *Bill* —2F **39**
Mainsforth Dri. *M'brgh* —1D **131**
Mainsforth Flats. *H'pl* —4D **15**
Mainsforth Ter. *H'pl* —3C **14**
Mainside. *R'shll* —1B **70**
Major Cooper Ct. *Sea C* —4E **21**
Major St. *Sto T* —4B **78**
Majuba Rd. *Red* —3A **48**
Malcolm Dri. *Sto T* —3A **72**
Malcolm Gro. *Red* —5E **49**
Malcolm Gro. *Thor* —5D **99**
Malcolm Rd. *H'pl* —5D **19**
Malden Rd. *Sto T* —5B **54**
Maldon Rd. *M'brgh* —1B **100**
Malham Gill. *Red* —1B **64**
Malham Gro. *Ing B* —5C **128**
Malin Gro. *Red* —4C **64**
Mallaig Vw. *Sto T* —4B **72**
Mallard Clo. *Guis* —3A **138**
Mallard Ct. *Red* —1F **63**
Mallard La. *Sto T* —4A **54**
Malleable Way. *Sto T* —5D **75**
Malling Rd. *Sto T* —2B **74**
Malling Wlk. *M'brgh* —1D **103**
Mallory Clo. *M'brgh* —3D **77**
Mallory Rd. *Nort* —5A **54**
Mallowdale. *Nun* —4F **133**
Malltraeth Sands. *M'brgh*
—2A **130**
Malmo Ct. *Kirk B* —4F **63**
Malta Rd. *Eagle* —4F **125**
Maltby. —2F 151
Maltby Ct. *Guis* —1D **139**
Maltby Ho. *M'brgh* —2A **102**
Maltby Pl. *Thor* —4C **98**
Maltby Rd. *T'tn* —1A **152**
Maltby St. *M'brgh* —4C **78**
Maltings, The. *H'pl* —5B **14**
Malton Clo. *Thor* —4D **99**
Malton Dri. *Sto T* —3A **72**
Malton Ter. *S'fld* —4D **23**
Malvern Av. *Red* —2A **64**
Malvern Av. *Skel* —3C **88**
Malvern Clo. *Stok* —2B **168**
Malvern Dri. *M'brgh* —2C **130**
Malvern Dri. *Stok* —2B **168**
Malvern Rd. *Bill* —1C **54**
Malvern Rd. *Sto T* —1E **97**

Mandale Ho. *H'pl* —2C **14**
Mandale Ho. *Thor* —3D **99**
Mandale Ind. Est. *Thor* —2C **98**
Mandale Retail Pk. *Sto T* —4D **75**
Mandale Rd. *M'brgh* —4A **100**
Mandale Rd. *Thor* —2B **98**
Mandale Roundabout. *M'brgh*
—4A **100**
Manfield Av. *M'brgh* —2A **100**
Manfield St. *Sto T* —1F **97**
Manitoba Gdns. *M'brgh* —5A **78**
Manless Ter. *Skel C* —5B **88**
Manners St. *H'pl* —1F **15**
Manning Clo. *Thor* —1D **129**
Manning Way. *Thor* —1D **129**
Mannion Ct. *M'brgh* —2B **80**
Manor Clo. *Elw* —4D **11**
Manor Clo. *Stok* —1C **168**
Manor Clo. *Wolv* —3C **38**
Manor Ct. *M'hlm* —3B **142**
Manor Ct. *Wolv* —3C **38**
Manor Dri. *Hilt* —1E **163**
Manor Dri. *Stil* —2B **50**
Mnr. Farm Way. *Cou N* —3A **132**
Manor Fld. *Dal P* —1E **17**
Manor Gth. *K'ton* —4D **161**
Mnr. Garth Dri. *H'pl* —3E **13**
Manor Ga. *Long N* —1A **124**
Manor Grn. *M'brgh* —1C **104**
Manor Gro. *Gt Br* —5F **169**
Manor Ho. *Stil* —2B **50**
Manor Ho. M. *Yarm* —3B **148**
Manor Pl. *Sto T* —4B **72**
Manor Rd. *H'pl* —3D **13**
Manorside. *Stok* —1C **168**
Manor St. *M'brgh* —4D **77**
Manor Wlk. *Stil* —2B **50**
Manor Way. *Bel P* —2B **56**
Manor Wood. *Cou N* —3F **131**
Mansepool Clo. *H'pl* —4B **8**
Mansfield Av. *Thor* —2D **99**
(in two parts)
Mansfield Rd. *M'brgh* —2E **105**
Manston Ct. *M Geo* —1A **144**
Man's Yd. *Stait* —1C **120**
Manton Av. *M'brgh* —3B **100**
Mapel Ct. *Sto T* —3C **72**
Maple Av. *M'brgh* —3F **101**
Maple Av. *Thor* —5C **98**
Maple Gro. *Brot* —2A **90**
Maple Gro. *S'fld* —3D **23**
Maple Lodge. *Tees A* —1D **145**
Maple Rd. *Sto T* —3F **73**
Maple Sq. *Red* —4D **49**
Maple St. *Car F* —3D **79**
Maple St. *M'brgh* —4F **77**
Mapleton Clo. *Red* —4C **64**
Mapleton Cres. *Red* —4B **64**
Mapleton Dri. *Hem* —4D **131**
(in two parts)
Mapleton Dri. *Sto T* —4F **53**
Mapleton Rd. *H'pl* —1B **14**
Maplin Vw. *Sto T* —4B **72**
Marchlyn Cres. *Ing B* —1E **149**
Mardale. *Hem* —5D **131**
Mardale Av. *H'pl* —5A **20**
Mardale Wlk. *Red* —3C **64**
Margaret St. *M'brgh* —4B **78**
Margill Clo. *Mar C* —2E **133**

Margrove Heritage Cen.
—5A **112**
Margrove Pk. *B'bck* —5B **112**
Margrove Pk. Cvn. Site. *B'bck*
—5A **112**
Margrove Rd. *B'bck* —5A **112**
Margrove Wlk. *M'brgh* —3D **103**
Margrove Way. *Brot* —1A **90**
Marham Clo. *M'brgh* —3F **103**
Maria Dri. *Sto T* —4A **72**
Maria St. *M'brgh* —4C **78**
Marigold Gro. *Sto T* —3C **72**
Marina Av. *Red* —3A **48**
Marina Gateway. *H'pl* —3C **14**
Marina Way. *H'pl* —1B **14**
Marine Ct. *Salt S* —3C **68**
Marine Cres. *H'pl* —1F **15**
Marine Dri. *H'pl* —4D **9**
Marine Pde. *Salt S* —4C **68**
Mariners Ct. *Mar S* —3C **66**
Marine Ter. *Skin* —1A **92**
Marion Av. *Eagle* —1B **148**
Marion Av. *M'brgh* —3C **100**
Maritime Av. *H'pl* —3C **14**
Maritime Clo. *H'pl* —3D **15**
Maritime Clo. *Sto T* —4B **74**
Maritime Rd. *Sto T* —4B **74**
Mark Av. *Sto T* —3A **54**
Markby Grn. *M'brgh* —3A **104**
Market Pl. *Guis* —1E **139**
Market Pl. *M'brgh* —1F **77**
Market Pl. *N Orm* —4B **78**
Market Pl. *Stok* —1C **168**
Market St. *M'brgh* —2A **80**
Markham Sq. *Sto T* —4B **72**
Marlborough Av. *Mar S* —3C **66**
Marlborough Clo. *Bill* —4D **55**
Marlborough Gdns. *M'brgh*
—1E **77**
Marlborough Rd. *Mar C* —3C **132**
Marlborough Rd. *Skel C* —3C **88**
Marlborough Rd. *Sto T* —2F **97**
Marlborough St. *H'pl* —1A **20**
Marley Clo. *Sto T* —4C **72**
Marley Wlk. *H'pl* —3D **7**
Marlowe Rd. *H'pl* —2D **19**
Marlsford Gro. *M'brgh* —4B **100**
Marmaduke Pl. *Sto T* —4A **54**
Marmion Clo. *H'pl* —2B **20**
Marquand Rd. *M'brgh* —3B **80**
Marquis Gro. *Sto T* —4F **53**
Marquis St. *H'pl* —1F **15**
Marrick Rd. *M'brgh* —3D **103**
Marrick Rd. *Sto T* —3B **96**
Marsden Clo. *Ing B* —1C **150**
Marsden Clo. *M'brgh* —3A **102**
Marshall Av. *M'brgh* —5E **79**
Marshall Clo. *H'pl* —3E **7**
Marshall Clo. *Salt S* —4B **68**
Marshall Ct. *M'brgh* —4F **79**
Marshall Dri. *Brot* —1A **90**
Marshall Gro. *Sto T* —4E **73**
Marsh Ho. Av. *Bill* —1E **39**
Marsh Ho. La. *G'ham* —4F **31**
Marsh La. *Bill* —4C **40**
Marsh Rd. *M'brgh* —3D **77**
(in two parts)
Marsh Rd. *N Orm* —3B **78**
Marsh St. *M'brgh* —3D **77**

Marske By-Pass. *Mar S* —4E **65**
Marske La. *Mar S* —1D **87**
Marske La. *Skel C* —4F **87**
Marske La. *Sto T* —2A **72**
Marske Mill La. *Salt S* —4B **68**
Marske Mill Ter. *Salt S* —5C **68**
Marske Pde. *Sto T* —3A **72**
Marske Rd. *Mar S & Salt S*
—1E **87**
Marske Rd. *Thor* —4D **99**
Marston Gdns. *H'pl* —1A **14**
Marston Rd. *Brot* —2C **90**
Marston Rd. *Sto T* —4E **75**
Martham Clo. *Sto T* —3C **72**
Martindale. *M'brgh* —2B **130**
Martindale Clo. *Elw* —3C **10**
Martin Dale Gro. *Egg* —1C **148**
Martindale Pl. *M'brgh* —4E **81**
Martindale Rd. *M'brgh* —5E **81**
Martindale Way. *Red* —4C **64**
Martinet Ct. *Thor* —1C **128**
Martinet Rd. *Thor* —1C **128**
Martin Gro. *H'pl* —1F **19**
Martinhoe Clo. *Ing B* —4B **150**
Marton. —3D 133
Marton Av. *M'brgh* —4D **103**
Marton Burn Rd. *M'brgh*
—2F **101**
Marton Cres. *M'brgh* —2F **105**
Marton Dale Ct. *Mar C* —3E **133**
Marton Dri. *Bill* —5B **38**
Marton Gill. *Salt S* —4A **68**
Marton Grove. —2A 102
Marton Gro. *Brot* —1A **90**
Marton Gro. Rd. *M'brgh*
—1F **101**
Marton Interchange. *Mar C*
—2D **133**
Marton Moor Corner. *Nun*
—5A **134**
Marton Moor Rd. *Nun* —4A **134**
Marton Rd. *M'brgh* —3A **78**
Martonside Way. *M'brgh*
—3A **102**
Marton St. *H'pl* —2A **14**
Marton Way. *M'brgh* —3B **102**
Marway Rd. *Brot* —1A **90**
Marwood Dri. *Brot* —1A **90**
Marwood Dri. *Gt Ay* —3C **166**
Marwood Sq. *Sto T* —4B **72**
Mary Ann St. *M'brgh* —1E **101**
Mary Jaques Ct. *M'brgh*
—1A **102**
Marykirk Rd. *Thor* —3D **129**
Maryport Clo. *Sto T* —4C **74**
Mary St. *H'pl* —3A **14**
Mary St. *Sto T* —1F **97**
Masefield Rd. *H'pl* —2D **19**
Masham Gro. *Sto T* —1A **96**
Mason St. *M'brgh* —2D **105**
Mason Wlk. *H'pl* —2B **14**
Massey Rd. *Thor* —1C **98**
Master Rd. *Thor* —1C **128**
Masterton Dri. *Sto T* —2B **96**
Mastiles Clo. *Ing B* —3A **150**
Matfen Av. *Nun* —3A **134**
Matfen Ct. *S'fld* —3C **22**
Matford Av. *M'brgh* —5E **79**

Miles St.—Muriel St.

Miles St. *M'brgh* —2B **80**
Milfoil Clo. *Mar C* —2B **132**
Milford Ho. *M'brgh* —4D **79**
Milholme Av. *Skel C* —3D **89**
Millais Gro. *Bill* —2D **39**
Millbank. *Loft* —4F **91**
Millbank Clo. *Hart* —3A **6**
Millbank Ct. *Sto T* —5A **74**
Millbank La. *Thor* —1C **128**
Millbank Ter. *Stil* —3A **50**
Millbeck Ho. *Sto T* —5B **54**
Millbeck Way. *Orm* —4B **104**
Millbrook Av. *M'brgh* —4F **79**
(in two parts)
Millclose Wlk. *S'fld* —1D **23**
Mill Cotts. *Thor T* —2D **51**
Mill Ct. *Bill* —5E **55**
Mill Ct. *G'ham* —3E **31**
Miller Clo. *Yarm* —5D **149**
Miller Cres. *H'pl* —3D **7**
Millers La. *Ling* —2A **142**
Millfield Clo. *Eagle* —1B **148**
Millfield Clo. *Thor* —3E **99**
Millfield Rd. *M'brgh* —5C **78**
Millford Rd. *Sto T* —1F **73**
Millgin Ct. *Ing B* —4B **128**
Millholme Clo. *Brot* —3A **90**
Millholme Dri. *Brot* —3A **90**
Millholme Roundabout. *Skel C*
—4F **89**
Millholme Ter. *Brot* —3A **90**
Millington Clo. *Bill* —1F **39**
Mill La. *Bill* —4E **55**
Mill La. *Long N* —4A **50**
Mill La. *M Geo & Long N*
(in two parts) —1A **144**
Mill La. *Sto T* —4B **54**
Mill Mdw. Ct. *Sto T* —5B **54**
Millpool Clo. *H'pl* —5C **8**
Mill Riggs. *Stok* —1C **168**
Mills St. *M'brgh* —4C **76**
Millston Clo. *H'pl* —2C **12**
Mill St. *Guis* —2E **139**
Mill St. *Nort* —5A **54**
Mill St. E. *Sto T* —5B **74**
Mill St. W. *Sto T* —5A **74**
(in two parts)
Mill Ter. *Gt Ay* —2C **166**
Mill Ter. *G'ham* —3E **31**
Mill Ter. *Thor T* —2D **51**
Mill, The. *Gt Ay* —2D **167**
Mill Vw. *Loft* —5B **92**
Mill Wynd. *Yarm* —3B **148**
Milner Gro. *H'pl* —2B **14**
Milner Rd. *Sto T* —4A **54**
Milne Wlk. *H'pl* —4C **18**
Milton Clo. *Brot* —1A **90**
Milton Ct. *M'brgh* —3D **77**
Milton Rd. *H'pl* —3A **14**
(in two parts)
Milton St. *Salt S* —4C **68**
Minch Rd. *H'pl* —5D **19**
Minerva M. *Yarm* —3C **148**
Miniott Wlk. *Hem* —4D **131**
Minsterley Dri. *M'brgh* —5A **100**
Missenden Gro. *M'brgh* —3F **103**
Mitchell Av. *Thor* —1D **129**
Mitchell St. *H'pl* —4A **14**
Mitford Clo. *Orm* —4B **104**

Mitford Ct. *S'fld* —2C **22**
Mitford Cres. *Sto T* —2A **72**
Mizpah Cotts. *Red* —3C **48**
Moat St. *Sto T* —1B **98**
Moat, The. *Bel P* —1A **56**
Moffat Rd. *H'pl* —5C **18**
Monach Rd. *H'pl* —5D **19**
Monarch Gro. *Mar C* —2E **133**
Mond Cres. *Bill* —5D **55**
Mond Ho. *M'brgh* —2D **103**
Monkland Clo. *M'brgh* —3E **77**
Monkseaton Dri. *Bill* —5C **38**
Monkton Ri. *Guis* —5F **109**
Monkton Rd. *H'pl* —5C **18**
Monmouth Dri. *Eagle* —5C **126**
Monmouth Gro. *H'pl* —5E **7**
Monmouth Rd. *M'brgh* —4D **81**
Monreith Av. *Eagle* —5C **126**
Montague St. *H'pl* —5F **9**
Montague St. *M'brgh* —3A **78**
Montagu's Harrier. *Guis* —2B **138**
Montgomery Gro. *H'pl* —1E **13**
Montreal Pl. *M'brgh* —1A **102**
Montrose Clo. *Mar C* —3C **132**
Montrose St. *M'brgh* —3F **77**
Montrose St. *Salt S* —5C **68**
Moorbeck Way. *Orm* —4B **104**
Moorberries. *Hilt* —1F **163**
Moor Clo. *K'ton* —4D **161**
Moor Clo. *M'hlm* —3B **142**
Moorcock Clo. *M'brgh* —2F **105**
Moorcock Row. *Ling* —3D **113**
Moore St. *H'pl* —1A **14**
Moore St. *Red* —3D **49**
Moorgate. *M'brgh* —1A **106**
Moor Grn. *Nun* —5A **134**
Moorhen Rd. *H'pl* —1D **13**
Moorholm La. *Liver* —5E **115**
Moorhouse Est. *Eagle* —5D **97**
Moor Pde. *H'pl* —5F **9**
Moor Pk. *Eagle* —1C **148**
Moor Pk. *Nun* —4A **134**
Moor Rd. *M'brgh* —3B **78**
Moorsholm. —3B **142**
Moorsholm Way. *Red* —2C **64**
Moorston Clo. *H'pl* —2C **12**
Moor Ter. *H'pl* —1F **15**
Moortown Rd. *M'brgh* —4A **102**
Moortown Rd. *New M* —2F **85**
Moor Vw. *Hind* —5E **121**
Moray Clo. *M'brgh* —2A **102**
Moray Rd. *Sto T* —1F **73**
Mordales Dri. *Mar S* —5E **67**
Moreland Av. *Bill* —1D **55**
Moreland Clo. *Wolv* —2C **38**
Moreland St. *H'pl* —5C **14**
Moresby Clo. *M'brgh* —3B **102**
Morgan Dri. *Guis* —3D **139**
Morison Gdns. *H'pl* —5F **9**
Morlais Ct. *Ing B* —2F **149**
Morland Fell. *Red* —1C **64**
Morpeth Av. *M'brgh* —1B **132**
Morrison Rd. *Guis* —1F **139**
Morrison St. *Stil* —1B **50**
Morris Rd. *M'brgh* —2E **105**
Mortain Clo. *Yarm* —5E **149**
Mortimer Dri. *Sto T* —5F **53**
Morton Carr La. *Nun* —3C **134**
(in two parts)

Morton Clo. *Guis* —3C **138**
Morton St. *H'pl* —3A **14**
Morven Vw. *Sto T* —4B **72**
(off Mosston Rd.)
Morville Ct. *Ing B* —1B **150**
Mosbrough Clo. *Sto T* —3D **73**
Mosedale Rd. *M'brgh* —5E **81**
Moses St. *M'brgh* —4B **78**
Mosman Ter. *M'brgh* —4C **78**
Mossdale Gro. *Guis* —3A **138**
Moss Gdns. *Hem* —4D **131**
Mosston Rd. *Sto T* —4B **72**
Moss Way. *Pres I* —5E **97**
Mosswood Cres. *M'brgh*
—1B **130**
Motherwell Rd. *H'pl* —5D **19**
Moulton Clo. *Sto T* —5A **72**
Mountbatten Clo. *H'pl* —5C **8**
Mount Ct. *Norm* —3C **104**
Mount Gro. *Sto T* —4B **54**
Mount Leven. —3E **149**
Mt. Leven Rd. *Yarm* —3E **149**
Mount Pleasant. —2B **74**
Mount Pleasant. *C How* —3F **91**
Mount Pleasant. *Guis* —4D **109**
Mount Pleasant. *Mar S* —4D **67**
Mount Pleasant. *Stil* —2A **50**
Mt. Pleasant Av. *Mar S* —4D **67**
Mt. Pleasant Bungalows. *Sto T*
—5C **52**
Mt. Pleasant Clo. *Stil* —2A **50**
Mt. Pleasant Grange. *Sto T*
—3A **98**
Mt. Pleasant Gro. *Stil* —2B **50**
Mt. Pleasant Rd. *Sto T* —2B **74**
Mt. Pleasant Wlk. *Stil* —2A **50**
Mt. Pleasant Way. *Cou N*
—1C **154**
Mountstewart. *Wyn* —1E **37**
Mountston Clo. *H'pl* —2D **13**
Mount, The. *M'brgh* —3C **104**
Mowbray Dri. *Hem* —4D **131**
Mowbray Gro. *Sto T* —2A **72**
Mowbray Ho. *M'brgh* —3F **101**
Mowbray Rd. *H'pl* —1D **31**
Mowbray Rd. *Sto T* —2A **74**
Mowden Clo. *Sto T* —3D **73**
Moyne Gdns. *H'pl* —5B **14**
Mucky La. *Guis* —5B **110**
Muirfield. *Nun* —4A **134**
Muirfield Clo. *H'pl* —2C **6**
Muirfield Clo. *New M* —2A **86**
Muirfield Rd. *Eagle* —5C **126**
Muirfield Wlk. *H'pl* —2C **6**
Muirfield Way. *M'brgh* —4A **102**
Muir Gro. *H'pl* —5D **19**
Muker Gro. *Sto T* —1A **96**
Mulberry Ct. *M'brgh* —3F **101**
Mulgrave Ct. *Guis* —5E **109**
Mulgrave Rd. *H'pl* —3F **13**
Mulgrave Rd. *M'brgh* —2E **101**
Mulgrave Wlk. *M'brgh* —5F **81**
(off Birchington Av.)
Mulgrave Wlk. *Red* —2B **64**
Mullroy Rd. *H'pl* —4C **18**
Munro Gro. *H'pl* —5D **19**
Murdock Rd. *M'brgh* —4F **79**
Muriel St. *C How* —3F **91**
Muriel St. *M'brgh* —5F **77**

Muriel St. *Red* —4D **49**
Murray St. *H'pl* —3A **14**
Murton Clo. *Thor* —2B **128**
Murton Gro. *Bill* —5B **38**
Murton Scalp Rd. *B'bck* —3C **112**
Mus. of Hartlepool. —2C **14**
Museum Rd. *H'pl* —3B **14**
Musgrave St. *H'pl* —4D **15**
Musgrave Ter. *Wolv* —2C **38**
Musgrave Wlk. *H'pl* —4C **14**
Muston Clo. *M'brgh* —5E **101**
Myrddin-Baker Rd. *M'brgh*
—5E **81**
Myrtle Ct. *Thor* —4C **98**
Myrtle Gro. *Thor* —4C **98**
Myrtle Rd. *Eagle* —2C **126**
Myrtle Rd. *Sto T* —3F **73**
Myrtle St. *M'brgh* —4F **77**
Myton Clo. *Ing B* —1A **150**
Myton Wlk. *Hem* —4D **131**
Myton Way. *Ing B* —3A **128**

Nab Clo. *M'brgh* —2E **105**
Nairnhead Clo. *Hem* —4D **131**
Naisberry Est. *H'pl* —2C **12**
Nantwich Clo. *Hem* —4D **131**
Napier St. *M'brgh* —5E **77**
Napier St. *S Bnk* —2A **80**
Napier St. *Sto T* —2B **74**
Naseby Ct. *Bill* —3A **40**
Naseby Ct. *Brot* —3C **90**
Nash Gro. *H'pl* —2E **19**
Navenby Gro. *H'pl* —1D **31**
Navigation Point Shop. &
Hotel Cen. *H'pl* —2D **15**
Navigation Way. *Thor* —1E **99**
Navigator Ct. *Pres I* —4A **98**
Naylor Rd. *S'fld* —4D **23**
Neasham Av. *Bill* —3F **39**
Neasham Av. *Mar C* —4D **133**
Neasham Clo. *Sto T* —5B **74**
Neasham Clo. *Stok* —5B **164**
Neasham La. *Stok* —5B **164**
(in two parts)
Neath Ct. *Ing B* —2F **149**
Nederdale Clo. *Yarm* —1B **160**
Needles Clo. *Red* —4B **64**
Nelson Av. *Bill* —2C **56**
Nelson Ct. *M'brgh* —2A **80**
Nelson Sq. *Sto T* —5A **54**
Nelson St. *S Bnk* —2F **79**
Nelson St. Ind. Est. *S Bnk*
—2A **80**
Nelson Ter. *Red* —3B **48**
Nelson Ter. *Sto T* —5A **74**
Neptune Ho. *H'pl* —2D **15**
Nesbyt Rd. *H'pl* —3F **7**
Nesham Av. *M'brgh* —2B **100**
Nesham Rd. *H'pl* —5F **9**
Nesham Rd. *M'brgh* —4C **76**
Netherby Clo. *Yarm* —4E **149**
Netherby Ga. *H'pl* —2E **13**
Netherby Grn. *M'brgh* —3E **103**
Netherfield Ho. *M'brgh* —2A **104**
Netherfields. —2A 104
Netherfields Cres. *M'brgh*
—2A **104**
Netley Gro. *M'brgh* —3F **103**

Nevern Cres. *Ing B* —2E **149**
Neville Dri. *S'fld* —2C **22**
Neville Gro. *Guis* —3C **138**
Neville Rd. *N Tees* —3A **76**
Neville's Ct. *M'brgh* —3D **101**
Newark Rd. *H'pl* —1D **31**
Newark Wlk. *Sto T* —1C **74**
Newbank Clo. *Orm* —5B **104**
Newbiggin Rd. *Bill* —2E **39**
Newbridge Ct. *M'brgh* —4E **101**
Newbrook. *Skel C* —5B **88**
New Brotton. —1B 90
Newburgh Ct. *Bel P* —1A **56**
Newburn Bri. Ind. Est. *H'pl*
—5D **15**
Newbury Av. *M'brgh* —2B **100**
Newbury Rd. *Brot* —3B **90**
Newbury Way. *Bill* —4F **39**
Newby. —4B 154
Newby Clo. *M'brgh* —4E **101**
Newby Clo. *Nort* —5A **54**
Newby Gro. *Thor* —4D **99**
Newby Ho. *M'brgh* —2A **102**
Newby La. *Newby* —4E **153**
Newcomen Ct. *Red* —3B **48**
Newcomen Grn. *M'brgh*
—1A **102**
Newcomen Gro. *Red* —3C **48**
Newcomen Rd. *Skip I* —3F **79**
Newcomen Ter. *Loft* —5B **92**
Newcomen Ter. *Red* —3B **48**
New Company Row. *Skin*
—2A **92**
Newfield Cres. *M'brgh* —1B **130**
Newgale Clo. *Ing B* —2E **149**
Newgate. *M'brgh* —1F **105**
New Grove Ter. *Skin* —2A **92**
Newham Av. *M'brgh* —4D **101**
Newham Cres. *Mar C* —3D **133**
Newham Grange. —4E 73
Newham Grange Av. *Sto T*
—4E **73**
Newham Grange Leisure
Farm. —3A **132**
Newham Way. *Cou N* —4F **131**
Newhaven Clo. *Hem* —4D **131**
Newhaven Ct. *H'pl* —4C **14**
Newholm Ct. *H'pl* —4A **20**
Newholme Ct. *Guis* —1D **139**
Newholm Way. *Red* —2B **64**
Newick Av. *M'brgh* —1D **103**
Newington Rd. *M'brgh* —3A **102**
Newlands Av. *H'pl* —4F **13**
Newlands Av. *Sto T* —1B **74**
Newlands Gro. *Red* —5B **48**
(in two parts)
Newlands Rd. *Eagle* —1B **148**
Newlands Rd. *M'brgh* —4A **78**
Newlands Rd. *Skel C* —1A **112**
Newley Ct. *M'brgh* —2A **104**
Newlyn Grn. *M'brgh* —3E **103**
Newlyn Way. *Red* —3F **65**
Newmarket Av. *Sto T* —2F **99**
Newmarket Rd. *Red* —1D **65**
New Marske. —2A 86
Newport. —4C 76
Newport Clo. *Ing B* —2E **149**
Newport Cres. *M'brgh* —3E **77**
Newport Ho. *Thor* —2B **98**

Newport Ind. Est. *M'brgh* —4D **77**
Newport Rd. *M'brgh* —4C **76**
(TS1)
Newport Rd. *M'brgh* —4B **76**
(TS5)
Newport Way. *M'brgh* —3C **76**
Newquay Clo. *H'pl* —2E **13**
Newquay Clo. *Hem* —4D **131**
New Rd. *Bill* —5D **55**
New Rd. *Guis* —2E **139**
New Row. *Duns* —1D **109**
Newsam Cres. *Eagle* —1B **148**
Newsam Rd. *Eagle* —1B **148**
New Skelton. —4D 89
Newstead. —3C 138
Newstead Av. *Sto T* —3D **73**
Newstead Farm La. *Guis* —2C **138**
Newstead Rd. *M'brgh* —5A **78**
New St. *Thor* —2C **98**
Newton Bewley. —5F 29
Newton Clo. *M'brgh* —2F **105**
Newtondale. *Guis* —3A **138**
Newton Dri. *Thor* —2B **128**
Newton Gro. *Bill* —5B **38**
Newton Hanzard Long Dri. *Wyn*
—2B **26**
Newton Hanzard Short Dri. *Wyn*
—3C **26**
Newton Mall. *M'brgh* —3E **77**
(off Cleveland Cen.)
Newton Rd. *Gt Ay* —1D **167**
Newton Rd. *Red* —2B **64**
Newton under Roseberry.
—2B **158**
Newton Wlk. *Sto T* —3B **74**
Newtown. —4F 73
Newtown Av. *Sto T* —4F **73**
Nicholson Way. *H'pl* —3E **7**
Nicklaus Dri. *Eagle* —5C **126**
Nightingale Clo. *H'pl* —5C **6**
Nightingale Rd. *M'brgh* —5E **81**
Nightingale Wlk. *Sto T* —4A **54**
Nile St. *M'brgh* —2E **77**
Nimbus Clo. *Mar C* —2C **132**
Nine Acres. *Hart* —4E **5**
Nolan Ho. *Sto T* —4A **74**
Nolan Pl. *Sto T* —4A **74**
Nolton Ct. *Ing B* —2F **149**
Nookston Clo. *H'pl* —1D **13**
Norcliffe St. *M'brgh* —4C **78**
Norfolk Clo. *H'pl* —1B **20**
Norfolk Clo. *Red* —1B **64**
Norfolk Cres. *M'brgh* —3F **103**
Norfolk Pl. *M'brgh* —1C **102**
Norfolk Pl. *Skel C* —4A **88**
Norfolk St. *Sto T* —1F **97**
Norfolk Ter. *Bill* —2F **55**
Norham Wlk. *Orm* —4A **104**
Normanby Ct. *Mar C* —3C **132**
Normanby Hall Pk. *M'brgh*
—3C **104**
Normanby Rd. *M'brgh* —1A **80**
Normanby Rd. *Orm* —3A **104**
Norman Ter. *M'brgh* —2F **79**
N. Albert St. *Sto T* —3F **53**
Northallerton Rd. *Thor* —4D **99**
Northall St. *Sto T* —3E **97**
Northampton Ho. *M'brgh* —4E **81**
Northampton Wlk. *H'pl* —5B **14**

North Av. *Salt S* —4B **68**
N. Bank Cres. *Orm* —5B **104**
Northbourne Rd. *Sto T* —3F **73**
Northbrook Ct. *H'pl* —4E **13**
North Clo. *Elw* —3C **10**
North Clo. *Thor T* —1E **51**
Northcote St. *Sto T* —2F **97**
Northdale Ct. *M'brgh* —1E **103**
North Dri. *H'pl* —3E **13**
North Dri. *Orm* —4A **104**
North End. *S'fld* —4C **22**
Northern Rd. *M'brgh* —1B **100**
Northern Route. *M'brgh*
—1B **100**
North Fen. *Red* —1B **64**
Northfield Clo. *Stok* —1B **168**
Northfield Dri. *Stok* —1B **168**
Northfield Rd. *Bill* —5C **38**
Northfield Rd. *Mar S* —4B **66**
Northfleet Av. *M'brgh* —5E **79**
Northgate. *Guis* —1E **139**
Northgate. *H'pl* —5E **9**
Northgate Rd. *M'brgh* —3D **101**
North Grn. *Sto T* —2A **98**
Northiam Clo. *Hem* —4D **131**
Northland Av. *H'pl* —4F **13**
North La. *Elw* —3B **10**
Northleach Dri. *Hem* —4D **131**
N. Liverton Ind. Est. *Liver*
—1A **116**
N. Lodge Roundabout. *Guis*
—5F **109**
N. Mt. Pleasant St. *Sto T*
—2B **74**
North Ormesby. —4C 78
N. Ormesby By-Pass. *N Orm*
—3B **78**
N. Ormesby Rd. *M'brgh* —3A **78**
Northpark. *Bill* —2E **39**
N. Park Rd. *S'fld* —3C **22**
Northport Rd. *Sto T* —4C **74**
North Ridge. *Skel C* —3B **88**
North Rd. *H'pl* —3E **21**
North Rd. *Loft* —5C **92**
North Rd. *M'brgh* —2D **77**
North Row. *M'brgh* —4C **82**
North Side. *Stait* —1C **120**
North Skelton. —5E 89
N. Skelton Rd. *Skel C* —4D **89**
N. Slip Rd. *M'brgh* —3D **81**
North St. *M'brgh* —1F **77**
North St. *S Bnk* —1A **80**
North St. *Sto T* —5A **74**
N. Tees Ind. Est. *N Tees* —3A **76**
North Ter. *Loft* —3C **92**
North Ter. *Red* —3C **48**
North Ter. *Skel C* —4A **88**
Northumberland Gro. *H'pl*
—5B **14**
Northumberland Gro. *Sto T*
—3F **53**
Northumberland Rd. *Thor*
—4C **98**
Northumberland Wlk. *H'pl*
—5B **14**
North Vw. *Dal P* —1E **17**
North Vw. *Red* —1A **66**
Northwold Clo. *H'pl* —1E **31**

North Wood. *M'brgh* —5D **101**
Norton. —5B 54
Norton Av. *Sto T* —1F **73**
Norton Ct. *Sto T* —2B **74**
Norton Dri. *Sto T* —3A **72**
Norton Grange. —2A 74
Norton Junct. *Sto T* —3B **54**
Norton Junct. Cotts. *Nort*
—4D **53**
Norton Rd. *Sto T* —5B **74**
Norton Rd. *Sto T & Bill* —4C **54**
Norwich Av. *Sto T* —3B **72**
Norwich Rd. *M'brgh* —1E **101**
Norwich Rd. *Red* —1F **65**
Norwood Clo. *Sto T* —3B **72**
Norwood Rd. *M'brgh* —1A **104**
Nottingham Dri. *Red* —1E **65**
Nottingham Wlk. *M'brgh* —2E **105**
Nuffield Rd. *Cow I* —1A **56**
Nugent Av. *M'brgh* —4C **76**
Nuneaton Dri. *Hem* —4D **131**
Nunnington Clo. *Ing B* —5B **128**
Nuns St. *H'pl* —1F **15**
Nunthorpe. —4A 134
Nunthorpe By-Pass. *Nun*
—5B **134**
Nunthorpe Village. —2E 157
Nursery Dri. *Wyn* —4E **25**
Nursery Gdns. *Yarm* —5D **149**
Nursery La. *M'brgh* —1C **100**
Nursery La. *Sto T* —1E **97**
Nutfield Clo. *Hem* —4D **131**
Nuthatch Clo. *H'pl* —1D **13**
Nut La. *M'brgh* —5A **78**
Nutley Rd. *Bill* —5F **39**
Nyson St. *M'brgh* —5E **77**

O

Oak Av. *Mar C* —3E **133**
Oakdale. *Orm* —4B **104**
Oakdale Rd. *New M* —2F **85**
Oakdene Av. *Sto T* —3E **97**
Oakdene Clo. *M'brgh* —2D **105**
Oakenshaw Dri. *M'brgh* —1C **130**
Oakesway. *H'pl* —5A **8**
Oakesway Bus. Pk. *H'pl* —5A **8**
Oakesway Ind. Est. *H'pl* —4A **8**
Oakfield Av. *Eagle* —4B **126**
Oakfield Clo. *Eagle* —4B **126**
Oakfield Gdns. *Orm* —2B **104**
Oakfield Rd. *M'brgh* —4B **78**
Oak Gro. *H'pl* —1F **13**
Oakham Grn. *Sto T* —1C **74**
Oak Hill. *Cou N* —4C **132**
Oakhurst Clo. *Ing B* —5C **128**
Oaklands. *Gt Ay* —1D **167**
Oaklands Av. *Sto T* —1B **74**
Oaklands Rd. *M'brgh* —4D **105**
Oaklands, The. *M Row* —4A **144**
Oaklea Clo. *Sto T* —5A **54**
Oakley Clo. *Guis* —4F **139**
Oakley Clo. *Hem* —4D **131**
Oakley Gdns. *H'pl* —1A **14**
Oakley Rd. *B'bck* —3C **112**
Oakley Wlk. *M'brgh* —2E **105**
Oak Lodge. *Tees A* —1D **145**
Oakridge. *Orm* —4B **104**
Oak Ri. *Orm* —3B **104**
Oak Rd. *Brot* —1A **90**

Oak Rd. *Eagle* —2D **127**
Oak Rd. *Guis* —1D **139**
Oak Rd. *Red* —1A **66**
Oaksham Dri. *Bill* —2E **39**
Oakstead. *H'pl* —3C **20**
Oaks, The. *Hem* —4D **131**
Oak St. *Car F* —3D **79**
Oak St. *M'brgh* —3F **77**
Oak St. *S Bnk* —2A **80**
Oak Tree. —2C 144
Oaktree Clo. *M Geo* —2C **144**
Oak Tree Cres. *S'fld* —3D **23**
Oaktree Gro. *Sto T* —3B **96**
Oak Wlk. *Loft* —4B **92**
Oakwell Gdns. *Sto T* —5A **54**
Oakwell Rd. *Sto T* —5A **54**
Oakwood Clo. *H'pl* —3C **6**
Oakwood Ct. *Mar C* —3F **133**
Oakworth Grn. *M'brgh* —3A **102**
Oatfields Ct. *Est* —3E **105**
Oatlands Gro. *E'tn* —3A **118**
Oban Av. *H'pl* —1A **20**
Oban Rd. *M'brgh* —1D **103**
Oberhausen Mall. *M'brgh* —3E **77**
Occupation Rd. *M'brgh* —3F **105**
Ocean Rd. *H'pl* —1C **6**
Ochil Ter. *Bill* —2E **55**
Offerton Dri. *Hem* —4E **131**
Okehampton Dri. *Mar C* —3C **132**
Old Airfield Ind. Est., The. *Thor*
—1D **129**
Oldbury Gro. *Hem* —4E **131**
Old Cemetery Rd. *H'pl* —3B **8**
Old Convent Gdns. *M'brgh*
—1A **102**
Old Durham Rd. *S'fld* —1C **22**
Old Flatts La. *M'brgh* —5D **105**
Oldford Cres. *M'brgh* —5C **100**
Oldgate. *M'brgh* —1A **106**
Old Hall Mus. & Gdns. —5A 64
(Kirkleatham)
Oldham Clo. *B'bck* —2C **112**
Oldham St. *B'bck* —3B **112**
Old Lackenby. —5A 82
Old Mkt., The. *Yarm* —3B **148**
Old Middlesbrough Rd. *M'brgh*
—3F **79**
Old Mill Wynd. *Gt Ay* —3D **167**
Old Mines Rd. *M'brgh* —1F **105**
Old Row. M'brgh —1F 105
(off California Rd.)
Old Saltburn. —4D 69
Old Station Rd. *M'brgh* —1F **79**
Oldstead Ct. *M'brgh* —4D **131**
Old Stokesley Rd. *Nun* —1B **156**
Old Town. —3C 14
Oliver St. *M'brgh* —1D **101**
(in two parts)
Oliver St. *S Bnk* —3A **80**
Olive St. *H'pl* —1F **15**
Olive St. *M'brgh* —2E **77**
Olliver St. *Red* —4D **49**
Olney Wlk. *M'brgh* —3D **103**
Ontario Cres. *Red* —5C **48**
Orange Gro. *Nort* —2A **74**
Orchard Clo. *Carl* —5D **51**
Orchard Clo. *Gt Ay* —5A **158**
Orchard Clo. *S'fld* —4D **23**
Orchard Dri. *Guis* —2F **139**

Parkway Junct.—Poplar Gro.

Parkway Junct. *M'brgh* —4F **129**
Parkway Shop. Cen. *Cou N*
    —4B **132**
Parkway, The. *Mar C & M'brgh*
    —2D **133**
Parkway, The. *M'brgh & Hem*
    —3A **130**
Parkway, The. *Salt S* —4A **68**
Parkway Village. *Cou N*
    —4B **132**
Parkwood Dri. *Sto T* —3D **97**
Parliament Clo. *Sto T* —2A **98**
Parliament Rd. *M'brgh* —4C **76**
Parliament St. *Sto T* —2A **98**
  (in two parts)
Parliament Wlk. *Sto T* —2A **98**
Parracombe Clo. *Ing B* —3B **150**
Parrington Pl. *M'brgh* —4C **82**
Parsons Ct. *Skip I* —4A **80**
Parton St. *H'pl* —1A **14**
Partridge Av. *M'brgh* —2C **130**
Partridge Clo. *Ing B* —5B **128**
Passfield Cres. *M'brgh* —2B **80**
Pasture Clo. *Mar S* —4A **66**
Pasturefield. *S'fld* —1D **23**
Pasture La. *M'brgh* —3C **82**
  (in two parts)
Pastures, The. *Cou N* —5C **132**
  (in two parts)
Patten La. *Guis* —1E **139**
Patten St. *M'brgh* —2D **105**
Patterdale Av. *M'brgh* —4C **100**
Patterdale Av. *Sto T* —4E **73**
Patterdale St. *H'pl* —1B **20**
Pattison Ct. *M'brgh* —1A **102**
Pauntley Dri. *M'brgh* —3C **130**
Pavilion Clo. *Sea C* —5D **21**
Paxton Clo. *Sto T* —4B **74**
Peacocks Clo. *Stok* —5B **164**
Peakston Clo. *H'pl* —2D **13**
Pearl Rd. *Thor* —4C **98**
Pearl St. *M'brgh* —4E **77**
Pearl St. *Salt S* —3C **68**
Pearson Clo. *Sto T* —2A **98**
Pearson St. *M'brgh* —3C **76**
Pearson Ville Pl. *Gt Ay* —2D **167**
Pearson Wlk. Sto T —2A 98
  (off Pearson Clo.)
Pearson Way. *Thor* —1C **98**
Peartree Ct. *Red* —1A **86**
Pease Ct. *Eagle* —4B **126**
Pease Ct. *Guis* —4B **138**
Pease Ct. *Ling* —4E **113**
Pease St. *Ling* —4E **113**
Peaton St. *M'brgh* —4C **78**
Peebles Av. *H'pl* —1A **20**
Peel St. *M'brgh* —4E **77**
Peel St. *Thor* —3C **98**
  (in two parts)
Pegman Clo. *Guis* —5F **109**
Peirse Clo. *M'brgh* —4A **78**
Peirson Ct. *Red* —3B **48**
Peirson St. *Red* —3B **48**
Pelham St. *H'pl* —1A **14**
Pelham St. *M'brgh* —4E **77**
Pelton Clo. *Bill* —2D **39**
Pemberton Cres. *M'brgh*
    —3A **102**
Pembroke Dri. *Ing B* —3F **149**

Pembroke Gro. *H'pl* —5E **7**
Pembroke Rd. *Sto T* —1A **74**
Pembroke Way. *Red* —5E **49**
Penarth Wlk. *H'pl* —1D **13**
Penberry Gdns. *Ing B* —2F **149**
Penders La. *K'ton* —3E **161**
Penderyn Cres. *Ing B* —2F **149**
Pendle Cres. *Bill* —1E **55**
Pendock Clo. *M'brgh* —2C **130**
Penhill Clo. *M'brgh* —1C **102**
Penhill Rd. *Sto T* —2B **96**
Penistone Rd. *M'brgh* —3E **103**
Penllyn Way. *Hem* —3E **131**
Pennal Gro. *Ing B* —1E **149**
Pennard Grn. *M'brgh* —1E **103**
Pennine Av. *N Tees* —3F **75**
Pennine Cres. *Red* —1B **64**
Pennine Ho. *Pres I* —5F **97**
Pennine Way. *Ing B* —3A **150**
Pennine Way. *Skel C* —3C **88**
Pennington Clo. *Bill* —4E **39**
Penny La. *Sto T* —2A **98**
Pennyman Clo. *Norm* —2C **104**
Pennyman Ct. *M'brgh* —4F **103**
Pennyman Grn. *Malt* —2F **151**
Pennyman St. *N Orm* —3B **78**
Pennyman Wlk. *Mar S* —4D **67**
Pennyman Way. *S'tn* —5C **130**
Pennypot La. *Eagle* —1D **127**
Penrhyn St. *H'pl* —5B **14**
Penrith Clo. *Red* —1C **64**
Penrith Rd. *M'brgh* —1D **103**
Penrith St. *H'pl* —4D **9**
Penryn Clo. *Skel C* —3D **89**
Pensby Av. *M'brgh* —1B **132**
Penshaw Clo. *Ing B* —5C **128**
Penshaw Ct. *Bill* —2E **39**
Penshurst Pl. *Bill* —5F **39**
Pentilly St. *H'pl* —5F **9**
Pentland Av. *Bill* —1D **55**
Pentland Av. *Red* —2A **64**
Pentland Av. *Skel C* —3C **88**
Penton Ct. *Bill* —3E **39**
Penwick Clo. *Yarm* —5B **148**
Penwick Wlk. *Yarm* —5B **148**
Penyghent Way. *Ing B* —3B **150**
Percy St. *H'pl* —2F **13**
Percy St. *M'brgh* —4E **77**
Peregrine Ct. *Guis* —2B **138**
Perry Av. *Tees* —4D **129**
Perth Cres. *Mar C* —3D **133**
Perth Gro. *Sto T* —2D **97**
Perth St. *H'pl* —2A **14**
Pert Rd. *H'pl* —2E **7**
Petch Clo. *M'brgh* —4D **77**
Petch's Cotts. *Liver* —5A **116**
Petch St. *Sto T* —5F **73**
Petrel Cres. *Sto T* —3A **54**
Petworth Cres. *Ing B* —1B **150**
Pevensey Clo. *M'brgh* —4A **102**
Peveril Rd. *Bill* —5D **39**
Pexton Clo. *Hem* —4C **130**
Pheasant Clo. *Ing B* —5B **128**
Phillida Ter. *M'brgh* —1F **101**
Phillips Av. *M'brgh* —2E **101**
Phoenix Clo. *H'pl* —5E **19**
Phoenix Gdns. *Sto T* —1D **97**
Phoenix Pk. *Hem* —3E **131**
Phoenix Sidings. *Sto T* —5A **74**

Phoenix Wlk. *Sto T* —1D **97**
Phyllis Mohan Ct. *M'brgh*
    —3D **103**
Pickering Gro. *H'pl* —4B **20**
Pickering Ho. *M'brgh* —3F **101**
Pickering Rd. *Thor* —4D **99**
Pickering St. *Bill* —3D **57**
Picktree Gdns. *H'pl* —3F **19**
Picton Av. *Bill* —4B **38**
Picton Av. *M'brgh* —3B **100**
Picton Cres. *Thor* —3B **128**
Picton Pl. *Sto T* —5B **54**
Picture Ho. *Bill* —4D **55**
Piercebridge Clo. *Sto T* —3C **72**
Pikeston Clo. *H'pl* —2D **13**
Pilgrim St. *H'pl* —4C **14**
Pilkington St. *M'brgh* —4C **78**
Pinchinthorpe. —3E 137
Pinchinthorpe Hall. —1D **159**
Pinder Clo. *Sto T* —5A **54**
Pine Clo. *Red* —4E **49**
Pine Ct. *Sto T* —3C **72**
Pineda Clo. *M'brgh* —3D **131**
Pine Gro. *H'pl* —5F **7**
Pine Hill. *Cou N* —4C **132**
Pine Hills. —3B 138
Pinehurst Way. *New M* —2F **85**
Pine Lodge. *Tees A* —1D **145**
Pine Ridge Av. *S'fld* —2C **22**
Pine Rd. *Guis* —1D **139**
Pine Rd. *Orm* —4B **104**
Pinero Clo. *H'pl* —2D **19**
Pines, The. *Yarm* —4C **148**
Pine St. *Car F* —3D **79**
Pine St. *M'brgh* —3F **77**
Pine St. *Sto T* —5B **54**
Pinetree Gro. *M Geo* —2A **144**
Pine Wlk. *Loft* —4B **92**
Pinewood Av. *M'brgh* —3F **101**
Pinewood Clo. *E'tn* —3A **118**
Pinewood Clo. *H'pl* —2C **6**
Pinewood Rd. *Eagle* —3C **126**
Pinewood Rd. *Mar C* —2F **133**
Pinewood Wlk. *Stok* —5C **164**
Pinfold St. *Sto T* —4B **74**
Pintail Clo. *H'pl* —1D **13**
Piper Knowle Rd. *Sto T* —1A **72**
Pipit Clo. *Ing B* —5A **128**
Pippins, The. *Wolv* —2C **38**
Pirbright Gro. *Hem* —4E **131**
Planetree Ct. *M'brgh* —2E **133**
Plantation Rd. *Red* —5B **64**
  (in two parts)
Plantations, The. *Wyn* —4A **26**
Player Ct. *Eagle* —5C **126**
Playlin Clo. *Yarm* —4E **149**
Plumer Dri. *Sto T* —5A **54**
Plymouth Gro. *H'pl* —1E **13**
Plymouth Wlk. *H'pl* —1E **13**
Pochin Rd. *M'brgh* —1D **81**
Poldon Ter. *Bill* —2E **55**
Pond Farm Clo. *Hind* —5F **121**
Pontac Rd. *New M* —1A **86**
Poole Ho. *Nun* —1B **156**
Poole Ter. *Nun* —1B **156**
Pope Gro. *H'pl* —1D **19**
Poplar Ct. *Yarm* —2B **148**
Poplar Gro. *Brot* —2A **90**
Poplar Gro. *M'brgh* —4B **80**

Poplar Gro. *Red* —4E **49**
Poplar Gro. *Sto T* —2F **97**
Poplar Lodge. *Tees A* —1D **145**
Poplar Pl. *Guis* —1C **138**
Poplar Rd. *Eagle* —1B **148**
Poplar Rd. *Thor* —4C **98**
Poplars La. *Carl* —5C **50**
Poplars Rd. *M'brgh* —2E **101**
Poplars, The. *T'tn* —1B **152**
Poplars, The. *Wolv* —2C **38**
Poplar Ter. *M'brgh* —4E **57**
Poppy La. *Sto T* —3C **72**
Porlock Rd. *Bill* —5C **38**
Porret La. *Hind* —5D **121**
Porrett Clo. *H'pl* —2E **7**
Port Clarence. —5F 57
Port Clarence Rd. *M'brgh & Port C* —3D **57**
Porthlevan Way. *Red* —3F **65**
Portland Clo. *Eagle* —1C **148**
Portland Clo. *Mar C* —3C **132**
Portland Clo. *Red* —4C **64**
Portland Gro. *H'pl* —2D **7**
Portland Ho. *M'brgh* —4E **79**
Portland Wlk. *Red* —4C **64**
Portmadoc Wlk. *H'pl* —1D **13**
Portman Ri. *Guis* —4E **139**
Portman Rd. *Sto T* —1A **74**
Portman St. *M'brgh* —4E **77**
Port Mulgrave. —4E 121
Portrack Bk. La. *Sto T* —2D **75**
Portrack Grange Clo. *Sto T* —4F **75**
Portrack Grange Rd. *Sto T* —4E **75**
Portrack Ind. Est. *Sto T* —4E **75**
(in three parts)
Portrack Interchange. *Sto T* —2F **75**
Portrack Interchange Bus. Pk. *Sto T* —3E **75**
Portrack La. *Sto T* —4B **74**
Portrack Retail Pk. *Sto T* —3F **75**
(Cheltenham Rd.)
Portrack Retail Pk. *Sto T* —4D **75**
(Holme Ho. Rd.)
Portrush Clo. *M'brgh* —4F **101**
Portrush Clo. *New M* —2F **85**
Portsmouth Rd. *Eagle* —4F **125**
Potter Wlk. *H'pl* —2B **14**
Pottery M. M'brgh —1D **101**
(off Benson St.)
Pottery St. *Thor* —3B **98**
Potto Clo. *Yarm* —4E **149**
Pounder Pl. *H'pl* —4F **7**
Powburn Clo. *Sto T* —3A **72**
Powell St. *H'pl* —5A **14**
Powlett Rd. *H'pl* —5A **8**
Preen Dri. *M'brgh* —4B **100**
Premier Pde. *Sto T* —1A **96**
Premier Rd. *M'brgh* —2D **103**
Premier Rd. *Orm* —5A **104**
Premier Rd. *Sto T* —5C **72**
Prescot Rd. *M'brgh* —3F **103**
Preseli Gro. *Ing B* —2F **149**
Preston Farm Bus. Pk. *Pres I* —5F **97**
Preston Farm Ind. Est. *Pres I* —5E **97**

Preston Farm Ind. Est. *Sto T* —1E **127**
Preston Hall Mus. —2D 127
Preston La. *Eagle* —1D **127**
Preston-on-Tees. —2D 127
Preston Rd. *Sto T* —1C **96**
Preston St. *H'pl* —2A **14**
Preston Way. *Stok* —5B **164**
Prestwick Clo. *M'brgh* —4A **102**
Prestwick Ct. *Eagle* —1C **148**
Prestwick Ct. *M Geo* —1A **144**
Preswick Clo. *New M* —2F **85**
Price Av. *M'brgh* —3B **100**
Price Rd. *Red* —1E **63**
Priestcrofts. *Mar S* —4E **67**
Priestfield Av. *M'brgh* —4E **103**
Primrose Clo. *Guis* —3B **138**
Primrose Cotts. *Salt S* —4C **68**
Primrose Hill. —4C 74
Primrose Hill. *Skin* —2A **92**
Primrose Hill Ind. Est. *Sto T* —4A **74**
Primrose St. *Sto T* —4F **73**
Princeport Rd. *Sto T* —4C **74**
Prince Regent St. *Sto T* —1A **98**
Princes Pl. *Red* —3C **48**
Princes Rd. *M'brgh* —4D **77**
Princes Rd. *Salt S* —5C **68**
Princess Av. *Sto T* —4B **74**
Princes Sq. *Thor* —3D **129**
Princess St. *H'pl* —1F **15**
Princess St. *M'brgh* —2E **77**
Princess St. *Thor* —2C **98**
Prince's Wharf. *Thor* —1C **98**
Princeton Dri. *Thor* —1C **98**
Prior Ct. *Bill* —3A **40**
Priorwood Gdns. *Ing B* —2B **150**
Priory Clo. *Guis* —1E **139**
Priory Ct. *Guis* —1F **139**
Priory Ct. *H'pl* —5C **8**
Priory Ct. *H'lnd* —1F **15**
Priory Ct. *Sto T* —5A **54**
Priory Dri. *S'tn* —5C **130**
Priory Gdns. *Nort* —5A **54**
Priory Gro. *Red* —4A **48**
Priory Pl. *M'brgh* —3E **77**
Priory Rd. *M'brgh* —3A **100**
Priory St. *M'brgh* —3E **77**
Prissick St. *H'pl* —1F **15**
Pritchett Rd. *M'brgh* —3F **103**
Proctor's Ct. *Sea C* —4F **21**
Progress Ho. *Thor* —5C **74**
Promenade. *H'pl* —4D **15**
Promenade. *H'lnd* —1F **15**
Prospect Pl. *Guis* —2E **139**
Prospect Pl. *Ling* —4E **113**
Prospect Pl. *Nort* —2B **74**
Prospect Pl. *Skel* —5A **88**
Prospect Ter. *Ling* —4E **113**
Prospect Ter. *Mar S* —4D **67**
Prospect Ter. *M'brgh* —1F **105**
Prospect, The. *M'brgh* —3E **101**
Prospect Way. *H'pl* —4B **20**
Protear Gro. *Sto T* —4C **54**
P.S. Wingfield Castle. —2C 14
Puddlers Rd. *M'brgh* —1A **80**
Pulford Rd. *Sto T* —5F **53**
Pump La. *K'ton* —4E **161**
Punch St. *M'brgh* —3C **76**

Purfleet Av. *M'brgh* —4E **79**
Pursglove Ter. *Guis* —1F **139**
Purves Pl. *H'pl* —4A **8**
Pybus Pl. *Red* —3C **48**
Pym St. *M'brgh* —3A **80**
Pytchley Rd. *Guis* —3E **139**

Quarry Bank Rd. *Upl* —4C **86**
Quarry Dri. *S'tn* —5C **130**
Quarry La. *Mar S* —1D **87**
(in two parts)
Quarry La. Roundabout. *Mar S* —1D **87**
Quarry Rd. *Eagle* —3D **127**
Quayside. *H'pl* —3D **15**
Quayside. *Sto T* —1B **98**
Quebec Gro. *Bill* —3E **39**
Quebec Gro. *M'brgh* —1A **102**
Quebec Rd. *Sto T* —3D **97**
Queen Anne Ter. *Sto T* —2D **97**
Queens Av. *Thor* —3C **98**
Queensberry Av. *H'pl* —4F **13**
Queensbury Clo. *Red* —3A **64**
Queens Dri. *Bill* —5C **38**
Queens Dri. *S'fld* —5B **22**
Queens Dri. *Stok* —5C **164**
Queensland Av. *Red* —5D **49**
Queensland Gro. *Sto T* —2D **97**
Queensland Rd. *H'pl* —4A **20**
Queens Mdw. Bus. Pk. *H'pl* —1F **31**
Queen's Pde. *H'pl* —4B **14**
Queensport Clo. *Sto T* —4D **75**
Queens Rd. *Loft* —4B **92**
Queens Rd. *M'brgh* —2D **101**
Queens Sq. *M'brgh* —2F **77**
Queens Ter. *M'brgh* —2F **77**
Queen's Ter. *M'brgh* —5F **57**
Queen St. *B'bck* —3B **112**
Queen St. *C How* —3F **91**
Queen St. *H'pl* —2D **15**
Queen St. *H'lnd* —1F **15**
Queen St. *Laz* —4C **82**
Queen St. *Red* —3B **48**
Queen St. *Sea C* —3E **21**
Queen St. *S Bnk* —2A **80**
Queen's Wlk. *Sto T* —5B **74**
Queensway. *Bill* —1D **55**
(in two parts)
Queensway. *G'ham* —3E **31**
Queensway. *M'brgh* —3E **79**
Queensway. *Salt S* —4A **68**
Queensway Ct. *M'brgh* —3E **79**
Queensway Ho. *M'brgh* —4E **79**
Queen Ter. *Sea C* —4E **21**
Quenby Rd. *Bill* —5E **39**
Quorn Clo. *Guis* —4E **139**

Raby Clo. *Hart* —4A **6**
Raby Gdns. *H'pl* —1F **13**
Raby Rd. *H'pl* —1A **14**
Raby Rd. *Red* —5E **49**
Raby Rd. *Sto T* —1D **97**
Raby Sq. *H'pl* —1A **14**
Raby St. *H'pl* —1F **15**
Racecourse, The. *Wyn* —5F **25**
Race Ter. *Gt Ay* —2C **166**

Radcliffe Av. *Sto T* —1E **73**
Radcliffe Cres. *Thor* —1C **98**
Radcliffe Ter. *H'pl* —1F **15**
Radford Clo. *Sto T* —4D **53**
Radlett Av. *Sto T* —1D **73**
Radnor Clo. *Sto T* —1E **73**
Radnor Grn. *M'brgh* —4E **103**
Radnor Gro. *H'pl* —1D **13**
Radstock Av. *Sto T* —5E **53**
Radyr Clo. *Sto T* —4C **52**
Raeburn St. *H'pl* —3F **13**
Rafton Dri. *H'pl* —2D **7**
Raglan Clo. *Sto T* —4C **52**
Raglan Ter. *Bill* —5E **39**
Ragpath La. *Sto T* —4D **53**
Ragworth. —2F 73
Ragworth Pl. *Sto T* —4A **54**
Ragworth Rd. *Sto T* —5A **54**
Railway Cotts. *C How* —3E **91**
Railway Cotts. *Eagle* —2B **148**
Railway Cotts. *Loft* —5D **93**
Railway Cotts. *Mar S* —5B **66**
Railway Cotts. *Nun* —3B **134**
Railway Cotts. *Skel C* —2C **88**
Railway Cotts. *Skin* —3A **92**
Railway Houses. *Port C* —1A **78**
Railway Pl. *M'brgh* —3D **81**
Railway St. *Sto T* —3B **74**
Railway Ter. *Brot* —3B **90**
Railway Ter. *Eagle* —3C **126**
Railway Ter. *Loft* —1D **117**
 (Jackson St.)
Railway Ter. *Loft* —5B **92**
 (Station Rd.)
Railway Ter. *Red* —3C **48**
 (in two parts)
Railway Ter. *Skel C* —4F **89**
Railway Ter. *Thor* —2C **98**
Raincliffe Ct. *Cou N* —4B **132**
Rainford Av. *Sto T* —1E **73**
Rainham Clo. *Ing B* —2B **150**
Rainham Clo. *M'brgh* —5A **80**
Rainsford Cres. *M'brgh* —5F **79**
Rainton Av. *M'brgh* —1C **130**
Rainton Dri. *Thor* —2B **128**
Rainton Gro. *Sto T* —2A **96**
Raisbeck Clo. *Mar S* —4C **66**
Raisby Clo. *M'brgh* —2B **130**
Raisdale Clo. *Thor* —1D **109**
Raisegill Clo. *M'brgh* —1B **102**
Raithwaite Clo. *Guis* —1D **139**
Raithwaite Ho. *Guis* —1E **139**
Rake Av. *Sto T* —5D **53**
Raleigh Clo. *Mar S* —5F **67**
Raleigh Ct. *M'brgh* —2C **76**
 (in two parts)
Raleigh Rd. *Sto T* —1A **74**
Raleigh Wlk. *Nort* —1A **74**
Ralfland Way. *Nun* —4A **134**
Ralph Sq. *Sto T* —3D **73**
Rampside Av. *Sto T* —4D **53**
Ramsbury Av. *Sto T* —5D **53**
Ramsey Cres. *Yarm* —5B **148**
Ramsey Gdns. *Ing B* —2E **149**
Ramsey Rd. *Red* —1F **63**
Ramsey Vw. *Sto T* —1C **74**
Ramsey Wlk. Guis —3D **139**
 (off Hutton La.)
Ramsgate. *Sto T* —1A **98**

Randolph St. *Salt S* —5C **68**
Raskelf Av. *Sto T* —1D **73**
Rathnew Av. *Sto T* —5C **52**
Raunds Av. *Sto T* —1D **73**
Raven Clo. *Guis* —3A **138**
Ravendale Rd. *M'brgh* —2F **103**
Raven La. *Sto T* —4A **54**
Ravenscar Cres. *Sto T* —1F **73**
Ravenscroft Av. *M'brgh* —3E **101**
Ravensdale. *M'brgh* —2B **130**
Ravensworth Av. *M'brgh*
                         —1C **104**
Ravensworth Cres. *H'pl* —1D **7**
Ravensworth Gro. *Sto T* —2A **96**
Ravensworth Rd. *Bill* —5E **39**
Ravenwood Clo. *H'pl* —2B **6**
Rawcliffe Av. *M'brgh* —3C **130**
Rawley Dri. *Red* —3A **64**
Rawlings Ct. *H'pl* —4A **8**
Rawlinson Av. *Bill* —4E **55**
Rawlinson St. *C How* —2F **91**
Ray Ct. *Sto T* —1C **72**
Raydale. *Hem* —5D **131**
Raydale Beck. *Ing B* —3B **150**
Raylton Av. *Mar C* —4D **133**
Reading Rd. *Sto T* —2A **74**
Rear High St. *Skel C* —4B **88**
Rear Norton Rd. Sto T —5A **74**
 (off Norton Rd.)
Recreation Vw. *M'hlm* —3B **142**
Rectory Av. *Guis* —2D **139**
Rectory Clo. *Guis* —2D **139**
Rectory La. *Guis* —3D **139**
Rectory La. *Long N* —1A **124**
Rectory La. Ind. Est. *Guis*
                         —3E **139**
Rectory Row. *S'fld* —4D **23**
Rectory Way. *Sea C* —5E **21**
Redbrook Av. *Sto T* —5D **53**
Redcar. —3C 48
Redcar Av. *Mar S* —4B **66**
Redcar Av. *Sto T* —1E **73**
Redcar Clo. *H'pl* —5A **14**
Redcar La. *Red* —4D **49**
Redcar Racecourse. —5C 48
Redcar Rd. *Duns* —5D **85**
Redcar Rd. *Guis* —1E **139**
Redcar Rd. *M'brgh* —2A **80**
Redcar Rd. *Red & Mar S* —3E **65**
Redcar Rd. *Thor* —5C **98**
 (in two parts)
Redcar Rd. E. *M'brgh* —2B **80**
Redcar St. *M'brgh* —2F **77**
Redditch Av. *Sto T* —5E **53**
Rede Ho. *M'brgh* —3F **77**
Redesdale Ct. *M'brgh* —5D **57**
Redesdale Gro. *Ing B* —2A **150**
Red Hall La. *K'ton* —3A **162**
Redhill Rd. *Sto T* —1D **73**
Red Ho. *Sto T* —5D **53**
Redland Clo. *Sto T* —1A **96**
Red Lion St. *Red* —3C **48**
Redmarshall. —1B 70
Redmarshall Rd. *R'shll* —1A **70**
Redmarshall Rd. *Stil* —3A **50**
Redmarshall Rd. *Sto T* —3E **71**
Redmarshall St. *Stil* —2A **50**
Redmayne Clo. *Bill* —4E **39**
Redmire Clo. *Sto T* —1D **97**

Redruth Av. *Sto T* —1E **73**
Redstart Clo. *H'pl* —5E **7**
Redwing La. *Sto T* —3B **54**
Redwing Rising. *Guis* —2B **138**
Redwood Clo. *H'pl* —1C **6**
Redwood Ct. *Mar C* —2E **133**
Redwood Dri. *Salt S* —5A **68**
Redworth Rd. *Bill* —5F **39**
Redworth St. *H'pl* —4C **14**
Redworth Wlk. *H'pl* —4C **14**
Reed Clo. *Sto T* —1C **74**
Reedston Rd. *H'pl* —2C **12**
Reed St. *H'pl* —4C **14**
Reed St. *Thor* —2C **98**
Reef Ho. *H'pl* —2C **14**
Reepham Clo. *Sto T* —5C **52**
Reeth Rd. *Sto T* —3C **96**
Regal Clo. *H'pl* —5F **21**
Regency Av. *M'brgh* —3D **105**
Regency Dri. *H'pl* —3B **20**
Regency Pk. *Ing B* —2C **150**
Regency W. Mall. Sto T —1A **98**
 (off West Row)
Regent Ct. *G'twn* —4E **81**
Regent M. Sto T —1A **98**
 (off Prince Regent St.)
Regent Rd. *M'brgh* —2A **102**
Regent Sq. *H'pl* —1F **15**
Regent St. *H'pl* —1F **15**
Regent St. *Red* —3C **48**
Regent St. *Sto T* —5A **74**
Reid Ter. *Guis* —1E **139**
Reigate Av. *M'brgh* —3E **101**
Reigate Clo. *Sto T* —5D **53**
Relton Way. *H'pl* —3E **13**
Renfrew Rd. *Sto T* —5B **54**
Rennie Rd. *Skip I* —4F **79**
Renown Wlk. *S Bnk* —3B **80**
Renvyle Av. *Sto T* —5C **52**
Repton Rd. *Sto T* —1D **73**
Repton Rd. *M'brgh* —5A **80**
Resolution, The. *Nun* —3A **134**
Resource Clo. *S Bnk* —3B **80**
Retford Clo. *Sto T* —5D **53**
Retford Gro. *H'pl* —5E **19**
Rettendon Clo. *Sto T* —5E **53**
Revesby Rd. *M'brgh* —3F **103**
Reynolds Ct. *Bill* —3D **39**
Reynoldston Av. *Sto T* —4D **53**
Rhingo Gro. *Ing B* —5F **127**
Rhobell Vw. *Ing B* —5E **127**
Rhodes Ct. *Thor* —2D **129**
Rhondda Av. *Sto T* —1E **73**
Rhoosegate. *Thor* —5E **99**
Rhyl Clo. *Sto T* —5E **53**
Ribble Clo. *Bill* —4A **38**
Ribbleton Clo. *Mar C* —3F **133**
Ribchester Clo. *Sto T* —5D **53**
Riccall Ct. Red —2B **64**
 (off Hambleton Av.)
Riccarton Clo. *Sto T* —5C **52**
Richard Ct. *H'pl* —4A **14**
Richard Hind Wlk. *Sto T* —3F **97**
Richard Ho. *Thor* —1B **98**
Richardson Rd. *Sto T* —2F **97**
Richardson Rd. *Thor* —5B **98**
Richardson St. *H'pl* —2A **14**
Richards Ter. *Skel C* —4F **89**
Richard St. *H'pl* —4A **14**

Richmond Clo. *M'brgh* —1D **105**
Richmond Ct. *G'twn* —4E **81**
Richmond Cres. *Bill* —5E **39**
Richmond Rd. *Red* —5E **49**
Richmond Rd. *Sto T* —2E **97**
Richmond St. *H'pl* —1B **20**
Richmond St. *M'brgh* —1E **77**
Richmond St. *Sto T* —4A **74**
Ricknall Clo. *M'brgh* —2B **130**
Ridge La. *Stait* —5C **118**
Ridge, The. *Cou N* —2B **154**
Ridge, The. *Salt S* —1C **88**
Ridgeway. *Cou N* —5A **132**
Ridley Av. *M'brgh* —4C **100**
Ridley Ct. *H'pl* —2A **14**
Ridley Ct. *Sto T* —4A **54**
Ridley Dri. *Sto T* —5F **53**
Ridley M. *Sto T* —5B **54**
Ridley St. *Red* —3C **48**
Ridley Ter. *Skin* —2A **92**
Ridlington Way. *H'pl* —2E **7**
Ridsdale Av. *Sto T* —1D **73**
Rievaulx Av. *Bill* —5C **38**
Rievaulx Clo. *Sto T* —5D **53**
Rievaulx Dri. *M'brgh* —4E **101**
Rievaulx Rd. *Skel C* —3D **89**
Rievaulx Wlk. *M'brgh* —1D **105**
Rievaulx Way. *Guis* —2F **139**
Rift House. —2E 19
Rifts Av. *Salt S* —4B **68**
Riftswood Dri. *Mar S* —4B **66**
Rigby Ho. *Yarm* —4B **148**
Riggston Pl. *H'pl* —2D **13**
Rigg, The. *Yarm* —5C **148**
Riley St. *Sto T* —1F **97**
Rillinton Clo. *Sto T* —5C **52**
Rillston Clo. *H'pl* —2D **13**
Rimdale Dri. *Sto T* —4A **72**
Rimswell Pde. *Sto T* —4A **72**
Rimswell Rd. *Sto T* —3A **72**
Ring Rd., The. *Sto T* —2E **73**
Ringway. *Thor* —1E **129**
Ringway Gro. *M Geo* —1A **144**
Ringwood Cres. *Sto T* —1E **73**
Ringwood Rd. *M'brgh* —1A **104**
Ripley Ct. *M'brgh* —5A **80**
Ripley Rd. *Sto T* —4F **53**
Ripon Clo. *Sto T* —1D **73**
Ripon Rd. *Brot* —2C **90**
Ripon Rd. *Nun* —3B **134**
Ripon Rd. *Red* —1F **65**
Ripon Way. *M'brgh* —5F **81**
Rise, The. *Nun* —3A **134**
Rishton Clo. *Sto T* —1D **73**
Rissington Wlk. *Thor* —1E **129**
Rium Ter. *H'pl* —3B **14**
River Ct. *M'brgh* —5C **56**
Riverdale Ct. *M'brgh* —2B **100**
Riverhead Av. *Sto T* —1D **73**
Riversdene. *Stok* —2A **168**
Riverside. *Sto T* —1B **98**
Riverside Bus. Pk. *M'brgh*
(in two parts) —1D **77**
Riverside M. *Yarm* —2B **148**
Riverside Pk. Ind. Est. *M'brgh*
—5D **57**
Riverside Pk. Rd. *M'brgh* —2C **76**
Riverside Pk. Trad. Est. *M'brgh*
—1D **77**

Riverside Quay. *Thor* —1B **98**
Riverside Rd. *M'brgh* —3E **59**
Riverside Stadium. —2B 78
Riverslea. *Stok* —2A **168**
Riversley Ho. *S'tn* —5C **130**
Riverston Clo. *H'pl* —2C **12**
Riversway. *Mar C* —2E **133**
R.N.L.I. Zetland Mus. —3D 49
Robert Av. *M'brgh* —3D **81**
Robert Huggins Ho. *M'brgh*
—1B **130**
Roberts Ho. *Pres I* —5E **97**
Roberts Ho. *Thor* —1C **98**
Roberts St. *M'brgh* —2D **81**
Robert St. *Thor* —2C **98**
Robin Clo. *Ing B* —5B **128**
Robinson Ct. *Loft* —5D **93**
Robinson St. *Loft* —5D **93**
Robinson St. *Skel C* —3C **88**
*Robinson's Yd. Skel C —4B 88
(off High St.)*
Robinson Ter. *Loft* —5C **92**
Robson Av. *Tees* —5D **129**
Robson Ct. *H'pl* —5A **8**
Robson St. *Bill* —3D **57**
Rochdale Av. *Sto T* —5E **53**
Rochdale Clo. *M'brgh* —2D **103**
Rochester Ct. *Ing B* —2A **150**
Rochester Ct. *Thor* —1C **98**
Rochester Dri. *Red* —1E **65**
Rochester Rd. *Bill* —5E **39**
Rochester Rd. *M'brgh* —2E **101**
Rochester Rd. *Sto T* —5E **53**
Rockall Av. *Sto T* —5C **52**
Rockcliffe Ct. *E'tn* —3A **118**
Rockcliffe Ter. *C How* —2A **92**
Rockcliffe Vw. *C How* —2A **92**
Rocket Ter. *Red* —3A **48**
Rockferry Clo. *Sto T* —5C **52**
Rockliffe Rd. *M'brgh* —2C **100**
Rockpool Clo. *H'pl* —4B **8**
Rockport Ct. *Sto T* —4C **74**
Rockwood Clo. *Guis* —3F **139**
Rodmell Clo. *M'brgh* —2A **104**
Rodney Clo. *Bill* —5D **55**
Rodney Clo. *Brot* —2C **90**
Rodney St. *H'pl* —3A **14**
Roebuck Clo. *Ing B* —4C **128**
Roecliffe Gro. *Sto T* —5B **52**
Roedean Dri. *Eagle* —1C **148**
Rogeri Pl. *H'pl* —3F **7**
Roger La. *Malt* —2F **151**
Rokeby Av. *M'brgh* —3A **102**
Rokeby St. *H'pl* —4C **8**
Rokeby St. *Sto T* —2F **97**
Roker St. *H'pl* —4B **14**
Roker Ter. *Sto T* —2F **97**
Rolleston Av. *Sto T* —5C **52**
Romaine Pk. *H'pl* —4C **8**
Romaldkirk Rd. *M'brgh* —2D **77**
Romanby Av. *Sto T* —1E **73**
Romanby Clo. *H'pl* —4C **8**
Romanby Gdns. *M'brgh* —3E **131**
Romany Rd. *Gt Ay* —1D **167**
Romford Rd. *Sto T* —5D **53**
Romney Clo. *Red* —2E **65**
Romney Grn. *Bill* —3D **39**
Romney St. *M'brgh* —4E **77**
Romsey Rd. *Sto T* —1E **73**

Ronaldshay Ter. *Mar S* —4D **67**
Rookery Dale. *B'bck* —2B **112**
Rookery, The. *Eagle* —2B **148**
Rook La. *Sto T* —3A **54**
Rookwood Rd. *Nun* —3B **134**
Ropery Rd. *H'pl* —4C **8**
Ropery St. *Sto T* —5A **74**
Ropner Av. *Sto T* —2E **97**
Roscoe Rd. *Bill* —5E **55**
Roscoe St. *M'brgh* —4A **78**
Rose Av. *Mar S* —4A **66**
Rosebank. *H'pl* —5F **13**
Rosebay Ct. *Guis* —3B **138**
Roseberry Av. *Gt Ay* —1E **167**
Roseberry Av. *Stok* —5D **165**
Roseberry Cres. *Gt Ay* —5A **158**
Roseberry Cres. *M'brgh* —5A **82**
Roseberry Cres. *Sto T* —4B **54**
Roseberry Dri. *Gt Ay* —1D **167**
Roseberry Dri. *S'tn* —5C **130**
Roseberry Flats. *Bill* —1D **55**
Roseberry La. *Gt Br* —3C **158**
Roseberry M. *H'pl* —3F **13**
Roseberry Mt. *Guis* —2C **138**
Roseberry Rd. *Bill* —1C **54**
Roseberry Rd. *Gt Ay* —1D **167**
Roseberry Rd. *H'pl* —3F **13**
Roseberry Rd. *M'brgh* —5A **78**
(in two parts)
Roseberry Rd. *Red* —2A **64**
Roseberry Rd. *Sto T* —4B **54**
Roseberry Sq. *Red* —2B **64**
Roseberry Vw. *Thor* —3C **98**
Rosecroft Av. *Loft* —1B **116**
Rosecroft Av. *M'brgh* —2F **101**
Rosecroft La. *Loft* —1B **116**
Rosedale Av. *H'pl* —4F **13**
Rosedale Av. *M'brgh* —1F **101**
Rosedale Clo. *S'fld* —2D **23**
Rosedale Cres. *Guis* —3B **138**
Rosedale Cres. *Loft* —4B **92**
Rosedale Gdns. *Bill* —4D **39**
Rosedale Gdns. *Ling* —4E **113**
Rosedale Gdns. *Sto T* —5D **53**
Rosedale Gro. *Red* —1F **63**
Rosedale La. *Port M* —4E **121**
Rosedale Rd. *Nun* —3B **134**
Rosegarth Ct. *Gt Br* —5F **169**
Rosehill. —2B 96
(Stockton-on-Tees)
Rose Hill. —4C 148
(Yarm)
Rosehill. *Gt Ay* —2D **167**
Rosehill. *Hind* —5E **121**
Rose Hill. *Newby* —4B **154**
Rose Hill Dri. *Stok* —2B **168**
Rose Hill Way. *Stok* —2B **168**
Roseland Cres. *Mar C* —1E **133**
Roseland Dri. *Mar C* —1E **133**
Rosemary Cotts. *Mar S* —5D **67**
Rosemoor Clo. *Mar C* —3C **132**
Rosemount Rd. *New M* —2F **85**
Roseneath Av. *Sto T* —4D **53**
Rose St. *M'brgh* —3E **77**
Rose Ter. *Egg* —2C **148**
Rose Wlk. *Salt S* —5D **69**
Roseway, The. *Salt S* —5C **68**
Rosewood Clo. *Orm* —4B **104**
Rosewood Ct. *Mar C* —2E **133**

Roseworth. —5D 53
Roseworth. *Gt Br* —5F **169**
Rosgill. *Red* —1B **64**
Rosiere Gro. *Red* —5C **48**
Roslyn Av. *M'brgh* —2D **103**
Rossall St. *H'pl* —1A **20**
Rossendale Clo. *Mar S* —5C **66**
Rossetti Way. *Bill* —3D **39**
Rossett Wlk. *M'brgh* —2C **102**
(in two parts)
Ross Gro. *H'pl* —4B **20**
Rosslare Rd. *Sto T* —5C **52**
Rosslyn Ct. *Sto T* —3E **97**
Rossmere. —4F 19
Rossmere Way. *H'pl* —4F **19**
Ross Rd. *Sto T* —3D **75**
Ross St. *M'brgh* —4D **77**
Rosthwaite. *M'brgh* —2B **130**
Rosthwaite Av. *Sto T* —5E **53**
Rosthwaite Clo. *H'pl* —5B **8**
Rostrevor Av. *Sto T* —4D **53**
Rothbury Av. *Sto T* —5D **53**
Rothbury Clo. *Ing B* —2B **150**
Rothbury Rd. *M'brgh* —2C **102**
Rothbury St. *Bill* —1D **55**
Rotherham Av. *Sto T* —1D **73**
Rothesay Dri. *Red* —2E **65**
Rothesay Gro. *Nun* —2B **134**
Rothwell Cres. *Sto T* —1D **73**
Rothwell M. *Est* —1F **105**
Rottingdean Clo. *Sto T* —5D **53**
Roundhay Dri. *Eagle* —5C **126**
Round Hill. —1F 149
Roundhill Av. *Ing B* —1F **149**
Roundhill Rd. *H'pl* —3C **12**
Roundway. *Mar C* —2E **133**
Rounton Grn. *M'brgh* —2C **102**
Rounton Gro. *Sto T* —1B **96**
Routledge Ct. *H'pl* —5A **8**
Routledge Rd. *Sto T* —3C **74**
Rowallane Gdns. *Ing B* —2B **150**
Rowan Av. *Guis* —3B **138**
Rowan Dri. *Gt Ay* —1D **167**
Rowan Gro. *S'tn* —5B **130**
Rowan Oval. *S'fld* —3D **23**
Rowan Rd. *Eagle* —1B **148**
Rowan Rd. *Sto T* —3A **74**
Rowanton Pl. *H'pl* —2D **13**
Rowanwood Ct. *M'brgh*
—2E **131**
Rowan Yd. *Sto T* —5B **54**
Rowell St. *H'pl* —1F **15**
Rowen Clo. *Ing B* —1F **149**
Rowland Keld. *Guis* —4B **138**
Rowlands Gro. *Bill* —2A **40**
Roworth Rd. *M'brgh* —1A **104**
Roxburgh Clo. *Norm* —5B **80**
Roxby Av. *Guis* —4D **139**
Roxby Av. *M'brgh* —4E **103**
Roxby Clo. *H'pl* —5D **21**
Roxby Clo. *Red* —2C **64**
Roxby Clo. *Sto T* —1F **73**
Roxby La. *Stait* —5E **119**
Royal George Dri. *Eagle*
—4A **126**
Royce Av. *Bill* —5B **40**
Royce Ct. *Bill* —5B **40**
Royd, The. *Yarm* —5B **148**
Royston Av. *M'brgh* —4E **103**

Royston Clo. *Sto T* —1F **73**
Royston Gro. *H'pl* —1D **31**
Ruberry Av. *Sto T* —5C **52**
Ruby Rd. *Thor* —4D **99**
Ruby St. *M'brgh* —4E **77**
Ruby St. *Salt S* —3C **68**
Rudby Clo. *Yarm* —4E **149**
Rudds Pl. *M'brgh* —1E **101**
Rudland Way. *M'brgh* —5F **81**
Rudston Av. *Bill* —4A **38**
Rudston Clo. *Thor* —2B **128**
Rudyard Av. *Sto T* —5C **52**
Rufford Clo. *Guis* —4E **139**
Rufford Clo. *Ing B* —5C **128**
Rufford Clo. *Mar C* —3F **133**
Ruff Tail. *Guis* —2B **138**
Rugby Rd. *Sto T* —1F **97**
Rugby St. *H'pl* —1A **20**
Rugby Ter. *M'brgh* —4E **57**
Rugeley Clo. *Sto T* —1D **73**
Ruislip Clo. *Sto T* —1D **73**
Runciman Rd. *H'pl* —4F **7**
Runcorn Av. *Sto T* —1D **73**
Runfold Clo. *Sto T* —4C **52**
Runnymead Grn. *M'brgh*
—4E **103**
Runnymede. *Nun* —4A **134**
Runnymede Clo. *Sto T* —5D **53**
Runswick Av. *M'brgh* —2C **130**
Runswick Av. *Red* —5A **48**
Runswick Av. *Sto T* —1D **73**
Runswick La. *Hind* —5F **121**
Runswick Rd. *M'brgh* —5F **81**
Rupert St. *Sto T* —4C **74**
Rushleigh Av. *M'brgh* —5B **100**
Rushmere. *Mar C* —5E **133**
Rushmere Heath. *Eagle* —1C **148**
Rushpool Clo. *Red* —2B **64**
Rushwarp Gro. *Sea C* —5E **21**
Rushyford Av. *Sto T* —1D **73**
Ruskin Av. *M'brgh* —4B **100**
Ruskin Av. *Salt S* —4B **68**
Ruskin Gro. *H'pl* —1F **19**
Russell St. *H'pl* —5E **9**
Russell St. *M'brgh* —3F **77**
(in two parts)
Russell St. *Sto T* —5A **74**
(in two parts)
Russell Wlk. *H'pl* —5B **14**
(in two parts)
Russell Wlk. *Thor* —3C **98**
Rustington Clo. *Sto T* —5D **53**
Ruswarp Av. *Sto T* —1D **73**
Ruswarp Clo. *M'brgh* —1F **105**
Ruswarp Rd. *M'brgh* —1F **105**
Ruth Av. *M'brgh* —1E **103**
Rutherglen Wlk. *Eagle* —1C **148**
Ruthin Clo. *Sto T* —5E **53**
Rutland Av. *Mar C* —3C **132**
Rutland Clo. *Sto T* —5E **53**
Rutland Ct. *M'brgh* —3F **77**
Ryan Av. *Sto T* —4B **74**
Ryans Row. *Mar S* —4B **66**
Ryan Wlk. *Sto T* —4B **74**
Rydal Av. *Bill* —5E **55**
Rydal Av. *G'twn* —4F **81**
Rydal Av. *M'brgh* —4C **100**
Rydal Av. *Red* —5B **48**
Rydal Rd. *Skel C* —3B **88**

Rydal Rd. *Sto T* —5E **73**
Rydal St. *H'pl* —5A **14**
Rydal Way. *R'shll* —1B **70**
Ryder Clo. *New M* —2F **85**
Ryde Rd. *Sto T* —5D **53**
Rye Clo. *Eagle* —2B **148**
Ryedale. *Guis* —4B **138**
Ryedale Clo. *Yarm* —1B **160**
Ryedale St. *M'brgh* —4C **78**
Ryefields Ho. *M'brgh* —3E **105**
Ryehill Clo. *Nun* —5A **134**
Ryehill Gdns. *H'pl* —2E **13**
Ryehills Dri. *Mar S* —3E **67**
Rye Hill Way. *Cou N* —2C **154**
Ryelands Pk. *E'tn* —3A **118**
Ryhill Wlk. *Orm* —4A **104**
Ryhope Av. *Sto T* —5D **53**
Rylstone Ct. *M'brgh* —3A **102**
Ryton Clo. *Thor* —2B **128**

Sabatier Clo. *Thor* —1C **98**
Sacriston Clo. *Bill* —4C **38**
Sadberge Gro. *Sto T* —5A **72**
Sadberge Rd. *Sto T* —3F **97**
Sadberge St. *M'brgh* —4C **78**
Saddler Clo. *Ing B* —5B **128**
Saddleston Clo. *H'pl* —2D **13**
Sadler Dri. *Mar C* —3C **132**
Sadler Forster Way. *Tees*
—4D **129**
Sadler St. *H'pl* —5D **15**
Saffron Wlk. *H'pl* —3E **21**
St Abb's Wlk. *H'pl* —4C **14**
St Aidan's Cres. *Bill* —2C **54**
St Aidan's Dri. *M'brgh* —3E **77**
St Aidan's St. *H'pl* —1B **20**
St Aidan's St. *M'brgh* —4E **77**
St Aidan's Vw. *B'bck* —3C **112**
St Andrew's Clo. *Eagle* —1C **148**
St Andrew's Gro. *H'pl* —2D **7**
St Andrew's Rd. *Mar C* —3D **133**
St Andrews Rd. *New M* —1A **86**
St Andrew's Rd. E. *M'brgh*
—3E **81**
St Andrew's Rd. W. *M'brgh*
—3E **81**
St Annes Gdns. *M Geo* —3A **144**
St Annes Rd. *New M* —2A **86**
St Ann's Ct. *H'pl* —4D **15**
St Ann's Hill. —4C 74
St Anns Ind. Est. *Sto T* —4C **74**
St Ann's Ter. *Sto T* —4C **74**
St Austell Clo. *Hem* —4C **130**
St Barnabas Rd. *M'brgh*
—1D **101**
St Bees Wlk. H'pl —4C **14**
(off Longscar Wlk.)
St Bernard Rd. *Sto T* —1A **98**
St Brides Ct. *Ing B* —2F **149**
St Catherine's Ct. *H'pl* —4C **14**
St Catherines Ct. *M'brgh*
—1C **102**
St Columba's Av. *Bill* —2C **54**
St Crispins Ct. *Sto T* —3E **73**
St Cuthbert Ct. *Thor* —3C **98**
St Cuthbert's Av. *Bill* —2C **54**
St Cuthbert's Rd. *Sto T* —2A **98**
(in two parts)

St Cuthbert St. *H'pl* —5E **9**
St Cuthbert's Wlk. *Liver* —1A **116**
St David's Clo. *Bill* —2C **54**
St Davids Gro. *Ing B* —2F **149**
St David's Rd. *M'brgh* —3F **81**
St David's Wlk. *H'pl* —1D **13**
St Edmund's Grn. *S'fld* —3D **23**
(in two parts)
St Edmund's Ter. *S'fld* —4D **23**
St Francis Ga. *H'pl* —2B **20**
St George's Bungalows.
    M'brgh —3E **81**
St George's Cres. *New M* —2A **86**
St George's Rd. E. *M'brgh*
    —3E **81**
St George's Rd. W. *M'brgh*
    —3E **81**
St Georges Ter. Liver —1A **116**
(off Liverton Ter.)
St Germain's Gro. *Mar S* —4D **67**
St Germain's La. *Mar S* —4D **67**
St Helen's Clo. *M'brgh* —1D **105**
St Helen's St. *H'pl* —5E **9**
St Helens Wlk. *Liver* —1A **116**
St Hilda Chare. *H'pl* —1F **15**
St Hilda's Cres. *H'pl* —1F **15**
St Hilda's Pl. *Loft* —5C **92**
St Hilda's Ter. *Loft* —4A **92**
St Hilda St. *H'pl* —1F **15**
St Ives Clo. *M'brgh* —2B **132**
St Ives Clo. *Red* —3F **65**
St James Clo. *Thor T* —1D **51**
St James' Ct. *G'twn* —2D **81**
St James Gdns. *M'brgh* —2F **77**
St James Gro. *Hart* —4F **5**
St James Ho. *Sto T* —4C **74**
St James' M. *M'brgh* —5D **77**
St Joan's Gro. *H'pl* —2B **20**
St John's Clo. *M'brgh* —3A **78**
St Johns Clo. *Sto T* —4A **74**
St John's Ga. M'brgh —3A **78**
(off Woodside St.)
St John's Gro. *Red* —5D **49**
St Johns Pk. *Stil* —2B **50**
St John's Way. *Sto T* —2F **73**
St Josephs Ct. *H'pl* —3A **14**
St Josephs Clo. *Red* —5B **48**
St Leonards Clo. *Liver* —1A **116**
St Leonards Rd. *Guis* —3C **138**
St Luke's Av. *Thor* —3D **99**
St Luke's Cotts. *M'brgh* —2A **102**
St Lukes Ct. *H'pl* —2F **13**
St Lukes Cres. *S'fld* —1C **22**
St Margarets Clo. *M Geo*
    —3A **144**
St Margaret's Gro. *H'pl* —2B **20**
St Margaret's Gro. *M'brgh*
    —4D **101**
St Margaret's Gro. *Red* —1D **65**
St Margaret's Gro. *S Bnk* —4B **80**
St Margaret's Gro. *Thor* —1D **129**
St Margaret's Way. *Brot* —2B **90**
St Mark's Clo. *Mar S* —4C **66**
St Mark's Clo. *Sto T* —4B **72**
St Mark's Ct. *Thor* —1B **98**
St Mark's Ho. *Thor* —1B **98**
St Martins Clo. *Liver* —1A **116**
St Martin's Way. *K'ton* —4D **161**
St Mary's Clo. *Sto T* —4B **74**

St Mary's Ct. *H'pl* —1F **15**
(off Union St.)
St Mary's Ct. *M'brgh* —3D **101**
(TS5)
St Mary's Ct. *M'brgh* —3E **81**
(TS6)
St Marys Ga. Bus. Pk. *Sto T*
    —4B **74**
St Mary St. *H'pl* —1F **15**
St Mary's Wlk. *M'brgh* —4D **101**
St Matthews Ct. *G'twn* —2D **81**
St Mawes Clo. *H'pl* —2D **13**
St Michael's Clo. *Liver* —1A **116**
St Michael's Ct. *Nort* —2B **74**
St Michael's Gro. *Sto T* —2B **74**
St Nicholas Ct. *G'twn* —2D **81**
St Nicholas Gdns. *Yarm* —5E **149**
St Oswald's Cres. *Bill* —2C **54**
St Oswalds St. *H'pl* —2A **14**
St Patrick's Clo. *M'brgh* —3E **81**
St Patrick's Rd. *M'brgh* —3E **81**
St Paul's Ct. *Sto T* —4F **73**
St Pauls Rd. *H'pl* —4A **14**
St Paul's Rd. *M'brgh* —3D **77**
St Paul's Rd. *Sto T* —4F **73**
St Paul's Rd. *Thor* —3C **98**
St Paul's St. *Thor* —5F **73**
St Paul's Ter. *Sto T* —4F **73**
St Peter's Gro. *Red* —5D **49**
St Peter's Rd. *Sto T* —2F **97**
St Peter's Sq. *Thor* —1D **129**
St Stephens Clo. *Sto T* —3A **54**
St Thomas Gro. *Red* —5D **49**
St Vincent Ter. *Red* —4B **48**
Salcombe Clo. *M'brgh* —2B **132**
Salcombe Dri. *H'pl* —5A **20**
Salcombe Way. *Red* —3E **65**
Salisbury Gro. *Red* —5F **49**
Salisbury Pl. *H'pl* —1E **13**
Salisbury St. *Thor* —3D **99**
Salisbury Ter. *M'brgh* —2F **79**
Salisbury Ter. *Sto T* —2B **74**
Saltaire Ter. *G'ham* —4F **31**
Saltburn Bank. *Salt S* —3D **69**
Saltburn-by-the-Sea. —4C 68
Saltburn Cliff Railway. —3D **69**
Saltburn Gill Nature Reserve.
    —1E **89**
Saltburn La. *Salt S* —4D **69**
Saltburn La. *Skel C* —3C **88**
Saltburn La. Roundabout.
    Skel C —2C **88**
Saltburn Miniature Railway.
    —4D **69**
Saltburn Rd. *Brot* —4D **69**
Saltburn Rd. *Thor* —4D **99**
Saltburn Smugglers' Heritage
    Cen. —3E **69**
Saltburn Valley Woodland
    Cen. —5D **69**
Saltcote. *Mar C* —2E **133**
Saltergill La. *Yarm* —3A **160**
Salter Ho. Dri. *Wyn* —4C **26**
Salter Houses. *Wyn* —4C **26**
Saltersgill. —3F 101
Saltersgill Av. *M'brgh* —3F **101**
(in two parts)
Saltersgill Clo. *M'brgh* —3F **101**
Salter's La. *S'fld* —2D **23**

Salter Wlk. *H'pl* —5E **9**
Saltholme Clo. *M'brgh* —4E **57**
Saltney Rd. *Sto T* —5F **53**
Salton Clo. *M'brgh* —2B **100**
Saltram Clo. *Ing B* —1B **150**
Saltram Gro. *Mar C* —2C **132**
Saltscar. *Red* —2E **65**
Saltview Ter. *M'brgh* —5A **58**
Saltwells Cres. *M'brgh* —5B **78**
Saltwells Rd. *M'brgh* —4A **78**
Samaria Gdns. *M'brgh* —2D **131**
Sambrook Gdns. *M'brgh*
    —2D **131**
Samphire St. *M'brgh* —5F **57**
Samsung Av. *Wyn* —1A **38**
Samsung Ind. Pk. *Wyn* —5A **28**
Samuelson Ho. *M'brgh* —2D **103**
Samuel St. *Sto T* —4F **73**
Sandalwood Ct. *M'brgh* —2E **131**
Sandbanks Dri. *H'pl* —2D **7**
Sanderson's Yd. *Loft* —5C **92**
Sandford Bus. Pk. *M'brgh*
    —2C **80**
Sandford Clo. *M'brgh* —4A **102**
Sandgate Ind. Est. *H'pl* —1D **21**
Sandhall Clo. *Bill* —2F **39**
Sandholme. *Ling* —4E **113**
Sandling Ct. *Mar C* —2E **133**
Sandmartin La. *Sto T* —3B **54**
Sandmoor Clo. *M'brgh* —2E **105**
Sandmoor Rd. *New M* —2F **85**
Sandown Pk. *Red* —1D **65**
Sandown Rd. *Bill* —4D **39**
Sandown Way. *Sto T* —2F **99**
Sandpiper Clo. *Red* —3E **65**
Sandpiper Wlk. *M'brgh* —4E **57**
Sandport Wlk. Sto T —4C **74**
(off Alnport Rd.)
Sandringham Ho. *M'brgh*
    —3D **103**
Sandringham Rd. *G'twn* —4E **81**
Sandringham Rd. *H'pl* —3A **14**
Sandringham Rd. *M'brgh*
    —3D **103**
Sandringham Rd. *Red* —4C **48**
Sandringham Rd. *Sto T* —1F **97**
Sandringham Rd. *Thor* —3D **99**
Sandsend Rd. *M'brgh* —5F **81**
Sandsend Rd. *Red* —1A **64**
Sands Hall Roundabout. *S'fld*
    —4B **22**
Sandwell Av. *M'brgh* —3F **103**
Sandwell Chare. *H'pl* —1F **15**
Sandwich Gro. *H'pl* —2D **7**
Sandwood Pk. *Guis* —4A **138**
Sandy Bank. *S'fld* —4A **22**
Sandy Flatts Ct. *M'brgh* —2E **131**
Sandy Flatts La. *M'brgh* —2E **131**
Sandy La. *Bill* —5B **38**
(in two parts)
Sandy La. *Guis & New M* —5D **85**
(in two parts)
Sandy La. W. *Bill* —3F **37**
Sandy Leas La. *Elt* —1A **94**
Sapley Clo. *Thor* —2C **128**
Sarah St. *H'pl* —1C **20**
Sark Wlk. Guis —3D **139**
(off Hutton La.)
Satley Rd. *Bill* —2F **39**

Saunton Av. *Red* —3E **65**
Saunton Rd. *Bill* —1F **55**
Sawley Gro. *Sto T* —2A **96**
Sawtry Rd. *M'brgh* —3F **103**
Saxby Rd. *Sto T* —2B **74**
Saxonfield. *Cou N* —4B **132**
Scalby Gro. *Red* —2E **65**
Scalby Gro. *Sto T* —5A **72**
Scalby Rd. *M'brgh* —1B **102**
Scalby Sq. *Thor* —4D **99**
Scaling Ct. *Guis* —1D **139**
Scampton Clo. *Thor* —2B **128**
Scanbeck Dri. *Mar S* —3D **67**
Scarborough St. *H'pl* —3C **14**
Scarborough St. *Loft* —5A **92**
Scarborough St. *M'brgh* —3A **80**
Scarborough St. *Thor* —3C **98**
Scarteen Clo. *Guis* —3D **139**
Scarth Clo. *Ling* —4E **113**
Scarth Wlk. *Sto T* —5F **73**
Scarthwood Clo. *Ing B* —5C **128**
Scawfell Gro. *H'pl* —1B **20**
Scawton Ct. *Red* —2B **64**
Scholars Ct. *Yarm* —3B **148**
School Av. *M'brgh* —2B **100**
School Clo. *Mar S* —4D **67**
School Clo. *Sto T* —2A **98**
School Clo. *Thor T* —2D **51**
School Cft. *M'brgh* —2F **77**
School La. *Gt Ay* —2D **167**
School La. *Liver* —1A **116**
School Wlk. *Sto T* —2A **98**
Schooner Ct. *H'pl* —3D **15**
Scotforth Clo. *Mar C* —3F **133**
Scotney Rd. *Bill* —5D **39**
Scotswood Ho. *Thor* —2B **98**
Scott Dri. *Sto T* —5F **53**
Scott Gro. *H'pl* —2D **19**
Scotton Clo. *Sto T* —3A **96**
Scotton Ct. *M'brgh* —2A **104**
Scott Rd. *M'brgh* —2B **104**
Scott's Rd. *M'brgh* —2A **78**
Scott St. *Red* —4D **49**
Scrafton Pl. *Mar S* —4D **67**
Scruton Clo. *Sto T* —2B **96**
Scugdale Clo. *Yarm* —1B **160**
Scurfield Rd. *Sto T* —1A **72**
Seaford Clo. *Red* —3E **65**
Seaham Clo. *Red* —3F **65**
Seaham Clo. *Sto T* —4E **53**
Seaham St. *Sto T* —4B **74**
Seaham Vw. *Sto T* —4E **53**
Sealand Clo. *Thor* —3D **129**
Seal Sands Link Rd. *Bill* —2D **39**
Seal Sands Rd. *M'brgh* —1B **58**
Seamer Clo. *M'brgh* —4E **101**
Seamer Gro. *Sto T* —2D **97**
Seamer Rd. *Hilt & Seam* —1F **163**
Seamer Rd. *T'tn & Newby* —1B **152**
Seathwaite. *M'brgh* —3B **130**
Seaton Carew. —4E **21**
Seaton Carew Rd. *Seal S* —5A **58**
Seaton Clo. *Red* —2F **65**
Seaton Clo. *Stait* —2C **120**
Seaton Clo. *Sto T* —5A **72**
Seaton Cres. *Stait* —2C **120**
Seaton Gth. *Stait* —1C **120**
Seaton La. *H'pl* —4B **20**

Seatonport Ct. *Sto T* —4C **74**
Seaton St. *M'brgh* —4F **77**
Seaton Ter. *Ling* —5E **113**
Sea Vw. Ter. *H'pl* —5E **9**
Sea Vw. Ter. *M'brgh* —1D **81**
Second Foulsyke. *Loft* —5F **93**
Sedgebrook Gdns. *M'brgh* —3A **104**
Sedgefield. —4D **23**
Sedgefield Ind. Est. *S'fld* —2D **23**
Sedgefield Racecourse. —5A 22
Sedgefield Rd. *M'brgh* —2C **130**
Sedgefield Way. *Sto T* —3E **75**
Sedgemoor Rd. *M'brgh* —3E **105**
Sedgemoor Way. *Bill* —3A **40**
Sedgewick Clo. *H'pl* —3A **8**
Sefton Rd. *M'brgh* —1A **104**
Sefton Way. *Yarm* —5A **148**
Selbourne St. *M'brgh* —4D **77**
Selby Gro. *H'pl* —3A **20**
Selby Rd. *Nun* —3B **134**
Selkirk Clo. *M'brgh* —4F **101**
(in two parts)
Selset Av. *M'brgh* —4E **103**
Selset Clo. *H'pl* —3C **12**
Selwood Clo. *Thor* —2D **129**
Selworthy Grn. *Ing B* —3B **150**
Selwyn Dri. *Sto T* —2A **72**
Semmerwater Gro. *Red* —5C **48**
Serpentine Gdns. *H'pl* —2E **13**
Serpentine Rd. *H'pl* —3E **13**
(in two parts)
Severn Dri. *Guis* —3C **138**
Severn Gro. *Bill* —4A **38**
Severn Gro. *Skel C* —3D **89**
Severn Rd. *Red* —4A **48**
Severn Way. *Red* —4A **48**
Severs Dri. *S'tn* —5C **130**
Severs St. *M'brgh* —2F **79**
Seymour Av. *Eagle* —2A **148**
Seymour Clo. *Mar S* —5F **67**
Seymour Cres. *Eagle* —1A **148**
Seymour Dri. *Eagle* —1A **148**
Seymour Gro. *Eagle* —2A **148**
Seymour Hill Ter. *Loft* —5C **92**
(off North Rd.)
Shackleton Clo. *Thor* —2D **129**
Shadforth Dri. *Bill* —3F **39**
Shadwell Clo. *M'brgh* —4C **104**
Shaftesbury Rd. *M'brgh* —5D **81**
Shaftesbury St. *Sto T* —2A **98**
Shakespeare Av. *H'pl* —1A **20**
Shakespeare Av. *M'brgh* —3F **81**
Shaldon Clo. *Red* —3E **65**
Shambles, The. *Sto T* —1B **98**
Shandon Pk. *Mar C* —5D **133**
Shannon Ct. *G'ham* —3E **31**
Shannon Cres. *Sto T* —4A **72**
Shannon Lea. *M Geo* —1A **144**
Sharp Cres. *H'pl* —4A **8**
Sharrock Clo. *M'brgh* —3B **78**
Shaw Cres. *M'brgh* —4F **81**
Shawcross Av. *M'brgh* —3D **81**
Shaw Gro. *H'pl* —2D **19**
Shearwater La. *Sto T* —3A **54**
Sheepdene. *Wyn* —4A **26**
Sheepfoote Hill. *Yarm* —4B **148**
Sheerness Gro. *H'pl* —4C **14**
Sheerness Way. *Red* —3E **65**

Shelley Clo. *Bill* —2D **39**
Shelley Cres. *M'brgh* —5C **80**
Shelley Gro. *H'pl* —1F **19**
Shelley Rd. *M'brgh* —3F **101**
Shelton Ct. *M'brgh* —2F **103**
Shepherd Clo. *Thor* —5B **98**
Shepherd Ct. *B'bck* —3C **112**
Shepherdson Ct. *M'brgh* —2A **80**
Shepherdson Way. *M'brgh* —2B **78**
Shepton Clo. *Thor* —5E **99**
Sheraton. —3A **4**
Sheraton Bank. *Cas E* —3A **4**
Sheraton Pk. *Sto T* —2E **73**
Sheraton St. *Sto T* —1F **97**
Sherburn Av. *Bill* —3E **39**
Sherburn Clo. *M'brgh* —1C **130**
Sheridan Gro. *H'pl* —1F **19**
Sheriff St. *H'pl* —3A **14**
Sheringham Ct. *Red* —3F **65**
Sherwood Clo. *Orm* —1B **134**
Sherwood Dri. *Mar S* —4B **66**
Sherwood Rd. *Thor* —2C **128**
Shetland Clo. *M'brgh* —3D **131**
Shevington Gro. *Mar C* —3E **133**
Shibden Rd. *M'brgh* —5C **78**
Shields Ter. *H'pl* —4C **8**
Shildon Clo. *Bill* —4D **39**
Shincliffe Rd. *Bill* —3F **39**
Shinwell Cres. *M'brgh* —3A **80**
Shipham Clo. *Red* —3E **65**
Ship Inn Yd. *Sto T* —1A **98**
Shirley Av. *M'brgh* —2B **100**
Shoreham Clo. *Red* —3E **65**
Shoreswood Wlk. *M'brgh* —2D **131**
Short Clo. *Pres I* —4F **97**
Shotley Clo. *Bill* —4D **39**
Shotton Ct. *Bill* —5F **39**
Shrewsbury Rd. *M'brgh* —2F **103**
Shrewsbury St. *H'pl* —1A **20**
Shropshire Wlk. *H'pl* —5B **14**
Sidcup Av. *M'brgh* —4E **103**
Siddington Wlk. *M'brgh* —1E **103**
Sideling Tails. *Yarm* —5B **148**
Sidlaw Av. *Skel C* —3C **88**
Sidlaw Rd. *Bill* —5C **38**
Sidmouth Clo. *M'brgh* —1B **132**
Silton Gro. *Sto T* —2D **97**
Silver Chambers. *Sto T* —5B **74**
(off Silver St.)
Silver Ct. *Sto T* —5B **74**
(off Silver St.)
Silverdale. *Nun* —4F **133**
Silver St. *H'pl* —4B **14**
Silver St. *M'brgh* —1E **77**
Silver St. *Sto T* —5B **74**
Silver St. *Stok* —1B **168**
Silver St. *Yarm* —3B **148**
Silverton Rd. *Guis* —4F **139**
Silverwood Clo. *H'pl* —2C **6**
Silverwood Ct. *Thor* —3C **98**
Simcox Ct. *Riv I* —2C **76**
Simonside Gro. *Ing B* —2B **150**
Simonside Wlk. *Orm* —4A **104**
Simpson Clo. *M'brgh* —3B **80**
Simpson Grn. *S Bnk* —3A **80**
Simpson St. *M'brgh* —1E **101**
Sinclair Rd. *H'pl* —3D **19**

Sinderby Clo. *Bill* —4E **39**
Singapore Sq. *Eagle* —4F **125**
Sinnington Clo. *Guis* —3E **139**
Sinnington Rd. *Thor* —2C **128**
Sir Douglas Pk. *Thor* —1C **128**
Sir Hugh Bell Ct. *Red* —3E **47**
Siskin Clo. *H'pl* —1D **13**
Siskin Clo. *Sto T* —3A **54**
Sitwell Wlk. *H'pl* —2D **19**
Skeeby Clo. *Sto T* —3B **96**
Skelton. —3C 88
Skelton/Brotton By-Pass.
        Skel C —3A **88**
Skelton Castle Roundabout.
        Skel C —3A **88**
Skelton Ct. *Guis* —5E **109**
Skelton Dri. *Mar S* —4E **67**
Skelton Dri. *Red* —1E **65**
Skelton Ellers. *Guis & Skel C*
        —4A **110**
Skelton Green. —5B 88
Skelton High Green. —1A 112
Skelton Ind. Est. *Skel C* —3E **89**
Skelton Rd. *Brot* —4F **89**
Skelton St. *H'pl* —3F **7**
Skelwith Rd. *M'brgh* —2C **102**
Skerne Rd. *H'pl* —4A **8**
(in two parts)
Skerne Rd. *Sto T* —1A **74**
Skerries Cres. *Red* —3B **64**
Skiddaw Clo. *Eagle* —4B **126**
Skiddaw St. *Nun* —3F **133**
Skinner St. *Sto T* —1A **98**
Skinningove. —2A 92
Skinningrove Bank Rd. *Skin*
        —1A **92**
Skinningrove Rd. *Loft* —3A **92**
Skiplam Clo. *Hem* —4C **130**
Skipper's La. *Skip I* —3F **79**
Skipper's La. Ind. Est. *Skip I*
(in three parts)   —3F **79**
Skipper's La. Retail Pk. *Skip I*
        —4A **80**
Skipton Rd. *Bill* —5D **39**
Skirbeck Av. *M'brgh* —3A **104**
Skirlaw Rd. *Yarm* —5B **148**
Skomer Ct. *Red* —3E **65**
Skottowe Cres. *Gt Ay* —1C **166**
Skottowe Dri. *Gt Ay* —1C **166**
Skripka Dri. *Bill* —5A **38**
Skye Wlk. *Guis* —4C **138**
Skylark Clo. *H'pl* —5E **7**
Slake Ter. *H'pl* —2D **15**
(in two parts)
Slapewath. —2E 141
Slater Rd. *M'brgh* —4F **81**
Slater St. *H'pl* —3A **14**
Slater Wlk. *M'brgh* —4F **81**
Slayde, The. *Yarm* —5C **148**
Sledmere Clo. *Bill* —2F **39**
Sledmere Dri. *M'brgh* —4E **101**
Sledwick Rd. *Bill* —5F **39**
Sleights Ct. *Guis* —1E **139**
Sleights Cres. *M'brgh* —5F **81**
Slingsby Clo. *M'brgh* —5E **101**
Slip Inn Bank. *M'brgh* —2A **132**
Slippery Hill. Stait —1C **120**
(off High St.)
Slip Rd. *M'brgh* —3D **81**

Smirks Yd. *Sto T* —5B **54**
Smith's Dock Pk. Rd. *M'brgh*
        —2C **104**
Smith's Dock Rd. *M'brgh* —4F **59**
Smith St. *M'brgh* —3E **77**
Smith St. *Sto T* —5A **74**
Smyth Pl. *H'pl* —3A **8**
Sneck Ga. La. *Newby* —5B **154**
Snipe La. *E'tn* —5F **117**
Snipe St. *Red* —3E **47**
Snowberry Clo. *Nort* —1F **73**
Snowden Cres. *Red* —1B **64**
Snowden St. *Est* —5D **81**
Snowdon Gro. *H'pl* —2D **7**
Snowdon Gro. *Ing B* —1F **149**
Snowdon Rd. *M'brgh* —2E **77**
Snowdrop Clo. *Sto T* —3B **72**
Sober Hall. —3B 150
Sober Hall Av. *Ing B* —2A **150**
Somerby Ter. *M'brgh* —1D **103**
Somersby Clo. *H'pl* —4C **8**
Somerset Cres. *Skel C* —4A **88**
Somerset Rd. *Guis* —3D **139**
Somerset Rd. *M'brgh* —4E **81**
Somerset Rd. *Sto T* —1A **74**
Somerset St. *M'brgh* —4A **78**
Somerset Ter. *Bill* —2F **55**
Somerville Av. *M'brgh* —3F **103**
Soppett St. *Red* —4C **48**
Sopwith Clo. *Pres I* —4F **97**
Sorbonne Clo. *Thor* —1B **98**
Sorrel Clo. *Sto T* —3B **72**
Sorrel Ct. *Mar C* —1C **132**
Sorrell Gro. *Guis* —3B **138**
Sotherby Rd. *M'brgh & S Bnk*
        —4D **79**
Southampton St. *Red* —4D **49**
South Av. *Bill* —4D **55**
South Av. *Red* —1E **63**
South Av. *Stil* —2A **50**
South Bank. —2A 80
South Bank. *M'brgh & S Bnk*
        —3D **79**
S. Bank Bus. Cen. *S Bnk* —2A **80**
Southbank By-Pass. *S Bnk*
        —2A **80**
S. Bank Rd. *M'brgh* —3C **78**
Southbrooke Av. *H'pl* —2F **19**
Southburn Ter. *H'pl* —5B **14**
South Ct. *M'brgh* —2A **80**
South Cres. *H'pl* —1F **15**
Southdean Clo. *Hem* —4E **131**
Southdean Dri. *Hem* —3E **131**
South Dri. *H'pl* —3E **13**
South Dri. *Mar C* —2D **133**
South Dri. *Orm* —4A **104**
Southend. *M'brgh* —2A **102**
South End. *Sea C* —5F **21**
Southfield Cres. *Sto T* —2B **74**
Southfield La. *M'brgh* —4E **77**
(in two parts)
Southfield Rd. *Mar S* —4D **67**
Southfield Rd. *M'brgh* —4E **77**
Southfield Rd. *Sto T* —2B **74**
Southfield Ter. *Gt Ay* —1D **167**
S. Gare Rd. *Red* —1A **46**
Southgate. *H'pl* —1E **15**
Southgate. *M'brgh* —1A **106**
South Grn. *Sto T* —2A **98**

S. Lackenby. *M'brgh* —5A **82**
Southland Av. *H'pl* —4F **13**
Southlands Dri. *Nun* —2B **134**
South Loftus. —1C 116
Southmead Av. *M'brgh* —4E **103**
S. Mt. Pleasant St. *Sto T* —2B **74**
South Pde. *H'pl* —5B **14**
S. Park Av. *M'brgh* —3D **105**
Southport Clo. *Sto T* —4D **75**
South Rd. *H'pl* —4A **14**
(in two parts)
South Rd. *Sto T* —1B **74**
South St. *Est* —2F **105**
South St. *Guis* —2D **139**
South St. *Stil* —2A **50**
S. Tees Imperial Food Pk.
        M'brgh —1F **79**
S. Tees Ind. Pk. *S Bnk* —1A **80**
South Ter. *M'brgh* —2A **80**
South Ter. *Red* —4E **49**
South Ter. *Skel C* —4A **88**
(in two parts)
S. Town La. *Loft* —1C **116**
South Vw. *Bill* —4D **55**
South Vw. *Eagle* —2B **148**
South Vw. *Hart* —4F **5**
South Vw. *Loft* —5C **92**
S. View Ter. *M'brgh* —4C **78**
Southwark Clo. *M'brgh* —4C **104**
Southway. *M'brgh* —2E **83**
South Way. *Sto T* —1C **74**
Southwell Rd. *M'brgh* —2F **101**
Southwell Sq. *M'brgh* —2F **101**
Southwick Av. *M'brgh* —1B **132**
Southwood. *Cou N* —2B **154**
Sovereign International Bus. Pk.
        H'pl —4C **20**
Sowerby Cres. *Stok* —1A **168**
Sowerby Way. *Eagle* —4B **126**
Spain Hill. *Mar S* —4D **67**
Spalding Rd. *H'pl* —1D **31**
Spalding Wlk. *Sto T* —1C **74**
Sparks Sq. *Sto T* —3D **73**
Spaunton Clo. *Hem* —4C **130**
Spearman Wlk. *H'pl* —3D **7**
Speeding Dri. *H'pl* —2D **7**
Speeton Av. *M'brgh* —5E **101**
Speeton Clo. *Bill* —2E **39**
Spell Clo. *Yarm* —4F **149**
Spellman Gro. *Red* —2E **63**
Spenborough Rd. *Sto T* —3D **73**
Spencerbeck Ho. *Orm* —4B **104**
Spencer Clo. *Mar S* —3C **66**
Spencerfield Cres. *M'brgh* —5F **79**
Spencer Hall. *Sto T* —1B **98**
Spencer Rd. *M'brgh* —5D **81**
Spennithorne Rd. *Sto T* —1D **97**
Spennybridge Gro. *Ing B* —2F **149**
Spenser Gro. *H'pl* —1F **19**
Spilsby Clo. *H'pl* —1E **31**
Spinnaker Ho. H'pl —3D **15**
(off Quayside)
Spinney, The. *H'pl* —4C **12**
Spinney, The. *M Geo* —1B **144**
Spinney, The. *Sto T* —3D **97**
Spitalfields. *Yarm* —5B **148**
Spital Flatt. —5D 149
Spital Ga. *Yarm* —5C **148**
Spital, The. *Yarm* —4B **148**

Spitfire Clo. *Mar S* —4B **66**
Springbank Rd. *Orm* —5B **104**
Spring Bank Wood. *Wyn* —4B **26**
Spring Clo. *Thor* —3C **98**
Springfield. *Stok* —1C **168**
Springfield Av. *Brot* —3A **90**
Springfield Av. *Sto T* —3E **97**
Springfield Clo. *Eagle* —5B **126**
Springfield Gdns. *Stok* —1C **168**
Springfield Gro. *K'ton* —3E **161**
Springfield Rd. *M'brgh* —1B **100**
Spring Garden Clo. *Orm*
—1B **134**
Spring Garden La. *Orm* —1A **134**
Spring Garden Rd. *H'pl* —1B **20**
Spring Head Ter. *Loft* —5C **92**
Springhill. *Orm* —4B **104**
Springhill Gro. *Ing B* —2B **150**
Springholme. *Orm* —4B **104**
Springholme Yd. *Sto T* —2F **97**
Spring La. *S'fld* —5C **22**
Springlea. *Orm* —4B **104**
Springmead. *Orm* —4B **104**
Spring Ri. *M'brgh* —4C **104**
Springston Rd. *H'pl* —2D **13**
Spring St. *M'brgh* —2F **77**
Spring St. *Sto T* —2F **97**
Springvale Ter. *M'brgh* —2B **100**
Springwalk. *Orm* —4B **104**
Spring Way. *Sto T* —3E **97**
Springwell Clo. *Bill* —1F **39**
Springwell Flats. *H'pl* —1E **13**
Spruce Rd. *Sto T* —1E **73**
Spurn Wlk. *H'pl* —4C **14**
Spurrey Clo. *Ing B* —4B **128**
Squadron Ct. *Thor* —1C **128**
Square, The. *M'brgh* —1F **105**
Square, The. *S'fld* —4D **23**
Square, The. *Skin* —2A **92**
Square, The. *Sto T* —5B **74**
(in two parts)
Stable Ct. *Loft* —5B **92**
Stables, The. *Wyn* —5B **26**
Stable, The. *Eagle* —3C **126**
Stadium Ct. *Skip I* —4A **80**
Stafford Clo. *Thor* —3B **98**
Stafford Rd. *Guis* —3D **139**
Stafford Rd. *M'brgh* —4E **81**
Stafford St. *Sto T* —2A **98**
Staincliffe Rd. *H'pl* —3E **21**
Staindale. *Guis* —3A **138**
Staindale Clo. *Yarm* —4E **149**
Staindale Gdns. *Sto T* —4E **73**
Staindale Pl. *H'pl* —2F **19**
Staindale Rd. *Thor* —5D **99**
Staindrop Ct. *Bill* —3C **38**
Staindrop Dri. *M'brgh* —1C **130**
Staindrop St. *H'pl* —4C **14**
Stainforth Ct. *M'brgh* —4D **103**
Stainforth Gdns. *Ing B* —5C **128**
Stainmore Clo. *Sto T* —5F **73**
Stainsby. —2F 129
Stainsby Rd. *M'brgh* —3A **100**
Stainsby St. *Thor* —3C **98**
Stainton. —5C 130
Staintondale Av. *Red* —1F **63**
Stainton Gro. *Sto T* —2A **74**
Stainton Rd. *Bill* —5B **38**
Stainton St. *M'brgh* —4C **78**

Stainton Way. *Hem & S'tn*
—4C **130**
Stainton Way. *Mar C* —4E **133**
Staithes. —1C 120
Staithes Ct. *H'pl* —4D **15**
Staithes La. *Stait* —2C **120**
Staithes Rd. *Red* —5F **47**
Stakesby Clo. *Guis* —5D **109**
Stalker St. *H'pl* —3A **14**
Stamford Ct. *Bill* —3F **39**
Stamford St. *M'brgh* —4A **78**
Stamford Wlk. *H'pl* —5E **19**
Stamp St. *Sto T* —5A **74**
Stanford Clo. *Thor* —2C **98**
Stanghow. —5E 113
Stanghow La. Flats. *Skel C*
—4C **88**
Stanghow Rd. *Ling & Skel C*
—4D **89**
Stanhope Av. *H'pl* —4A **14**
Stanhope Gdns. *M'brgh* —2B **102**
Stanhope Gro. *M'brgh* —3D **101**
Stanhope Rd. *Bill* —5F **39**
Stanhope Rd. *Sto T* —4E **73**
Stanhope St. *Salt S* —4C **68**
Stanley Clo. *Thor* —3C **98**
Stanley Gro. *Gt Ay* —3D **165**
Stanley Gro. *Red* —4D **49**
(in two parts)
Stanley Rd. *H'pl* —2B **20**
Stanley St. *Nort* —5A **54**
Stanley Wlk. *Sto T* —5A **74**
Stanmore Av. *M'brgh* —4A **102**
Stanmore Gro. *H'pl* —4D **21**
Stannage Gro. *Thor* —5C **98**
Stansby Ga. *Thor* —4E **99**
Stanstead M. *Thor* —1E **129**
Stanstead Way. *Thor* —1E **129**
Stansted Gro. *M Geo* —1A **144**
Stapleford Rd. *M'brgh* —3A **104**
Stapleton St. *Sto T* —3A **54**
Stapylton Ct. *M'brgh* —2D **81**
Stapylton St. *M'brgh* —2D **81**
Starbeck Clo. *New M* —2F **85**
Starbeck Wlk. *Thor* —3E **129**
Starbeck Way. *Orm* —3B **104**
Startforth Rd. *Riv I* —1C **76**
Station App. *H'pl* —3C **14**
Station Clo. *Mar S* —5C **66**
Station Cres. *Bill* —2D **55**
Station La. *H'pl* —4D **21**
Station La. *Skel C* —3C **88**
Station Pde. *Bill* —2C **54**
Station Rd. *Bill* —2C **54**
(in two parts)
Station Rd. *Eagle* —3C **126**
Station Rd. *Est* —2E **105**
Station Rd. *Gt Ay* —2D **167**
Station Rd. *G'ham* —4E **31**
Station Rd. *Hind* —5E **121**
Station Rd. *Loft* —5B **92**
Station Rd. *M'brgh* —5E **61**
Station Rd. *Red* —3C **48**
Station Rd. *S'fld* —5A **22**
(in two parts)
Station Rd. *Sto T* —3A **54**
Station Rd. *Stok* —1C **168**
Station Rd. Ind. Est. *Stok*
—4D **169**

Station Sq. *Salt S* —4C **68**
Station St. *M'brgh* —2E **77**
Station St. *Salt S* —4C **68**
Station St. *Sto T* —4B **74**
Station St. *Thor* —2C **98**
Station Vs. *Mar S* —5C **66**
Staveley Ct. *M'brgh* —1C **102**
Staveley Gro. *Sto T* —2E **73**
Staveley Wlk. *Orm* —4A **104**
Stavordale Rd. *Sto T* —4F **73**
Steavenson St. *C How* —3F **91**
(off Muriel St.)
Steele Cres. *M'brgh* —2B **80**
Steer Ct. *Bill* —3D **39**
Stephenson Ct. *Skip I* —4A **80**
Stephenson Ind. Est. *Sea C*
—3E **33**
Stephenson St. *H'pl* —5C **8**
Stephenson St. *M'brgh* —4F **77**
Stephenson St. *Thor* —2C **98**
Stephenson Way. *Sto T* —1B **98**
Stephens Rd. *M'brgh* —2B **80**
Stephen St. *H'pl* —2F **13**
Stevenage Clo. *Thor* —4E **99**
Stevenson Clo. *Yarm* —4E **149**
Stewart Ct. *Sto T* —3B **74**
Stewart Rd. *Sto T* —3B **74**
Stileston Clo. *H'pl* —2D **13**
Stillington. —2A 50
Stillington Ind. Est. *Stil* —1A **50**
Stirling Rd. *Red* —5E **49**
Stirling St. *H'pl* —1B **20**
Stirling Way. *Thor* —3D **129**
Stockdale Av. *Red* —1F **63**
Stockton Almhouse, The. *Sto T*
—1A **98**
Stockton Grange. —4D 73
Stockton-on-Tees. —4C 74
Stockton Rd. *G'ham* —2D **31**
Stockton Rd. *H'pl* —2B **20**
Stockton Rd. *Long N* —1F **123**
Stockton Rd. *M'brgh* —1F **99**
Stockton Rd. *S'fld*
(in two parts) —4D **23** & 5A **24**
Stockton Rd. *Wolv & Great*
—1D **39**
Stockton St. *Bill* —3D **55**
Stockton St. *H'pl* —3B **14**
Stockton St. *M'brgh* —2E **77**
Stockton-Thornaby By-Pass.
Sto T & Thor —3A **96**
Stockwell Av. *Tees* —4D **129**
Stockwith Clo. *M'brgh* —3A **104**
Stokesley. —5C 164
Stokesley By-Pass. *Stok* —5D **165**
Stokesley Cres. *Bill* —3D **55**
Stokesley Rd. *Gt Ay* —3C **166**
Stokesley Rd. *Guis* —3F **137**
Stokesley Rd. *H'pl* —4E **21**
Stokesley Rd. *Hem* —5A **132**
Stokesley Rd. *Mar C* —1C **132**
Stokesley Rd. *Newby* —3D **155**
Stokesley Rd. *Nun* —5B **134**
Stoneacre Av. *Ing B* —1B **150**
Stonebridge Cres. *Ing B* —3A **128**
Stonechat Clo. *H'pl* —5F **7**
Stonechat Clo. *Ing B* —5A **128**
Stonecrop Clo. *Sto T* —2D **97**
Stonedale Wlk. *M'brgh* —2B **130**

Taunton Gro.—Tilery Wood

Taunton Gro. *H'pl* —1D **13**
Taunton Va. *Guis* —4E **139**
Tavistock Clo. *M'brgh* —3C **6**
Tavistock Rd. *M'brgh* —1D **101**
Tavistock St. *M'brgh* —1D **101**
Tawney Clo. *M'brgh* —4D **81**
Tawney Rd. *M'brgh* —4D **81**
Taybrooke Av. *H'pl* —1F **19**
Teak St. *M'brgh* —4F **77**
Tealby Wlk. *M'brgh* —2A **104**
Teal Ct. *Red* —3E **47**
Teare Clo. *M'brgh* —4D **77**
Teasel Ct. *Sto T* —3C **72**
Tebay Clo. *Orm* —4A **104**
Tedder Av. *Thor* —2D **129**
Tedworth Clo. *Guis* —4E **139**
Tees Bank Av. *Eagle* —3D **127**
Tees Barrage Way. *Sto T &*
　　　　　　　Thor —5E **75**
Tees Bay Bus. Pk. *Sea C* —3D **33**
Tees Bay Retail Pk. *H'pl* —3C **20**
Teesbrooke Av. *H'pl* —2F **19**
Tees Ct. *Skip I* —4F **79**
Teesdale. —1C 98
Teesdale Av. *Bill* —2D **55**
Teesdale Av. *H'pl* —4F **13**
Teesdale Lodge. *Thor* —1C **98**
Teesdale Ter. *Thor* —3D **99**
Tees Dock Rd. *M'brgh* —2C **60**
Teesgate. *Thor* —5E **99**
Teeside Ho. *Thor* —1C **98**
Teesmouth Field Cen. —4E **33**
Tees (Newport) Bri. —4B **76**
Tees (Newport) Bri. App. Rd.
　　　　　　　Sto T —2A **76**
Teesport Rd. *M'brgh* —3F **61**
Tees Reach. *Thor* —1C **98**
Tees Rd. *Guis* —3C **138**
Tees Rd. *H'pl* —2C **42**
Tees Rd. *Red* —5B **48**
Teessaurus Pk. —5D 57
Teesside Crematorium. *M'brgh*
　　　　　　　—1E **131**
Teesside Ho. *M'brgh* —3F **77**
Teesside Ind. Est. *Tees* —4E **129**
Teesside Leisure Pk. *Sto T*
　　　　　　　—1A **100**
Teesside Pk. Dri. *Sto T* —2F **99**
Teesside Pk. Interchange. *Sto T*
　　　　　　　—2E **99**
Teesside Retail Pk. *Thor* —2F **99**
Teesside Trade Pk. *Sto T* —3E **75**
Tees St. *Bill* —3D **57**
Tees St. *H'pl* —3B **14**
Tees St. *Loft* —5D **93**
Tees St. *S Bnk* —1A **80**
Tees Viaduct. *N Tees & M'brgh*
　　　　　　　—3A **76**
Teesville. —5B 80
Teesway. *N Tees* —3F **75**
Tees Yd. *Sto T* —1E **99**
Teignmouth Clo. *H'pl* —3C **6**
Telford Clo. *H'pl* —5C **8**
Telford Rd. *M'brgh* —3E **79**
Temperance Ter. *H'pl* —5F **9**
Tempest Rd. *H'pl* —3E **7**
Templar St. *Sto T* —2F **97**
Temple Ct. *Sto T* —4B **74**
Templeton Clo. *H'pl* —3C **6**

Tenby Clo. *M'brgh* —5E **81**
Tenby Wlk. *H'pl* —1E **13**
Tenby Way. *Eagle* —1C **148**
Tennant St. *Sto T* —5A **74**
Tennyson Av. *H'pl* —1F **19**
Tennyson Av. *M'brgh* —3E **81**
Tennyson Clo. *G'twn* —4E **81**
Tennyson Rd. *Bill* —2D **39**
Tennyson St. *M'brgh* —5E **77**
Ternbeck Way. *Thor* —3E **129**
Tern Gro. *Red* —2E **65**
Terrace, The. *Dal P* —1F **17**
Terrace, The. *Elw* —4C **10**
Terry Dicken Ind. Est. *Stok*
　　　　　　　—3D **169**
Tetcott Clo. *Guis* —4E **139**
Tewkesbury Av. *Mar C* —4D **133**
Thackeray Gro. *M'brgh* —3E **101**
Thackeray Rd. *H'pl* —1D **19**
Thames Av. *Guis* —3C **138**
Thames Av. *H'pl* —5A **8**
Thames Av. *Thor* —5D **99**
Thames Rd. *Bill* —4A **38**
Thames Rd. *Red* —5A **48**
Thames Rd. *Skel C* —3C **88**
Thatch La. *Ing B* —4C **128**
Theakston Gro. *Sto T* —2A **96**
Theatre Yd. Sto T —5B 74
　(off Calvert's La.)
Thetford Av. *M'brgh* —3F **103**
Thetford Rd. *H'pl* —1E **31**
Thinford Gdns. *M'brgh* —2D **131**
Thirlby Clo. *M'brgh* —2C **102**
Thirlmere Av. *M'brgh* —4C **100**
Thirlmere Ct. *Bill* —5E **55**
Thirlmere Cres. *M'brgh* —2D **105**
Thirlmere Dri. *Skel C* —4B **88**
Thirlmere Rd. *Red* —5B **48**
Thirlmere St. *H'pl* —5A **14**
Thirsk Gro. *H'pl* —3B **20**
Thirsk Rd. *Stok* —3A **168**
Thirsk Rd. *Yarm* —5C **148**
Thirwall Dri. *Ing B* —2A **150**
Thistle Grn. *Sto T* —5B **74**
Thistle Ri. *Cou N* —3F **131**
Thistle Rd. *Sto T* —1E **73**
Thistle St. *M'brgh* —4F **77**
Thomas St. *M'brgh* —4C **78**
Thomas St. *Skel C* —4D **89**
Thomas St. *Sto T* —4A **74**
Tomlinson Rd. *H'pl* —1C **20**
Thompson Gro. *H'pl* —5A **8**
Thompsons Clo. *Wolv* —2C **38**
Thompson's Rd. *Skel C* —5B **88**
Thompson St. *H'pl* —5B **14**
Thompson St. *Sto T* —4A **74**
Thomson Av. *M'brgh* —1B **100**
Thomson St. *Guis* —2D **139**
Thorgill Clo. *M'brgh* —3F **101**
Thorington Gdns. *Ing B* —1C **150**
Thornaby-on-Tees. —1D 129
Thornaby Pl. *Thor* —2B **98**
Thornaby Rd. *Thor* —2C **98**
Thornberry Ct. *M'brgh* —2C **100**
Thornbrough Clo. *Sto T* —3B **96**
Thornbury Clo. *H'pl* —2C **6**
Thornbury Clo. *Red* —4F **65**
Thorn Clo. *Ing B* —4B **128**
Thorndike Rd. *M'brgh* —5E **81**

Thorndyke Av. *M'brgh* —3A **102**
Thornfield Clo. *Eagle* —5A **126**
Thornfield Gro. *M'brgh* —3C **100**
Thornfield Rd. *M'brgh* —3C **100**
Thornhill Gdns. *H'pl* —2E **13**
Thornhill Pl. *H'pl* —2E **13**
Thornley Av. *Bill* —2E **39**
Thorn Rd. *Sto T* —1E **73**
Thorn Side. *Ing B* —4B **128**
Thornthwaite. *M'brgh* —3B **130**
Thornton. —1B 152
Thornton Clo. *T'tn* —1B **152**
Thornton Cotts. *T'tn* —1B **152**
Thornton Cres. *Bill* —5B **38**
Thornton Gth. *Yarm* —5C **148**
Thornton Gro. *Sto T* —2A **74**
Thornton Rd. *T'tn & S'tn*
　　　　　　　—1B **152**
Thornton St. *H'pl* —4A **14**
Thornton St. *M'brgh* —4C **78**
Thornton Va. *T'tn* —1B **152**
Thorntree. —1F 103
Thorntree Av. *M'brgh* —4E **79**
　(in two parts)
Thorntree Ct. *Thor* —5D **99**
Thorntree Ho. *M'brgh* —1E **103**
Thorn Tree La. *G'ham* —4F **31**
Thorntree Rd. *Sto T* —4C **98**
Thornville Rd. *H'pl* —3A **14**
Thornwood Av. *Ing B* —4B **128**
Thorpe M. *Sto T* —5B **54**
Thorpe Rd. *Carl* —4D **51**
Thorpe St. *H'pl* —5D **9**
Thorpe Thewles. —2E 51
Thorpe Thewles Station
　　　　　　　Vis. Cen. —5E **35**
Thorpe Wood Nature Reserve.
　　　　　　　—4F **35**
Thorphill Way. *Bill* —3E **39**
Three Tuns Wynd. *Stok* —1B **168**
Throckley Av. *M'brgh* —1C **130**
Thropton Clo. *Bill* —3C **38**
Throston. —5C 8
Throston Clo. *H'pl* —5F **7**
Throston Grange. —5E 7
Throston Grange Ct. *H'pl* —1E **13**
Throston Grange La. *H'pl* —1D **13**
Throston St. *H'pl* —1F **15**
Thrush Rd. *Red* —4C **48**
Thrushwood Cres. *Mar S* —5E **67**
Thruxton Way. *Sto T* —5F **53**
Thurlestone. *Mar C* —4F **133**
Thurlow Grange. *S'fld* —4D **23**
Thurlow Rd. *S'fld* —4D **23**
Thurnham Gro. *Mar C* —3E **133**
Thursby Dri. *Orm* —4A **104**
Thursby Gro. *H'pl* —1D **31**
Thurso Clo. *Sto T* —5F **71**
Thwaites La. *Red* —5D **49**
Thweng Way. *Guis* —3C **138**
Tibbersley Av. *Bill* —4E **55**
Tibthorpe. *Nun* —3F **133**
Tick Hills La. *Liver* —5A **116**
Tidkin La. *Guis* —3C **138**
Tilbury Rd. *M'brgh* —2F **79**
Tilery Ct. *Sto T* —3B **74**
Tilery Rd. *Sto T* —3B **74**
Tilery Way. *Sto T* —3B **74**
Tilery Wood. *Wyn* —4B **26**

Timberscombe Clo. *Ing B*
—3A **150**

Tindale. *Guis* —3A **138**
Tindale Clo. *Yarm* —1B **160**
Tindale Wlk. *M'brgh* —2C **130**
Tintagel Clo. *H'pl* —3C **6**
Tintern Av. *Bill* —5D **39**
Tintern Rd. *Skel C* —4D **89**
Tipton Clo. *Thor* —5E **99**
Tirril Way. *Mar C* —4F **133**
Tithebarn Ho. *Sto T* —1B **72**
Tithe Barn Rd. *Sto T* —1A **72**
Tiverton Gro. *H'pl* —1E **13**
Tocketts Mill Cvn. Pk. *Guis*
—2B **110**
Tocketts Watermill. —2B **110**
Toddington Dri. *Sto T* —5E **53**
Tod Point. —3C 46
Tod Point Rd. *Red* —3E **47**
Tofts Clo. *Mar S* —4E **67**
Tofts Farm E. Ind. Est. *H'pl*
—1D **33**
Tofts Farm W. Ind. Est. *Sea C*
—2C **32**
Tofts Rd. E. *Sea C* —1D **33**
Tofts Rd. W. *H'pl* —3C **32**
Tollerton Clo. *Sto T* —4D **73**
Tollesby. —2B 132
Tollesby Bri. *Cou N* —3B **132**
Tollesby La. *Mar C* —1B **132**
(in two parts)
Tollesby Rd. *M'brgh* —3E **101**
Tom Browns Yd. *Yarm* —2B **148**
Tom Leonard Mining Mus.
—3A **92**
Tomlinson Way. *M'brgh* —5F **79**
Topcliffe Dri. *M'brgh* —2C **130**
Topcliffe Rd. *Thor* —1E **129**
Topcliffe St. *H'pl* —3F **13**
Topcroft Clo. *M'brgh* —4E **103**
Topham Grn. *M'brgh* —1C **102**
Topping Clo. *H'pl* —4D **9**
Torbay Clo. *M'brgh* —1B **132**
Torbay Wlk. *H'pl* —1E **13**
Torcross Clo. *H'pl* —3C **6**
Torcross Way. *Red* —3E **65**
Toronto Cres. *M'brgh* —1A **102**
Torquay Av. *H'pl* —5F **19**
Torver Mt. *Mar C* —4F **133**
Torwell Dri. *Sto T* —4B **72**
Tothill Av. *M'brgh* —2A **104**
Totnes Clo. *H'pl* —3C **6**
Tourist Info. Cen. —2D **167**
(Great Ayton)
Tourist Info. Cen. —1F **139**
(Guisborough)
Tourist Info. Cen. —3B **14**
(Hartlepool)
Tourist Info. Cen. —3F **77**
(Middlesbrough)
Tourist Info. Cen. —4C **68**
(Saltburn-by-the-Sea)
Tourist Info. Cen. —5B **74**
(Stockton-on-Tees)
Tovil Clo. *Sto T* —2A **72**
Tower Flats. H'pl —3C **14**
(off Tower St.)
Tower Grn. *M'brgh* —1F **77**
Tower Ho. *Thor* —2B **98**

Tower St. *H'pl* —3C **14**
Tower St. *Sto T* —1B **98**
Town End. *S'fld* —1C **22**
Town Farm. —1E 103
Town Farm Ct. *S'fld* —4C **22**
Town Grn. *Skel C* —4A **88**
Town Hall Ct. *Yarm* —3B **148**
Town Sq. *Bill* —1D **55**
Town Sq. *Cou N* —4B **132**
Town Wall. *H'pl* —1E **15**
Towthorpe. *Nun* —3F **133**
Trafalgar Ct. *S Bnk* —2A **80**
Trafalgar Ter. *Red* —4B **48**
Tralee Clo. *Kirk B* —4F **63**
Tranmere Av. *M'brgh* —1E **103**
Transporter Bridge Vis. Cen.
—1F **77**
Tranter Rd. *M'brgh* —3F **101**
Travellers Ga. *H'pl* —3B **20**
Trecastell. *Ing B* —2F **149**
Tredegar Wlk. *H'pl* —1D **13**
Trees Pk. Village. *Tees A*
—1D **145**
Trefoil Clo. *Guis* —3B **138**
Trefoil Ct. *Nort* —2A **74**
Trefoil Wood. *Mar C* —1C **132**
Tregarth Clo. *M'brgh* —3F **101**
Tremaine Clo. *H'pl* —3C **6**
Trenchard Av. *Thor* —2C **128**
Trenholm Clo. *Ing B* —3B **128**
Trenholme Rd. *M'brgh* —5B **78**
Trent Av. *Thor* —5D **99**
Trentbrooke Av. *H'pl* —2F **19**
Trentham Av. *M'brgh* —2F **103**
Trent Rd. *Red* —5A **48**
Trent St. *Sto T* —2A **74**
Tresco Wlk. *Guis* —3C **138**
Trevarrian Dri. *Red* —3E **65**
Trevine Gdns. *Ing B* —2F **149**
Trevino Ct. *Eagle* —5C **126**
Trevithick Clo. *Eagle* —4A **126**
Trevose Clo. *Red* —3D **65**
Trident Bus. Cen. *M'brgh* —1D **77**
Trident Clo. *H'pl* —3D **15**
Trigo Clo. *Mar C* —2C **132**
Trimdon Av. *M'brgh* —1B **130**
Trinity Ct. *Guis* —1E **139**
Trinity Cres. *M'brgh* —4B **78**
Trinity M. *Thor* —1C **98**
Trinity St. *H'pl* —5F **9**
Trinity St. *Sto T* —1A **98**
Tristram Av. *H'pl* —1F **19**
Tristram Clo. *M'brgh* —2C **104**
Troisdorf Way. *Kirk B* —4A **64**
Troon Clo. *Bill* —5A **38**
Troon Clo. *M'brgh* —4F **101**
Troutbeck Rd. *Red* —1B **64**
Trout Hall La. *Skel C* —5B **88**
Troutpool Clo. *H'pl* —5C **8**
Troutsdale Clo. *Yarm* —1B **160**
True Lovers Wlk. *Yarm* —2B **148**
Trunk Rd. *Est & Red* —1F **81**
Trunk Rd. *M'brgh* —4F **79**
Trunk Rd. Dormanstown
Ind. Est. *Red* —5E **47**
Truro Dri. *H'pl* —5F **19**
Tudor Ct. *M'brgh* —1A **104**
Tunstall Av. *Bill* —3E **39**
Tunstall Gro. *H'pl* —2E **13**

Tunstall Hall La. *H'pl* —4D **13**
Tunstall La. *Nun* —4F **155**
Tunstall Rd. *Sto T* —3B **96**
Tunstall St. *M'brgh* —4C **78**
Turford Av. *M'brgh* —5E **79**
Turnberry Av. *Eagle* —1C **148**
Turnberry Dri. *New M* —3F **85**
Turnberry Gro. *H'pl* —2C **6**
Turnberry Way. *Mar C* —5E **133**
Turnbull St. *H'pl* —2B **14**
Turner Clo. *Bill* —3D **39**
Turner Mausoleum. —5A 64
(off Kirkleatham La.,
St Cuthberts Church)
Turner St. *Red* —3C **48**
Turner Ter. *Laz* —4C **82**
Turner Wlk. *H'pl* —2D **19**
Turnpike Wlk. *S'fld* —1C **22**
Turnstall Av. *H'pl* —2F **13**
Turnstile, The. *M'brgh* —5D **77**
Turton Rd. *Yarm* —5B **148**
Tuson Wlk. *H'pl* —2B **14**
Tweed Av. *Thor* —5D **99**
Tweed Ho. Sto T —4C **74**
(off Tweedport Rd.)
Tweedport Rd. *Sto T* —4C **74**
Tweed Rd. *Red* —5A **48**
Tweed St. *Loft* —5D **93**
Tweed St. *Salt S* —4C **68**
Tweed Wlk. *H'pl* —2A **14**
Twizzie Gill Vw. *E'tn* —3A **118**
Tynebrooke Av. *H'pl* —2E **19**
Tyne Ct. *Skip I* —4F **79**
Tynedale St. *Sto T* —1F **97**
Tyneport Grn. Sto T —4C **74**
(off Eastport Rd.)
Tyne Rd. *Red* —5B **48**
Tyne St. *Loft* —5D **93**
Tyne St. *S Bnk* —2A **80**
Tyrone Rd. *Sto T* —4A **72**

Uldale Dri. *Egg* —1C **148**
Ullapool Clo. *Sto T* —5F **71**
Ulla St. *M'brgh* —5E **77**
(in two parts)
Ullswater Av. *M'brgh* —4C **100**
Ullswater Clo. *M'brgh* —4F **81**
Ullswater Dri. *Skel C* —3B **88**
Ullswater Gro. *Red* —5C **48**
Ullswater Rd. *Bill* —4E **55**
Ullswater Rd. *H'pl* —1C **20**
Ullswater Rd. *Sto T* —5E **73**
Union Rd. *H'pl* —4C **8**
Union St. *Guis* —1E **139**
Union St. *H'pl* —1F **15**
Union St. *M'brgh* —4D **77**
Union St. *Sto T* —4C **74**
University Boulevd. *Thor* —1B **98**
Upleatham. —5C 86
Upleatham Church. —5D **87**
Upleatham Gro. *Sto T* —1B **96**
Upleatham St. *Salt S* —4C **68**
Up. Branch St. *M'brgh* —2A **80**
(in two parts)
Up. Church St. *H'pl* —3B **14**
Up. Garth Gdns. *Guis* —2E **139**
Up. Graham St. *M'brgh* —2A **80**
(in two parts)

Up. Green La.—Warsett Cres.

Up. Green La. *Thor* —1C **128**
Up. Jackson St. *M'brgh* —2A **80**
Up. Napier St. *M'brgh* —2A **80**
Up. Norton Rd. *Sto T* —4B **74**
Up. Oxford St. *M'brgh* —2A **80**
Up. Princess St. *M'brgh* —2A **80**
Uppingham St. *H'pl* —1A **20**
Upsall Cotts. *Guis* —2F **135**
Upsall Gro. *Sto T* —1B **96**
Upsall Pde. *Sto T* —5B **72**
Upsall Rd. *M'brgh* —2D **103**
Upsall Rd. *Nun* —3B **134**
Upton Ct. *Ing B* —1B **150**
Upton Hill. *Loft* —3C **92** & 1B **118**
Upton St. *M'brgh* —4F **77**
Upton Wlk. *H'pl* —1E **31**
Urford Clo. *Yarm* —5E **149**
Urlay Gro. *M'brgh* —1D **131**
Urlay Nook. —5F 125
Urlay Nook Rd. *Eagle* —4F **125**
Urra Ct. *Red* —2B **64**
Urswick Clo. *M'brgh* —2F **101**
Usk Ct. *Ing B* —1F **149**
Usway Ct. *Ing B* —2A **150**
Usworth Ind. Est. *H'pl* —3B **20**
Usworth Rd. *H'pl* —3B **20**
Uvedale Rd. *M'brgh* —3B **80**
Uxto La. *M'hlm* —1B **142**

Vale Dri. *Thor* —4E **99**
Vale, The. *H'pl* —4D **13**
Vale, The. *M'brgh* —3F **101**
Vale, The. *Sto T* —3C **72**
Valiant Way. *Thor* —3C **128**
Valley Av. *Loft* —4A **92**
Valley Clo. *H'pl* —4C **12**
Valley Clo. *Mar S* —3D **67**
Valley Clo. *Yarm* —4D **149**
Valley Dri. *H'pl* —5C **12**
Valley Dri. *Yarm* —4D **149**
Valley Gdns. *Eagle* —1A **148**
Valley Gdns. *Mar S* —3D **67**
Valley Gdns. *Sto T* —3D **73**
Valley Rd. *M'brgh* —2F **101**
Vancouver Gdns. *M'brgh* —5A **78**
Vancouver Ho. *M'brgh* —3F **77**
Vane Ct. *Long N* —1F **123**
Vane St. *H'pl* —5E **9**
Vane St. *Sto T* —5A **74**
Vanguard Ct. *Pres I* —5F **97**
Van Mildert Way. *Sto T* —3F **97**
Varo Ter. *Sto T* —1F **97**
Vaughan Ct. *G'twn* —2D **81**
Vaughan Shop. Cen. *M'brgh*
                                —2A **104**
Vaughan St. *M'brgh* —3E **77**
Vaughan St. *Skel C* —4E **89**
Vaynor Dri. *Ing B* —1F **149**
Venables Rd. *Guis* —1D **139**
Ventnor Av. *H'pl* —2A **20**
Ventnor Rd. *M'brgh* —2D **101**
Verner Clo. *H'pl* —1C **6**
Vernon Ct. *S'tn* —5C **130**
Veronica St. *M'brgh* —4B **78**
Verwood Clo. *Sto T* —2A **72**
Veryan Rd. *Bill* —5F **39**
Viaduct, The. *Thor* —1E **99**
Vicarage Av. *Sto T* —5F **73**

Vicarage Dri. *Mar S* —4D **67**
Vicarage Gdns. *H'pl* —5B **14**
Vicarage Row. *G'ham* —3E **31**
Vicarage St. *Sto T* —4F **73**
Vicars Clo. *Thor T* —2D **51**
Vickers Clo. *Mar S* —3B **66**
Vickers Clo. *Pres I* —5F **97**
Victoria Av. *Red* —5D **49**
Victoria Av. *Sto T* —2A **74**
Victoria Clo. *New M* —1A **86**
Victoria Ct. *S Bnk* —3A **80**
Victoria Gdns. *M'brgh* —3F **103**
Victoria Gro. *Sto T* —5C **72**
Victoria Homes. *H'pl* —5A **14**
Victoria Ho. Sto T —5B **74**
  (off Bath La.)
Victoria Ho. *Thor* —1C **98**
Victoria Pl. *H'pl* —1F **15**
Victoria Rd. *Eagle* —4C **126**
Victoria Rd. *H'pl* —3A **14**
Victoria Rd. *M'brgh* —4E **77**
Victoria Rd. *Salt S* —1C **88**
Victoria Rd. *Sto T* —4C **72**
Victoria Rd. *Thor* —3C **98**
Victoria Sq. M'brgh —3F **77**
  (off Albert Rd.)
Victoria St. *H'pl* —1F **15**
Victoria St. *M'brgh* —4C **76**
Victoria St. *Sea C* —4E **21**
Victoria St. *S Bnk* —2A **80**
Victoria St. *Sto T* —5A **74**
Victoria Ter. *H'pl* —3C **14**
Victoria Ter. *Loft* —5D **93**
Victoria Ter. *M'brgh* —5F **57**
Victoria Ter. *Salt S* —5C **68**
Victor Way. *Thor* —2D **129**
Victory Sq. *H'pl* —4B **14**
Victory Ter. *Red* —4B **48**
Vienna Ct. *Kirk B* —4F **63**
Viewley Cen. *Hem* —4E **131**
Viewley Cen. Rd. *Hem* —4E **131**
Viewley Hill Av. *Hem* —4F **131**
Villa Av. *M'brgh* —5F **79**
Village Grn., The. *Sto T* —3A **50**
Village Paddock. *Sto T* —3D **97**
Villa Ter. *Sto T* —1A **98**
Villiers St. *H'pl* —4B **14**
Vincent Rd. *Bill* —3D **39**
Vincent Rd. *M'brgh* —2F **101**
Vincent St. *H'pl* —4C **8**
Vine Clo. *Guis* —3E **139**
Vine St. *M'brgh* —2E **77**
Violet Clo. *Nort* —2A **74**
Virginia Clo. *Sto T* —2D **73**
Virginia Gdns. *M'brgh* —2D **131**
Vollum Ri. *H'pl* —5E **9**
Voltigeur Dri. *Hart* —3A **6**
Vulcan St. *M'brgh* —1E **77**
Vulcan Way. *Thor* —3D **129**

Wade Av. *Sto T* —4B **74**
Wainfleet Rd. *H'pl* —1D **31**
Wainstones Clo. *Gt Ay* —3C **166**
Wainstones Ct. *Stok* —3D **169**
Wainstones Dri. *Gt Ay* —3C **166**
Wainwright Clo. *H'pl* —2E **21**
Wainwright Wlk. *H'pl* —2E **21**
Wakefield Rd. *M'brgh* —1E **101**

Wake St. *M'brgh* —4C **78**
Waldon St. *H'pl* —5B **14**
Waldridge Gro. *Bill* —2A **40**
Waldridge Rd. *Sto T* —1B **72**
Walkers Row. *Guis* —1E **139**
Walker St. *Red* —3C **48**
Walker St. *Thor* —3C **98**
Walkley Av. *Thor* —5C **98**
Walk, The. *Elw* —4C **10**
Waller Ct. *H'pl* —4A **8**
Wallington Ct. *Bill* —3E **39**
Wallington Dri. *S'fld* —3C **22**
Wallington Rd. *Bill* —2D **39**
Wallington Wlk. *Bill* —2E **39**
Wallington Way. *Bill* —3E **39**
Wallis Rd. *Skip I* —3F **79**
Walmer Cres. *New M* —2F **85**
Walnut Clo. *Thor* —5C **98**
Walnut Gro. *Red* —5E **49**
Walpole Rd. *H'pl* —1E **19**
Walpole St. *M'brgh* —4E **77**
Walsham Clo. *Sto T* —3C **72**
Walsingham Ct. *Bill* —4D **55**
Walter St. *Sto T* —2F **97**
Waltham Av. *Sto T* —1C **96**
Walton Av. *M'brgh* —3D **101**
Walton Ct. *Sto T* —4D **75**
Waltons, The. *Gt Ay* —3E **167**
Walton St. *Sto T* —4D **75**
Walton Ter. *Guis* —2E **139**
Walworth Clo. *Red* —1E **65**
Walworth Gro. *M'brgh* —5C **100**
Walworth Rd. *Sto T* —1C **72**
Wand Hill. *B'bck* —2C **112**
Wand Hill Gdns. *B'bck* —2C **112**
Wandhills Av. *Skel C* —3E **89**
Wansbeck Gdns. *H'pl* —5A **14**
Wansford Clo. *Bill* —2F **39**
Wanstead Clo. *Mar S* —3C **66**
Warbler Clo. *Ing B* —5A **128**
Warcop Clo. *Nun* —4F **133**
Wardale Av. *M'brgh* —2C **130**
Ward Clo. *Sto T* —1A **98**
Wardell Clo. *Yarm* —5D **149**
Warden Clo. *Sto T* —1C **72**
Wardley Clo. *Sto T* —1C **72**
Wardman Cres. *Red* —5E **49**
Ward St. *M'hlm* —3B **142**
Warelands Way. *M'brgh* —5B **78**
Warelands Way Ind. Est. *M'brgh*
                                —5B **78**
Ware St. *Sto T* —3B **74**
Warkworth Dri. *H'pl* —3D **13**
Warkworth Rd. *Bill* —4C **38**
Warrenby. —3E 47
Warrenby Ct. *Red* —3E **47**
Warrenby Ind. Est. *Red* —3E **47**
Warren Clo. *H'pl* —5A **8**
Warren Ct. *H'pl* —5A **8**
Warrenport Rd. *Sto T* —4C **74**
Warren Rd. *H'pl* —4F **7**
Warren St. *H'pl* —5E **9**
Warren St. *M'brgh* —4D **77**
Warren, The. *Hind* —5E **121**
Warrior Dri. *H'pl* —2D **21**
Warrior Park. —2D 21
Warrior Ter. Salt S —4C **68**
  (off Windsor Rd.)
Warsett Cres. *Skel C* —4E **89**

Warsett Rd. *Mar S* —4E **67**
Warton St. *M'brgh* —4C **78**
Warwick Clo. *Eagle* —2B **148**
Warwick Cres. *Bill* —2F **55**
Warwick Gro. *H'pl* —4F **13**
Warwick Gro. *Sto T* —1C **74**
Warwick Pl. *H'pl* —4C **14**
Warwick Rd. *Guis* —3D **139**
Warwick Rd. *Red* —1D **65**
Warwick St. *M'brgh* —5D **77**
(in two parts)
Warwick St. *S Bnk* —3A **80**
Wasdale Clo. *H'pl* —5B **8**
Wasdale Dri. *Egg* —1C **148**
Wasdale Gro. *Sto T* —2E **73**
Washford Clo. *Ing B* —3A **150**
Washington Av. *M Geo* —2B **144**
Washington Gro. *Sto T* —1F **73**
Washington St. *M'brgh* —2E **77**
Waskerley Clo. *Sto T* —1C **72**
Wass Way. *Eagle* —4B **126**
Watchgate. *Nun* —4A **134**
Waterford Rd. *Sto T* —2A **74**
Waterford Ter. *M'brgh* —5C **76**
Water La. *Loft* —5C **92**
(in two parts)
Waterloo Ho. *Thor* —2B **98**
Waterloo Rd. *M'brgh* —4E **77**
(in two parts)
Waterside, The. *Thor* —2B **98**
Watersmeet Clo. *Ing B* —4B **150**
Watling Clo. *Sto T* —5F **53**
Watness Av. *Skel C* —3E **89**
Watson Gro. *Thor* —3B **98**
Watson St. *M'brgh* —3F **77**
Watton Clo. *H'pl* —2E **31**
Watton Rd. *Thor* —5E **99**
Waveney Gro. *Skel C* —3D **89**
Waveney Rd. *Red* —1A **64**
Waverley St. *M'brgh* —4D **77**
Waverley St. *Sto T* —2F **97**
Waverley Ter. *H'pl* —1F **19**
Waymar Clo. *M'brgh* —2C **100**
Wayside Rd. *M'brgh* —5A **80**
Wear Ct. *Skip I* —4F **79**
Wear Cres. *Eagle* —2B **148**
Weardale. *Guis* —4A **138**
Weardale Cres. *Bill* —3D **55**
Weardale Gro. *M'brgh* —3E **101**
Weardale Pl. *Sto T* —4E **73**
Weare Gro. *Stil* —2B **50**
Wearport Grn. *Sto T* —4C **74**
(off Eastport Rd.)
Wear St. *S Bnk* —2A **80**
Weary Bank. *M Lev* —5D **163**
Weastell St. *M'brgh* —1E **101**
Weatherhead Av. *M'brgh*
—3A **100**
Weaver Clo. *Ing B* —4C **128**
Weaverham Rd. *Sto T* —1F **73**
Weavers Ct. *Stok* —1B **168**
Weaverthorpe. *Nun* —3F **133**
Webb Rd. *Skip I* —3F **79**
Webster Av. *M'brgh* —2F **101**
Webster Clo. *Sto T* —1A **98**
Webster Rd. *Bill* —5C **38**
Webster Rd. *M'brgh* —2E **105**
Webster St. *Sto T* —1A **98**
Welburn Av. *M'brgh* —2A **102**

Welburn Gro. *Orm* —4A **104**
Welbury Clo. *Sto T* —2B **96**
Welington Clo. *Mar S* —3B **66**
Welland Clo. *M'brgh* —2C **130**
Welland Cres. *Sto T* —3B **72**
Welland Rd. *H'pl* —1E **31**
Welland Rd. *Red* —1A **64**
Wellbeck Ct. *Skel C* —3D **89**
Wellbrook Clo. *Ing B* —1C **150**
Wellburn Ct. *Sto T* —5B **72**
Wellburn Rd. *Sto T* —5A **72**
Welldale Cres. *Sto T* —4B **72**
Welldeck Gdns. *H'pl* —3F **13**
Welldeck Rd. *H'pl* —3F **13**
Wellesley Rd. *M'brgh* —4A **78**
Wellfield Grn. *Sto T* —1B **72**
Wellgarth M. *S'fld* —1D **23**
Well Ho., The. *Upl* —5C **86**
Wellington Clo. *M'brgh* —2E **77**
(off Wellington St.)
Wellington Ct. *Pres B* —5E **97**
Wellington Dri. *Wyn* —1D **37**
Wellington Sq. *Sto T* —5A **74**
Wellington St. *M'brgh* —2E **77**
Wellington St. *Sto T* —5A **74**
(in two parts)
Well La. *Newby & Seam* —5E **153**
Wellmead Rd. *M'brgh* —5F **79**
Wells Av. *H'pl* —4A **8**
Wells Clo. *M'brgh* —1E **105**
Well's Cotts. *Egg* —2C **148**
Wells Gro. *Red* —1F **65**
Wellspring Clo. *M'brgh* —1B **130**
Wells St. *H'pl* —5F **9**
Welton Ho. *M'brgh* —2A **104**
Wembley Ct. *Sto T* —1F **97**
Wembley St. *M'brgh* —4C **76**
Wembley Way. *Norm* —4C **104**
Wembley Way. *Sto T* —1F **97**
Wembury Clo. *Red* —3E **65**
Wensleydale Dri. *Skel C* —3B **88**
Wensleydale Gro. *Ing B* —3B **150**
Wensleydale St. *H'pl* —1B **20**
Wensley Rd. *Sto T* —1D **97**
Wentworth Ct. *M'brgh* —2E **105**
Wentworth Cres. *New M* —2F **85**
Wentworth Gro. *H'pl* —3D **7**
Wentworth St. *M'brgh* —4D **77**
Wentworth Way. *Eagle* —1C **148**
Wesley Mall. *M'brgh* —3E **77**
Wesley Pl. *Sto T* —1B **74**
Wesley Row. *M'brgh* —3D **77**
Wesley Sq. *H'pl* —3B **14**
Wesley Sq. *Stait* —1C **120**
(off Beckside)
Wesley Ter. *C How* —3F **91**
West Av. *Bill* —4D **55**
West Av. *Salt S* —4B **68**
Westbank Rd. *Orm* —5B **104**
Westbeck Gdns. *M'brgh* —3E **101**
W. Beck Way. *Cou N* —3B **132**
Westborough Gro. *Sto T* —2A **96**
Westbourne Gro. *N Orm* —4B **78**
Westbourne Gro. *Red* —3C **48**
Westbourne Gro. *S Bnk* —4B **80**
Westbourne Rd. *H'pl* —1A **20**
Westbourne Rd. *M'brgh* —2B **100**
Westbourne St. *Sto T* —2F **97**
Westbrooke Av. *H'pl* —2F **19**

Westbrooke Gro. *H'pl* —2A **20**
Westbury St. *Thor* —2C **98**
W. Coatham La. *Red* —1D **63**
Westcott St. *Sto T* —2A **98**
West Cres. *M'brgh* —2B **100**
Westcroft. *M'brgh* —1C **102**
Westcroft Rd. *G'twn* —2D **81**
Westdale Rd. *Thor* —1D **129**
West Dyke. —4C 48
W. Dyke Rd. *Red* —3C **48**
West End. *Guis* —2D **139**
West End. *S'fld* —4C **22**
West End. *Stok* —2B **168**
W. End Av. *Guis* —2D **139**
W. End Clo. *Hind* —5E **121**
W. End Gdns. *Yarm* —2B **148**
W. End Way. *Sto T* —4E **97**
Westerby Rd. *M'brgh* —3D **79**
Westerdale Av. *Red* —1A **64**
Westerdale Av. *Sto T* —4E **73**
Westerdale Ct. *Guis* —2D **139**
Westerdale Rd. *H'pl* —5D **21**
Westerdale Rd. *M'brgh* —1C **102**
Westerham Gro. *M'brgh* —4A **102**
Westerleigh Av. *Sto T* —5B **72**
Westerton Grn. *Sto T* —1B **72**
Westerton Rd. *Bill* —2E **39**
Westfield. —5B 48
Westfield Av. *Red* —4C **48**
Westfield Clo. *M'brgh* —2B **104**
Westfield Ct. *Red* —1E **63**
(in two parts)
Westfield Ct. *Sto T* —3E **73**
Westfield Cres. *Sto T* —2E **73**
Westfield Rd. *Loft* —5B **92**
Westfield Rd. *Mar S* —4A **66**
Westfield Rd. *M'brgh* —2C **104**
Westfield Rd. *Stok* —1B **168**
Westfield Ter. *Loft* —5B **92**
Westfield Wlk. *Loft* —4B **92**
Westfield Way. *Loft* —4B **92**
Westfield Way. *Red* —1E **63**
West Gth. *Carl* —5C **50**
Westgarth Clo. *Mar S* —4C **66**
Westgate. *Yarm* —2B **148**
Westgate Mall. *Guis* —2E **139**
Westgate Rd. *Guis* —1E **139**
Westgate Rd. *M'brgh* —3C **100**
Westgate Roundabout. *Est*
—1F **81**
West Grn. *Stok* —2B **168**
W. Hartlepool Rd. *Wolv* —2C **38**
Westholme Ct. *Bill* —4F **39**
Westland Av. *H'pl* —5F **13**
Westlands. *K'ton* —4D **161**
Westlands. *Stok* —2A **168**
Westlands Av. *Sto T* —1B **74**
Westlands Rd. *Eagle* —1B **148**
Westland Way. *Pres I* —4F **97**
West La. *G'twn* —2D **81**
(in two parts)
West La. *M'brgh* —5B **76**
(in two parts)
Westlowthian St. *M'brgh* —5F **57**
West M. *Yarm* —3B **148**
Westminster Clo. *M'brgh* —5E **81**
Westminster Oval. *Sto T* —3A **54**
Westminster Rd. *M'brgh* —1E **101**
W. Moor Clo. *Yarm* —4E **149**

Westmoreland Gro.—Willington Rd.

Westmoreland Gro. *Sto T* —3F **53**
Westmoreland St. *H'pl* —5B **14**
Westmoreland Wlk. *H'pl* —5B **14**
Westmorland Rd. *M'brgh*
    —1D **101**
Westmorland Rd. *Red* —1C **64**
Weston Av. *M'brgh* —4E **79**
  (in two parts)
Weston Cres. *Sto T* —2B **74**
West Park. —3C 12
West Pk. *H'pl* —4D **13**
W. Park Av. *Loft* —5B **92**
W. Park La. *S'fld* —4C **22**
Westpoint Rd. *Thor* —1C **98**
Westport Clo. *Sto T* —4C **74**
W. Precinct. *Bill* —1D **55**
Westray. *Mar C* —5E **133**
Westray St. *C How* —3F **91**
West Rd. *Bill* —4D **55**
West Row. *Est* —1F **105**
West Row. *G'ham* —4E **31**
West Row. *M'brgh* —2B **100**
West Row. *Sto T* —1A **98**
West Scar. *Red* —2D **65**
West Side. *Mar C* —2D **133**
West Side. *Nun* —2C **156**
West St. *Est* —1F **105**
West St. *Mar S* —3D **67**
West St. *M'brgh* —1E **77**
  (Buck St.)
West St. *M'brgh* —5F **57**
  (Port Clarence Rd.)
West St. *Norm* —2D **105**
West St. *Stil* —1A **50**
West St. *Yarm* —2B **148**
West Ter. *Gt Ay* —2C **166**
West. Ter. *New M* —2A **86**
West Ter. *N Orm* —4B **78**
West Ter. *Red* —3C **48**
West Ter. *Skel C* —4A **88**
West View. —4F 7
West Vw. *Red* —4D **49**
W. View Clo. *Eagle* —5B **126**
W. View Rd. *H'pl* —3E **7**
  (TS24)
W. View Rd. *H'pl* —3B **6**
  (TS27)
W. View Ter. *Eagle* —1B **148**
W. View Ter. *H'pl* —4E **21**
Westward Clo. *M'brgh* —3E **77**
Westwick Ter. *M'brgh* —1B **132**
Westwood Av. *M'brgh* —3D **101**
Westwood Av. *Nun* —3B **134**
Westwood La. *Ing B* —1C **150**
Westwood Way. *H'pl* —2C **6**
Westworth Clo. *Yarm* —5E **149**
Wetherall Av. *Yarm* —1B **160**
Wetherby Clo. *Sto T* —3E **75**
Wetherby Grn. *Orm* —3A **104**
Wetherell Clo. *Mar S* —5E **67**
Wetherfell Clo. *Ing B* —3A **150**
Weymouth Dri. *H'pl* —2D **7**
Weymouth Rd. *M'brgh* —1B **132**
Weymouth Rd. *Sto T* —1C **96**
Whaddon Chase. *Guis* —3F **139**
Wharfdale. *Skel C* —2C **88**
Wharfdale Av. *Bill* —3D **55**
Wharfedale Clo. *Ing B* —3B **150**
Wharf St. *Sto T* —1B **98**

Wharton Clo. *Yarm* —5E **149**
Wharton Cotts. *B'bck* —5B **112**
Wharton Pl. *B'bck* —2C **112**
Wharton St. *H'pl* —3B **14**
Wharton St. *Skel C* —5F **89**
Wharton Ter. *H'pl* —1A **14**
  (in two parts)
Wheatacre Clo. *Mar S* —5E **67**
Wheatear Dri. *Red* —3D **65**
Wheatear La. *Ing B* —5A **128**
Wheatfields Ho. *M'brgh* —3E **105**
Wheatlands. *Gt Ay* —1D **167**
Wheatlands Clo. *Guis* —3F **139**
Wheatlands Dri. *E'tn* —3A **118**
Wheatlands Dri. *Mar S* —4C **66**
Wheatlands Pk. *Red* —3D **65**
Wheatley Clo. *M'brgh* —2D **131**
Wheatley Rd. *Sto T* —1B **72**
Wheatley Wlk. *Sto T* —1B **72**
Wheeldale Av. *Red* —1A **64**
Wheeldale Cres. *Thor* —5D **99**
Whernside. *Mar C* —4F **133**
Whernside Cres. *Ing B* —3B **150**
Whessoe Rd. *Sto T* —1C **72**
Whessoe Wlk. *Sto T* —1C **72**
Whickam Rd. *Sto T* —1B **72**
Whickham Clo. *M'brgh* —3C **78**
Whinchat Clo. *H'pl* —5F **7**
Whinchat Clo. *Ing B* —5B **128**
Whinchat Tail. *Guis* —2B **138**
Whinfell Av. *Eagle* —4B **126**
Whinfell Clo. *Mar C* —4F **133**
Whinfield Clo. *Sto T* —3A **72**
Whinflower Dri. *Sto T* —4F **53**
Whingroves. *Thor* —4F **99**
Whinlatter Clo. *Sto T* —5F **73**
Whin Meadows. *H'pl* —3E **7**
Whinney Banks. —2B 100
Whinney Banks Rd. *M'brgh*
    —2A **100**
Whinney Hill. —1A 94
Whinny Bank. *Guis* —1E **159**
Whinston Clo. *H'pl* —2C **12**
Whinstone Dri. *S'tn* —5C **130**
Whinstone Vw. *Gt Ay* —1D **167**
Whinstone Vw. Camping &
    Cvn. Site. *Gt Ay* —4F **157**
Whin St. *M'brgh* —3E **77**
Whisperdale Ct. *M'brgh* —1E **103**
Whitburn Rd. *Sto T* —1B **72**
Whitburn St. *H'pl* —5B **14**
Whitby Av. *Guis* —2F **139**
Whitby Av. *M'brgh* —5E **81**
Whitby Clo. *Skel C* —4D **89**
Whitby Cres. *Red* —1F **65**
Whitby Gro. *H'pl* —4C **14**
Whitby Rd. *Guis* —2F **139**
Whitby Rd. *Loft* —5D **93**
Whitby Rd. *Nun* —3B **134**
Whitby Rd. *Thor* —4D **99**
Whitby St S. *H'pl* —4C **14**
Whitby St. *H'pl* —3C **14**
Whitby Wlk. *H'pl* —4C **14**
Whitchurch Clo. *Ing B* —3A **150**
Whitebeam Ct. *M'brgh* —3F **101**
Whitecliffe Ter. *Loft* —5B **92**
Whitegate Clo. *Stait* —2C **120**

Whitehall Rd. *Eagle* —3A **126**
White Ho. Cft. *Long N* —5A **94**
White Ho. Dri. *S'fld* —4D **23**
Whitehouse Rd. *Bill* —4A **38**
Whitehouse Rd. *Sto T* —4D **73**
White Ho. Rd. *Thor* —1B **128**
Whitehouse St. *M'brgh* —4C **76**
Whiteoaks Clo. *Red* —4F **65**
Whitestone Bus. Pk. *M'brgh*
    —4A **78**
White Stone Clo. *Red* —2E **65**
White St. *M'brgh* —5C **78**
White Water Way. *Sto T* —5E **75**
Whitfield Av. M'brgh —4A 78
  (off Angle St.)
Whitfield Bldgs. M'brgh —4A 78
  (off Pk. Vale Rd.)
Whitfield Clo. *Eagle* —5B **126**
Whitfield Dri. *H'pl* —2B **20**
Whitfield Rd. *Sto T* —4F **53**
Whithorn Gro. *Hem* —3E **131**
Whitley Rd. *Thor* —2D **129**
Whitrout Rd. *H'pl* —3E **7**
Whitton. —3A 50
Whitton Clo. *M'brgh* —5B **100**
Whitton Gro. *Stil* —2A **50**
Whitton La. *Stil* —1B **50**
Whitton Rd. *R'shll* —4A **50**
Whitton Rd. *Sto T* —5C **72**
Whitwell Clo. *Sto T* —2A **98**
Whitwell Pl. *Ling* —4F **113**
Whitwell Ter. *Guis* —1E **139**
Whitworth Gdns. *H'pl* —3F **19**
Whitworth Rd. *G'twn* —2D **81**
  (in two parts)
Whorlton Clo. *Guis* —4D **139**
Whorlton Ct. *Red* —2B **64**
Whorlton Rd. *Bill* —5B **38**
Whorlton Rd. *M'brgh* —5D **57**
Whorlton Rd. *Sto T* —1B **72**
Wibsey Av. *M'brgh* —4E **103**
Wickets, The. *Mar C* —2C **132**
Wickets, The. *Sea C* —5E **21**
Wicklow St. *M'brgh* —5C **76**
Widdrington Ct. *Sto T* —2A **72**
Wigton Sands. *M'brgh* —3B **130**
Wilder Gro. *H'pl* —1D **19**
Wilfred St. *Sto T* —1F **97**
Wilken Cres. *Guis* —5F **109**
Wilkinson St. *Ling* —4D **113**
Wilkinson St. *Sto T* —3B **74**
Willerby Grn. *M'brgh* —3C **100**
Willey Flatt. —1B 160
Willey Flatt La. *Yarm* —5B **148**
William Crosthwaite Av. *Thor*
    —1D **151**
Williams Av. *M'brgh* —2B **100**
Williams St. *Skel C* —4F **89**
William St. *H'pl* —4C **14**
William St. *M'brgh* —2E **77**
  (TS2)
William St. *M'brgh* —1F **105**
  (TS6)
William St. *Red* —4D **49**
William St. *Skel C* —4D **89**
William St. *Sto T* —1A **98**
  (in two parts)
William Ter. *Sto T* —2B **74**
Willington Rd. *Sto T* —1B **72**

HOSPITALS and HOSPICES
covered by this atlas
with their map square reference

N.B. Where Hospitals and Hospices are not named on the map, the reference given is for the road in which they are situated.

BUTTERWICK HOSPICE & BUTTERWICK HOUSE
CHILDREN'S HOSPICE —2C **72**
Middlefield Rd.
STOCKTON-ON-TEES
Cleveland
TS19 8XN
Tel: 01642 607742

CARTER BEQUEST HOSPITAL —3D **101**
Cambridge Rd.
MIDDLESBROUGH
Cleveland
TS5 5NH
Tel: 01642 850911

CLEVELAND NUFFIELD HOSPITAL —4E **53**
Junction Rd.
STOCKTON-ON-TEES
Cleveland
TS20 1PX
Tel: 01642 360100

EAST CLEVELAND HOSPITAL —3B **90**
Alford Rd., Brotton
SALTBURN-BY-THE-SEA
Cleveland
TS12 2FF
Tel: 01287 676205

GUISBOROUGH GENERAL AND MATERNITY
HOSPITAL —1E **139**
Northgate, GUISBOROUGH
Cleveland
TS14 6HZ
Tel: 01287 284000

HARTLEPOOL AND DISTRICT HOSPICE —4A **14**
Alice Ho., 13 Hutton Av.
HARTLEPOOL
Cleveland
TS26 9PW
Tel: 01429 282100

JAMES COOK UNIVERSITY HOSPITAL, THE
—3B **102**
Marton Rd., MIDDLESBROUGH
Cleveland
TS4 3BW
Tel: 01642 850850

MIDDLESBROUGH GENERAL HOSPITAL,
(TO CLOSE APRIL 2003) —5D **77**
Ayresome Grn. La., MIDDLESBROUGH
Cleveland
TS5 5AZ
Tel: 01642 850850

NORTH RIDING INFIRMARY,
(TO CLOSE APRIL 2003) —3D **77**
Newport Rd., MIDDLESBROUGH
Cleveland
TS1 5JE
Tel: 01642 850850

ST LUKE'S HOSPITAL —3B **102**
Marton Rd., MIDDLESBROUGH
Cleveland
TS4 3AF
Tel: 01642 850850

STEAD MEMORIAL HOSPITAL —4B **48**
33-37 Kirkleatham St., REDCAR
Cleveland
TS10 1QR
Tel: 01642 282282

TEESSIDE HOSPICE CARE FOUNDATION —3D **101**
1 Northgate Rd., MIDDLESBROUGH
Cleveland
TS5 5NW
Tel: 01642 819819

UNIVERSITY HOSPITAL OF HARTLEPOOL —5F **7**
Holdforth Rd., HARTLEPOOL
Cleveland
TS24 9AH
Tel: 01429 266654

UNIVERSITY HOSPITAL OF NORTH TEES —2C **72**
Hardwick Rd., STOCKTON-ON-TEES
Cleveland
TS19 8PE
Tel: 01642 617617

WEST LANE HOSPITAL —1C **100**
Acklam Rd., MIDDLESBROUGH
Cleveland
TS5 4EE
Tel: 01642 813144

RAIL

with their map square reference

Allens West Station. Rail —4A **126**

Billingham Station. Rail —1F **55**
British Steel Redcar Station. Rail —5C **46**

Eaglescliffe Station. Rail —3C **126**

Great Ayton Station. Rail —2F **167**
Gypsy Lane Station. Rail —2A **134**

Hartlepool Station. Rail —3C **14**

Longbeck Station. Rail —4B **66**

Marske Station. Rail —5C **66**
Marton Station. Rail —5D **103**

Middlesbrough Station. Rail —2F **77**

Nunthorpe Station. Rail —3B **134**

Redcar Central Station. Rail —4C **48**
Redcar East Station. Rail —5E **49**

Saltburn Station. Rail —4C **68**
Seaton Carew Station. Rail —4D **21**
South Bank Station. Rail —1A **80**
Stockton Station. Rail —4A **74**

Tees-side Airport Station. Rail —1E **145**
Thornaby Station. Rail —2C **98**

Yarm Station. Rail —1C **160**